W9-CDL-648

# 中国最刁辣的军统魔头

# 戴笠全传

DAILI

阴险毒辣 血腥风雨 不可一世 亡于非命

# 戴笠全传

DAI LI

林阔◉编著

下

中国文史出版社

## 二　巧借兄弟雄威，胆略过人

借助杜月笙组建“苏浙别动队”，虽在日本辖区潜伏不成，但却从日本戒备森严的仓库盗出五六千支枪，足见其胆略！

一个星期天，玄武湖公园。

黄浚西服革履，皮鞋铮亮，走进公园，转了一会儿，似乎累了，便坐在一把供游人休息的椅子上，拿出一根“骆驼”牌香烟，用打火机点着，悠然自得地抽了起来。同时，又不由自主地四处张望，好像在等着什么人。

是老婆？是情人？

过了好大一会儿，一个中年男子来到他的身边。问道：

“先生，能借个火吗？”

黄浚回答：“当然可以。”

说完，就把打火机递了过去。

那位中年男子点着烟后，又问：

“夫子庙怎样走？”

黄浚说：“这几句话说不清楚，不如我给你画个图吧。”

说完，从自己口袋里掏出一张纸，在上面写了些字，便交给那个问路的中年人，一切做得滴水不漏。

黄浚和那个中年人的一举一动，早被埋伏在这里的特工看得一清二楚。

结果，二人被当场拿获，其子也因参与他的活动被逮捕。经军事法庭会审，黄浚供认全部罪行，蒋下令将黄浚以卖国罪枪决。

戴笠虽与杜月笙拜把子，但是平时很少来往，这次他亲自登门，必有要事……夜幕已降临，空气中依然弥漫着硝烟的气息，昔日喧嚣的大街像死一样静寂，又有什么事要发生……

8月4日，日落西山，傍晚时分，戴笠连夜乘着小汽车，从南京风尘仆仆的奔赴上海。他在枫林桥寓所沐浴更衣之后，立即让刚刚升为淞沪警备司令部稽查处处长的王兆槐，亲自开车出去一趟。

此时夜幕早已降临，空气中依然弥漫着浓烈的硝烟气息，昔日灯红酒绿的大上海，此时变得像死一般静寂。

“戴先生，我们去什么地方?!”王兆槐发动了汽车，回头问张着大嘴、双眉紧皱的戴笠。

“华格臬路杜公馆!”戴笠简单地说了一句，又陷入了沉思。

“杜公馆?”王兆槐自言自语地低语了一声。他不明白，在这战火纷飞之际，戴笠亲赴上海，第一件事却是去找杜月笙!多少年来，特务处与杜月笙打过不少交道，不过大都是让他王兆槐去联系、交涉。为了工作方便，戴笠授意他参加杜月笙创办的恒社，拜杜为师。可戴笠很少亲自出面去找杜月笙，这次到底为什么?

“我这次奉校长之命来找杜先生。请他出面，把上海民众组织起来，协助国军御敌!怎么样?”坐在王身边的戴笠，愣愣地望着那些因避战而逃到法租界地，现在横躺竖卧在马路两旁的难民，半晌才冒出了这么一句话。

“好是好!有那么多枪吗?”王兆槐信口问道。

“我正要跟你谈这件事。据我所知，日本三菱银行与三井洋行的仓库里有大批的枪支弹药，你要设法把那批武器搞到手，抢运回来!”戴笠口气十分坚决地指示道。

王兆槐不禁大吃一惊。想从戒备森严在日本人眼皮底下的仓库把武器搞出来，谈何容易。

枪支弹药库位于黄浦江附近，白天战火纷飞，硝烟弥漫，人来人往，夜晚，日军的军舰停泊在江面上，时不时的向江面上打探照灯。在敌人的眼皮底下打开仓库运走武器简直是虎口拔牙。就连靠近仓库亦并非常人所能。

黄埔的学生毕竟是黄埔的学生，终究是受过正规训练的军人，军令如山，再难也不能说半个不字。

“好！我明天就找沈醉他们商量一下，他们昨天已经从虹口区撤出来了。”王兆槐毫不犹豫地答道。

“哦！他们怎么撤出来了?!”戴笠惊诧地问。

“战事一发，日本人就把近一年内迁入日租界的中国人通通赶了出来。他们也怕租界里有我们派去的特工人员呀!”王兆槐有点沮丧地说。

戴笠听后，深深地叹口气，说：“是啊，我们这方面的工作做得太迟了……”

说话间，汽车已驶到了华格臬路杜公馆门口。戴笠让王兆槐留在车内等候，自己亲自登门，递上名片。在等待的瞬间，不禁浮想联翩……

自从1921年戴笠在赌场结识杜月笙，迄今已十多年了。这十多年间，两人的地位均发生了巨大的变化。杜月笙已取代了黄金荣，成了上海滩首屈一指的青帮大亨；而戴笠也从一个流浪汉变成了老蒋手下的大红人。当年在上海“流浪”的时候，戴笠虽不愿与帮会为伍，但任特务处长之后，总少不了与三教九流、鸡鸣狗盗之辈打交道。为了工作之便，戴笠常常派部下去与杜月笙联系，自己则因公务繁忙很少登门拜访。

知道来人是戴笠，杜月笙也在想，这次戴笠亲自登门，定有要事。自战事发生以来，杜月笙也在忧心忡忡地注视着事态的发展。如果日本人占领了上海，他在华界的生意、店铺，就通通得关闭。他杜月笙的万贯家财和数千门徒，都将随着日本人的入侵而付之东流。几天来杜月笙急得像热锅上的蚂蚁，坐立不安。他希望国军早日把日本人赶出上海，也愿意亲自为此做些努力。但他毕竟对打仗的事一窍不通，不知该做些什么，也不知怎么去做。

可是一见到戴笠的名片，他马上意识到，自己将有用武之地了。他兴奋得几乎是倒履相迎，连声高喊："戴先生请！快请进来……"

"月笙兄，何必客气，叫我雨农吧！"戴笠笑容可掬地迎上去，并紧紧握着杜月笙那干瘦的手，直到走进客厅，才慢慢松开。

"月笙兄，好久不见，身体像比以前健旺了。"戴笠没话找话地寒暄。

"哪里，哪里，到底是不如以前啦！雨农兄，来，先喝口茶，等会儿我们兄弟俩好好喝两盅……"杜月笙接过一杯佣人沏来的香茗，放在戴笠面前的茶几上。

戴笠呷了口茶，漫不经心地瞅了瞅杜家那宽敞阔绰的摆着镂花硬木家具的中式客厅，开门见山地说："月笙兄，改日再来喝酒吧，今天我特来有要事相求！"

"哦！雨农兄有什么事？只要我杜某能办到的……"

"这事很急。我来是请月笙兄出面组建一支有足够兵力的别动队，分布于沪西、浦东和苏州河一带，配合国军御敌……"戴笠兴致勃勃地说起来。

杜月笙一听，心里顿时凉了半截。如果让他出钱出人，他会毫不犹豫地拍着胸脯应承下来。但让他出面组建一支别动队，真枪真刀地跟日本人打仗，实在是勉为其难了。

但他还是耐着性子听完，然后问：“你说的‘足够的兵力’，是要多少人？”

“一万！”戴笠毫不含糊地答道。

“一万？”杜月笙倒抽一口凉气，半晌没说出一句话来。他定定地望着戴笠那张满是笑容的长脸，心想，这个戴雨农简直是在异想天开，我手下的徒子徒孙虽多，但大都是在赌场、妓院、店铺等地混惯了的乌合之众，让他们聚众闹事、呐喊助威，还差不多，如果让他们抛妻别子，拿枪打仗，为国捐躯，那可就难了！

戴笠见其沉默不语，一个劲地在客厅里踱方步，就开口笑道：“月笙兄，这是一项有关抗战前途的大事！来之前，我已跟蒋委员长请示过了。委员长认为，势在必行。他答应别动队成立后，所有的番号、军械、粮饷，都可以由中央颁发。”

一听“蒋委员长”和“中央”这两个名词，杜月笙顿时停住了脚步。他是个好面子的人，既然委员长和中央都看得起他，事情再难也是推辞不得的。

于是，他坐下来试探着说：“既然这是件大事，那我们就多找几个朋友来帮忙，共同设法，如何？”

“月笙兄说得对！我们先来拟个筹备委员会名单吧！”戴笠办事向来说干就干，雷厉风行。他边说边从衣兜里掏出钢笔和记事本，与杜月笙隔几而坐，你一个、我一个地提出一些要人的名字，最后敲定筹委会组成人员名单：上海市市长俞鸿钧、新任广东省主席吴铁城、工商界的贝祖贻、钱新之，军警界的吉章简、蔡劲军等人。外加杜月笙和戴笠。

名单拟好后，戴递给杜月笙，兴奋地搓着双手说：“月笙兄，我们的筹备委员会这不就建立起来了啦！我看筹备地点，暂时就设在三级无线电学校吧！”

"好哇！辣斐路附近有我家的一幢房子，来往方便得很！"杜月笙也兴奋起来。他知道既然有个筹备委员会，再重的挑子也是众人分担，用不着他一个人去发愁了。

这时，佣人端上新备的夜宵、酒菜，戴笠这才想起汽车里的王兆槐，连忙让佣人去叫他进来，共进夜餐。

席间，边吃边聊，戴笠胸有成竹地对杜月笙说："其实募集一万人马并不太难。我在京沪地区的部属集中起来，编成一个特务大队没问题。加上我在京沪办的两个训练班的学员，差不多有两三千人。"

"我刚才也想了想。上海各区的保卫团，都是受过一点正规训练的。他们的团长都是我的学生，找个把人，或许不成问题。"杜月笙也立即把自己的想法告诉他。

"好啊，月笙兄！"戴笠一听，高兴得一拍巴掌，又按捺不住地欠起身子，凑到杜月笙跟前说，"你莫忘了，你还有两员大将哟！"

"谁?"杜月笙不解地问。

"你的爱徒陆京士他们呀！"

戴笠此言一出，杜月笙恍然大悟。陆京士等是上海各工厂搞护卫队的负责人，与各厂工人有很多联系。他惊喜地说："雨农兄，你的意思是到工人中去征集?!"

"是啊！上海工人有一百多万，他们都是爱国不落人后的呀！只要陆京士他们一句话，集合几千人还成问题?"

"雨农兄，你想得真周到！明天一早我们就分头行动。"杜月笙心里有了底，高兴地举起酒杯一饮而尽。

第二天，他俩先召集筹备委员会成员开了个会，然后各自召集自己的部下及学生，宣布成立别动队的命令。就在这天晚上，戴笠又在招商局借了三条驳船，让王兆槐、沈醉带领四十多名年轻力壮的部属，前往日本三菱银行和三井洋行仓库抢运武器。

仓库位于黄埔江的一个小码头附近。江面七八条舰上的探照灯，不停地冲着江面和沿岸来回照射。王兆槐等人驾着驳船，巧妙地躲过敌人的探照灯，悄悄地驶到仓库附近的码头，并打掉守护仓库的日军岗哨，溜到仓库门前。仓库门上的大铁锁，足有拇指那么粗的锁环。为了不惊动别处的岗哨，他们用湿毛巾将锁环裹住，轮流地用钢锯锯锉锁环，其他人均分布在仓库四周的隐蔽处，监视着敌人的动静。几乎每一个人都紧张得汗流浃背。他们都知道，万一被敌人发现，他们将腹背受敌，无路可逃。

足足花了半个多小时，仓库门锁才被锯断。库房里果然堆满了各式各样的枪支弹药。四十多个人一刻不敢松懈。他们连背带扛地抢运武器。敌人的探照灯扫过来时，他们立即匍匐在地上，探照灯一过，他们又跳起来，一路小跑地搬运。

自从王兆槐等人走后，戴笠就坐立不安地在枫林桥住所内等候着消息。前来与戴笠商量别动队成立短期技术训练班的余乐醒，见其心神不宁的样子，也只好独自拟订了别动队短期轮流培训计划，放在戴笠面前，请他审批。余乐醒告辞走后，戴笠仍无法专心研究培训计划。他清楚，王兆槐等人如果不能顺利地把武器抢运过来，别动队即使成立，也无法马上投入战斗。

一万多人的武器装备，要想完全靠中央批拨是不可能的。这批武器等于是他这支特务武装的命根子啊！

时间一分一秒地过去了。深夜1点啦！2点啦！南市白云观的侦缉大队仍没有电话来报告情况。戴笠忍不住又打电话过去询问，得到的仍是：人还没回来！

直到凌晨 4 点，戴笠靠在沙发上刚刚要进入梦乡。电话铃急骤地响了起来。戴笠猛地从沙发上跳起来，抓过电话筒。他一下就听出了王兆槐那疲惫但很兴奋的声音："戴先生，货全运回来啦！足有五六千支！"

"太好啦！没有遇到麻烦？"戴笠睡意全消。

"没有！很顺利！"

"一定要保管好！你们先休息吧！"戴笠说完放下话筒，兴奋地搓着双手，高兴得不能自已。他走进浴室，痛痛快快地洗了个热水澡，便开始研究余乐醒拟订的培训计划。他边看边想，这次一定要干个样子给人们瞧瞧，我戴某并不光是会收集情报，打起仗来，照样不含糊！

仅一个来月的时间，一万多人的"苏浙别动队"正式成立。老蒋亲自颁发了"苏浙别动队"的番号。戴笠亲自担任别动队委员会的书记长。别动队的总指挥则由杜月笙推荐的早年担任过军长的老友刘志陆承担。该别动队共分五个支队和一个特务大队。第一支队队长何天风，主要成员都是杜月笙的门徒；第二、三支队队长分别为陆京士等，主要成员为上海各厂家、企业的工人；第四、五支队队长分别为张业、陶一珊，主要成员是戴笠在京沪地区的部属和被招入特训班的年轻学生。特务大队，队长王兆槐，成员都是原警备司令部侦缉大队的人马。

与此同时，他又分别在青浦、佘山和松江成立了技术训练班，让别动队员分批分期地去战地短期训练，然后分赴前线，配合正规部队作战。

戴笠终于有了一支自己的武装了，俨然一副主宰世界的样子，平日很少见到笑容的马脸终于有了笑容。

## 三　枭雄也有失落时

戴笠反间谍确是特工中顶尖水平，计高一筹，但计杀南本因贪恋金钱，计差一筹。

特工战线本是一个风云诡谲，变幻莫测的战场，特工与特工之间的较量，更是高水平的斗智斗勇的较量。

淞沪战争期间，戴笠不仅公开组建苏浙行动委员会及别动队，还秘密领导了一场与日本特工之间进行的间谍战。这条秘密战线首先是从与上海日本东亚同文书院的间谍斗争开始的。

1937年9月中旬，著名的救国会“七君子”之一章乃器先生向戴笠推荐了两名上海大学毕业的高才生程克祥、彭寿，并说程、彭二人愿意为反间谍斗争做出贡献。

特工战线本是一个风云诡谲、变幻莫测的战场，以戴笠之精明和谨慎，当然不会仅仅依靠一位学者先生的判断和推荐，就吸收运用两个素不相识的反间谍人才。于是，戴笠指令由文强当面去法租界拉都路章乃器先生寓所与程、彭二学生洽谈，意在对其进行考察。文强经过了解，得知程、彭与章乃器先生是师生关系，因出于爱国心，愿意利用与东亚同文书院中某教授的特殊关系，打入同文书院及虹口地区和日本海军俱乐部，搜集日方情报，贡献给国民政府，支持淞沪抗战。

东亚同文书院成立于1887年，其原名为日清贸易研究所，是一个以日本陆军为后台的日谍巢穴。表面上看来是“研究所”，其实是以军事目的为出发点的情报调查机构。

它的主要工作是调查中国市场和财政经济和调查中国的地理、政治、军事等问题。调查的项目非常细致，仅以地理而言，包括主要公路的长度、宽度、路面结构；桥梁的长度、建筑材料、载重量；渡口的运量及河面的宽度等要一一调查清楚，在其绘制的地图上，不仅精确到村庄，甚至连村中有多少眼井，都一一标了出来。调查材料分别登载在该书院办的《支那研究》杂志和《支那省别全书》、《兵要地志》等书中，送日本陆军统帅部参考掌握。

调查人员以日本留学生为主，并有一些军事人员参与。当时日本首相近卫文麿的大儿子近卫文隆受其父的派遣，在同文书院任职，在中国各界高层人物中收买汉奸。他们的足迹遍及全国，甚至云贵等省的边远乡村也去，足见其调查情报之深入。

程克祥、彭寿本是东亚同文书院的雇员，但淞沪战起，两人激于尚未泯灭的爱国心理，更受恩师章乃器的教诲和影响，决定利用与东亚同文书院的关系，搜集一些日方的情报，为抗日救国做些工作。其意亦有脚踏两只船的想法，借此了解一些中方抗战的活动，提供给紧追不舍的东亚同文书院。此二人无疑是一个双重间谍。

为达到这一目的，程、彭向文强提出：需成立一个取其“以文会友”之义的“文友社”组织，以做掩护，由程、彭分别任社长、经理，聘用男女记者五六人，并相应地解决一所独立的三层楼房，备用金一万元法币、小轿车一部及司机等。

戴笠听取了文强的汇报，经过一番深思，对文强说：“此事唯恐章乃器先生书生学者上当，我们也得谨防反间之计，看情况只能将计就计，反正在租界上谅也跳不出我们的手心。”于是，将计就计，戴笠当即批准了程、彭所提的全部条件。

淞沪抗战期间，戴笠时间的计算完全不以“天”为单位，而是以“小时”、甚至“分钟”来计算的。他限令文强连夜将

“文友社”的编制预算定下来，上报备案。又限其三日内将“文友社”这支反间谍网络布置起来，开展活动。然后戴笠、文强设计一步一步地与程、彭二人斗智，逼其就范。

首先，戴笠、文强设计怎样将特务处的特工人员不露任何痕迹地打进文友社里面去，用以控制这座反间谍机关的主动权。

戴笠和文强决定派遣黄埔六期出身的特工人员、杭州警察局指导员王树人当一名文友社的看门人，兼收发，实际是这座机关的戴方特工总负责人。

王本身是个跛脚，又装出一副无所作为，任人训斥笑骂的昏阘模样。文友社的程、彭和日方间谍毫不起疑，就是戴笠派进文友社的特工人员也没有识破王树人是他们的顶头上司。平时，王对他们的指示都是用约定的不直接接触的方式进行联络。

接着，文友社聘用记者，程克祥引来了三名日方间谍，戴笠决定派两名女特工打进去工作。为了不使程、彭和日方起疑，戴笠叫文强通知程、彭，对聘用记者进行当场考试，合格则用，不合格则不用。而戴笠安排的两名女特务，一名安占江，东北人；一名吴忆梅，曾任《上海晚报》记者。两个人不但年轻貌美，能说会写，善绘画，懂照相，而且都受过大专教育，又分别在北平警高和中央警校受过严格的女警官训练，骑马、射箭、打枪等样样皆精，是两位特工全能人才。戴笠、文强还预先对她们训练一番，既不能太露，以显出马脚，又不能装得太“笨”，反不被录取。果然是一试就中，又没有令程、彭和日方间谍起疑。

第二步，戴笠、文强设计遏制企图进入文友社的日方间谍，而对已经进入的则试图赶走，这样不给日谍在文友社以立足之地，以便于戴方特工人员的活动。程克祥介绍了三名日方间谍，文强提出须进行考试、审查资历，有可靠的保证人和保证金，以便确定工资待遇为借口，使三名日方特工知难而退，主动提出不计报酬，只为爱国尽义务。

文友社的汽车司机也是程克祥带来的日方间谍，且十分狡猾，很难对付。安占江提出用以毒攻毒的办法。在日方特工中煽风点火，散布流言，说这个司机很骄傲，看不起中国人，要对付他。结果日谍作贼心虚，把这名司机以自动辞职为名调走。随后，戴笠指示文强暗中商请朱学范介绍了一位司机陈阿毛应聘，与王树人配合，可谓珠联璧合。

第三步，戴笠、文强继续通过章乃器先生、胡子婴女士这两位爱国夫妇对程、彭施加影响，促他们坚定地站在戴的一边。程、彭受当时抗战大潮的影响，也逐渐和戴笠、文强一方靠拢，最终成了一边倒，文友社也完全成了不文不友的反间谍机关。

安占江、吴忆梅则以文友社记者为掩护，深入到同文书院和日本海军俱乐部内，调查搜集各种情报资料，每天向文强、戴笠汇报，甚至把日谍的行踪及其在租界和上海近郊的联络点、关系人等重大情报，都基本上调查清楚。

安、吴二人还按照戴笠的指令，将同文书院内以教授面目伪装的日谍上尉福田信一引诱出来，绑架到南京警察所关押起来。

中日之间高水平的间谍斗争是在戴笠与日方一流特工高手南本实隆少将之间展开的。

上海是中国经济的中心和重要工业基地，拥有发展军工生产的巨大潜力，同时也是远东的国际经济中心之一。一方面，在中国最高统帅部来说，是志在必保，由此蒋介石把七十万国军精锐投入战场，甚至把自己多年积聚起来的老本：黄埔之花毫无保留地全部调上前线，做拼死抵抗。

另一方面，在日军最高统帅部来说，也是志在必得，企图通过迅速攻占上海，实施中央突破，打击中国持久抗战的决心和能力。

淞沪战役打到9月底，战场态势进入相持阶段，呈胶着状态。蒋介石对战场形势忧心如焚，如果就此撤出淞沪战场，国际国内对抗战的信心都将动摇，抗战前途殊难逆料！如果继续拼下去，七十万精锐即使全部拼光能挽救颓势吗？后果亦不堪设想！

恰在这时，出自宋子文的谋略，依据《九国公约》，请欧美列强出面调停、干涉、制裁日本。所谓《九国公约》，是指1922年2月6日由美、英、法、日、意、比、荷、葡和中国北洋军阀政府在华盛顿会议上签订的《九国间关于中国事件应适用各原则及政策之条约》，其主要内容是根据“中国之门户开放”的“原则”，各缔约国享有在中国通商贸易和开办企业的“机会均等”权。

宋子文提出让《九国公约》签字国出面解决中日争端，以德国驻华大使陶德曼等人为首纷纷出面调停，使国民党内一部分高层领袖人物欢声雀起，认为是一着置日本于死地的好棋，就连戴笠也把《九国公约》看成救命符，认为上海有救，和谈成功就是胜利。

但是，曾在杭州警校内与许多学者研究过日本问题多年的文强提醒戴笠：“要谨防中敌人缓兵之计。”戴笠是悟性极高的人，他略一思索，兴奋地在文强肩上一拍，认为“谨防”二字说得好，他一定要在电话中向校长禀报。

《九国公约》签字国出面干涉中日战事，确使日本方面一时处于被动，不得不有所对策。于是，日军统帅部急调原在华北的间谍老手南本实隆少将秘密潜赴上海，主持上海方面的特工活动，迅速窃取中国统帅部对日作战的部署，并伺机暗杀进行外交调停的核心人物宋子文。

南本潜赴上海的情报，很快被戴笠派遣打入日本军方的谍工人员侦悉，迅速电告戴笠知悉。南本实隆是位中国通，对中国社会有相当深入的研究，因久在平津一带活动，能说出一口流利的略带天津音的中国话，且外表忠厚至诚，朴实无华，内则奸诈阴险，诡计百出，应付各种险恶局面皆能从容不迫，镇定自若，因而得以成为日军大特务头子土肥原、松室孝良的得力助手。南本在华北、内蒙和东北等地，曾多次破坏戴笠布置的特工组织，仅被其打死和逮捕的特务处特工人员就有数百之多。戴笠对其有切骨之恨，以至不呼南本之名而呼其为“毒蛇”，屡次设计要在华北将其干掉，皆因南本以变幻莫测之功而滑掉。

南本潜赴上海之初，戴笠的计划就是将其干掉，以泄心头之恨。他考虑到南本到达上海后，必定要在同文书院和日本虹口海军俱乐部露面，戴笠已在这两处日谍巢穴安排了内线，其行踪将不难掌握。难的是派谁去执行这一极危险而极艰难的任务。戴笠先将当前集中在上海能够充当这一杀手任务的特务逐一排除，分析比较，最后选定由文强担任。

戴笠考虑：文强是湖南长沙人，湖南人素有不怕死的硬汉作风，能临危不惧，又是黄埔四期毕业，对校长和自己都很忠诚，不会临阵变节，多年在浙警校特训班和南京谍参特训班工作，对特工情报业务和行动技术熟悉，未出任过公开职务，不被日方注意；办事机警干练，极有头脑，可谓有勇有谋，文武双全。

接下来，戴笠考虑如何说服文强能愉快地接受这一任务。他历来的观点是，交代部下去完成危险的任务，宜智取，不宜强攻。戴笠首先打电话给文强，叫他到福履理路自己的寓所来一趟。这处地方本是戴笠保密最为严格的密室，除心腹亲信毛人凤外，即使文强这样的亲信大特务也不清楚。毛人凤向文强指明地址，并交代只能坐自备汽车去，并且不能直开大门，须远远停下，步行前往。这是戴笠的惯用手法，未向部下交代任务，已经先声夺人，在心理上让他建立起一种已被受到高度信任的感觉。

文强来到戴笠在福履理路的密室，两人先到内室共进早餐。然后戴笠才让文强看了南本潜赴上海的电报，接下来就是一番鼓励：“观涛兄，你辛苦，文友社这出戏唱得不错，你还得再唱一出全武行的苦打戏，我考虑由你出马最为妥当。”

戴笠介绍了南本各方面的情况，包括他的外貌、身形后，问道：“老兄有无左轮手枪，西服可多做几套，配几名得力助手给你，由你自己挑选，做好出马的准备吧!”“希望老兄多动脑筋，为国诛患。”

说完，戴把准备好的一支马牌三号左轮，配有三十发达姆弹，连同五百元特别费一并推到文强的面前。这一连串的动作和气势已使文强几乎无退路可走，但又不敢贸然接受。戴见他面有难色，已知其意，结果又一顶高帽子戴到文强头上：“你的兼职多，事太忙，我很了解，再忙你也干得下来，不必推辞，不要被一个难字挡住了前进的道路，要做关云长，过五关斩六将。”这一番恰似战前动员的思想鼓动工作，不但无丝毫霸气、杀气，而且动之以情，晓之以理，激之以义，可谓淋漓尽致，不由得让文强不生出一股豪气，愉快地接受任务。临告辞出门，戴笠叮嘱文强说，这次谈话不可告第二人，此间会见地点也不可告人，以后无他的亲自电话，请不要来。

四天后，情况发生了新的变化。南本到上海后，撇开外围，用掏心战术，直接用重金收买日本士官学校的同学、国民党原八十七师参谋长杨振华，要其提供中国军队的情报。岂知杨此时一方面激于爱国大义，不甘就此堕落为汉奸，二是慑于在戴笠身边当一个别动队的参谋长，不敢贸然出卖机密，也用了一个脚踏两船的办法，将这一情报向戴笠报告。戴笠迅速以变应变，重新精心设计了一个新的计划，交代文强执行。

戴笠第二次在福履理路紧急召见文强，一见面就说："该死的毒蛇出洞露面了。他们急于要赶在九国公约国开会之前，完成攻下上海的任务，他判断陶德曼奔走和谈的是缓兵之计，幸好我已向校长禀报。你的见解证明毒蛇的活动恰恰就是和谈为假，进攻为实。我们的计划要有针对性，不到时候不诛此蛇，且看他如何横行，一定要掌握他的三魂六魄，使他落入我们布置的陷阱之中。毒蛇所需要的是情报，手法是以重金收买奸逆，到处混进他们潜伏的间谍，这是毒蛇在平津地区活动的一套规律，我已摸熟了。毒蛇已经用自上而下的办法，企图收买杨振华这位王敬久手下的前参谋长。"

喝了一口水，戴笠继续说道："我决定将计就计，要杨金蝉脱壳，推荐你顶替他以军事委员会少将高级参谋、甘心为虎作伥的面孔出现。他们要通过全面的考验，然后再谈其他。毒蛇要杨约你于今晚8时前往静安寺路一百弄十号见面。到达时，按门上的电铃，有一妙龄女仆开门，问'是李先生吗'？你说'是'，就可随她进去。你的化名杨已取好，叫李文范少将，你得注意，千万不可露出马脚。我已电军委会，在职员名册中，加上李文范少将高参的虚名，以免有内奸去查册误事。你好好准备去与毒蛇见面。不必带手枪，也不要带任何男女，自备汽车，换换牌照。见面后问到年龄可报大一点，日本不到五十岁出头不会有少将官衔，中国人不讲这些，也得大几岁好。此去不要忘记是英租界，这一次不暗中派人保护你，以后还得派。问题是他们为何不约到虹口租界，也不是旅馆和公共场所？可见初次约见，已对你有了信任感。这种信任感来自杨振华的介绍，杨这个人呀！……”戴笠没有再说下去，但是杨却在淞沪抗战后公开投敌，可见戴笠的怀疑是正确的。

戴笠的这一番长篇指示，条分缕析，丝丝入扣，恰如给文强上了一堂高水平的特工业务课。最后，戴笠再次嘱咐，要深思初次见面的对话，使其百分之百信任，“陷阱就在你的脑子里”。

上完“课”，戴笠问文强：“有无困难？”

此时，文强已经信心倍增，愉快地回答：“还没有和毒蛇见面呢，有困难再来请示。”

于是，彼此哈哈大笑。一切果如戴笠所料，第一次见面，双方只是了解证实对方身份，并约定过两日到虹口海军俱乐部进行第二次会谈。临分别，南本送文强一大捆东西，文强带回苏浙行动委员会办公大楼。戴笠一听，勃然大怒，指着文强的鼻子大骂：“你怎么会将毒蛇赠礼不加考虑地带回来了？试问一声爆炸，玉石俱焚，那还了得吗！”戴笠越说越急，连声音也沙哑起来。当即由行动技术专家余乐醒在楼下大院里加以各种引爆试验，终于证明不是炸弹，拆开点数，竟是一万元法币。

一场虚惊，颇使文强不快。戴笠由此又引出一番宏论，解释说：“老兄沉着应变的精神可佩，我的警惕过头也是不得已。过虑则愚，过敏则乱，不如此则怠，不认真则万事无成。全胜而败不如积小胜而大胜。剑及履及，步步以慎敌之心，则有备无患。反之，掉以轻心，事无不败之理。”说完这番话，戴笠还用剑拔弩张的字体写下上述之赠文。如此一来，文强不但转嗔为喜，而且对虹口之约勇气倍增，心明如镜，毫无后顾之忧。

文强第二次赴约，南本实隆开始抛出底牌，急欲了解四件事：一是中国统帅部之抗战决心如何？二是对日作战之动员及兵力配备如何？三是九国之约之制裁倡议是否出自宋子文部长的谋略？四是对陶德曼奔走和谈的看法？文强按戴笠事先部署，以下次回答做借口，约定两日后再谈。

第三次赴约前，戴笠指示文强，引蛇上钩已成，但要严防脱钩，关键在假戏真做，以解对方燃眉之急，而且附带目的在于骗取一笔巨款，以充军饷。别动队万人所需，如有二百万元到手，则两年饷糈无虞，这一任务必达成。据此，文强闭门造车，写好四题的答复提纲，经戴笠审定修改，嘱咐留存底稿，上报校长备案。

第三次虹口会议，文强抛出第二题，骗取日方同意支付二百万元的承诺，并当场由南本在名片上签字。戴笠认为日本人素来小气，南本在华北从来没有这么痛快过。二百万元的兑现难免有变。

果然，第四次会谈，二百万元现款未能到手，双方调旋的结果是4题总代价为四百万元。第五次会谈，文强只拿到四十万元现款，余下的三百六十万元南本只同意开支票，条件是文强必须把另外三个问题全部交出。戴笠评价四十万元可作小胜，反谍大胜的考验是三百六十万元支票交付后能否兑现。

第六次会谈在赫德路某号进行，这处房屋原是特务处特务刘戈青租赁的，因租期于下月期满，戴令其悄悄搬走，腾空作为会谈地点，并开始利用这处地方为干掉南本预做准备。这项计划连文强也没有预知。由此足见戴笠谋划之深远。这次会谈，南本交付支票，但提出须在三五天后提取，且须按九折支付。然而却不能转出户头。这一次，南本又抛出一个新问题，要求文强作为内应，暗杀宋子文，答允可以先付十万酬金，事成之后不会少于百万之数。此题文强佯为应允，回来后当即向戴笠汇报，戴不禁大吃一惊。

戴于是问文强，这出戏是不是到了收场的时候，我看毒蛇提出了宋子文，一定还有更大的阴谋，使我们提高警惕，要加强对领袖、何部长等的安全戒备。我们引蛇上钩，不止于骗款，更大的目的是在华北给他滑掉了，这次不容许再滑掉。戴接着分析：“对杨振华这位参谋长，我很不放心。假如他向毒蛇方面说了什么话，你的活动就会被他们监视，接着也会对你下毒手。你考虑过没有?”文强被戴笠如此一提醒，不禁毛骨悚然。当即，戴笠下令由文强去安排，就在赫德路会谈点除掉南本实隆及其一伙，外围行动则由戴咐咐赵理君、王兆槐去干。

第七次会谈，文强再次骗到五万暗杀宋子文的酬金，并约定第八次会谈仍在原址，具体商定暗杀计划。

文强归来后，向戴笠汇报会谈经过和除掉南本一伙的布置。戴笠则分析淞沪战场上中国军队形势很严峻，陶德曼和谈调停落空，我们中了敌人的缓兵之计。南本许诺的四百万元代价，只到手四十六万元，其余的支票经查询正金银行，答复不能转户，还要一星期才能办到。戴分析这其中有诈。多方迹象表明，明日的鸿门宴看来要落空。戴甚至后悔，不应该贪图金钱，应在第七次会谈时就干掉南本实隆这条毒蛇。

第八次会议，戴笠布下天罗地网，专等南本来钻。但文强等人一直等到午后6时，也没有见到南本一伙人的影子。戴笠打来电话，要文强立即撤退。在银行家贝淞贻家里，戴笠告诉文强，日军已从金山卫登陆，全用不着我们对四个问题的答复，对暗杀宋子文也已不感兴趣，并吩咐文强迅速准备从上海撤退。

总的来看，戴笠指挥文强对南本斗智，其七次会谈，每次会谈前戴笠均对文强做出详细指示，其分析判断之准确，有如剥茧抽丝，丝丝紧扣。确是特工中的顶尖人物。然南本亦属一流特工高手，在间不容发之际，不但自己拔脚溜掉，而且三百多万元巨款也未被戴笠取走。

## 四 坚守阵地，再添光环

戴笠组建“苏浙别动队”后，在固守南市掩护大部队撤退，无疑给特务处增加了一圈光环。

戴笠的特工人员并非个个草包，在面临大敌之前个个将生死置之度外，与日军奋勇抵抗，死守阵地……

八一三事变后，日军大量增兵，海陆空三军。一齐向中国守军反攻，蒋方守军虽增加到三个集团军与五十四个师的兵力，但终因武器装备太差。而不能继续反击，双方处于相持状态。

在此期间，戴笠常常奔波于闸北、罗店、浏河等前线，除了搜集情报外还充当蒋介石与军队的联络员。这天，戴笠在由前线返回途中，正逢滂沱大雨，回到作为别动队指挥部的三级无线电学校时，周身早被雨水淋得透湿。一向自以为体壮如牛的戴笠，由于多日来劳累过度，竟被这一场大雨打倒，生起病来。当天夜里，他高烧不止，昏迷中说着胡话。

贾金南和警卫人员吓得连忙把他送进附近的医院。孰料，这次病情来势凶猛，戴笠竟三天三夜高烧不退。他住院后的第二天，负责松江训练班的部属汪祖华来沪向他汇报情况，请示工作。戴笠紧闭双眼躺在医院病床上，烧得满面通红，满嘴起泡，呼吸显得十分急促。汪祖华十分担心地问在病房陪伴戴笠的陈质平：“戴先生怎么烧成这样？”

没等陈质平开口，戴笠已睁开被烧得通红的双眼，似醒非醒地指着汪祖华身上的西服说道：“你这身衣服怎么可以上战场？去，赶紧做一身中山服！”说着，从枕头下抓了一把足能做二十套中山装的钞票递给他。汪祖华知道，他烧得有些神志不清了，但为了礼貌起见，他收下了钱，又恭恭敬敬地说：“我这就回去。不知戴先生有没有什么指示？”

戴笠似乎明白了他的话，挣扎着爬起来，摇摇晃晃地走到桌边，抓起桌上的笔，吃力地写了三个字“不怕死”。当时在场的陈质平、汪祖华均深受感动。在当时全国军民抗日救国激情空前高涨的情况下，这三个字，对当时的“苏浙别动军”队员们起到不小的激励作用。

10月下旬，日寇大量增兵。“苏浙别动队”第四支队奉命掩护正规部队由闸北撤往苏州河南。该队全体人员本着“不怕死”的精神，与日军展开激烈的巷战，逐街逐房地抵挡日寇。但由于他们都没有受过正规训练，所以，正规军撤退之后，第四支队的二千余人几乎全部阵亡。

11月上旬，正规部队奉命大撤退。陶一珊率领的第五支队及第二、三支队的部分队员，却奉命配合五十五师某旅固守南市，以掩护主力部队往浙皖边境撤退。接到命令后，戴笠即令课报组组长周伟龙送去命令，让陶一珊部效仿“八百孤军”死守四行仓库的壮举，固守南市，没有他的命令，决不许撤退。

原来，在此前不久，部分部队撤过苏州河转移之际，老蒋即令八十八师死守闸北，拖住日军，以争取时间。但八十八师师长孙元良认为，大部队撤退后，八十八师将陷入四面受敌、孤立无援的境地，很可能导致全师覆没。为保存实力，减少牺牲，他征得当时最高指挥官顾祝同的首肯，决定留下谢晋元所在的五二四团死守闸北。

当时，谢晋元团仅有四百多人，但为麻痹敌人，号称“八百”。大部队转移后，谢团以大陆、金城、盐业、中国四家银行的联合仓库为据点，顽强地阻击敌人。当时他们三面都是日军，只有身后苏州河对岸是英租界。而英租界当局一方面担心炮弹落入该租界，一方面担心中日军队涉河闯入租界，故在河岸沿线耸立一排装满汽油的大坦克。他们成了真正的“孤军”。

但是连续几天几夜，他们以四行仓库那四层楼高的庞大建筑为据点，击退了日军的多次进攻，却未让日军越雷池一步。他们的英勇顽强精神令上海市民不胜敬佩。市民们想方设法为他们送医送药，送慰劳品，奔走援助。当时，甚至还有一位刚高中毕业不久的女学生杨惠敏，冒着枪林弹雨，泅水过河，给谢团官兵献旗，以表上海民众对抗战勇士们的敬意……

戴笠当时有专门的电话线与四行仓库联系，及时听取谢团的战斗情况，然后向老蒋汇报，同时，把老蒋的命令直接传达给谢晋元。因此，戴笠对“八百孤军”的情况非常了解，同时也为谢晋元等官兵的那种以身许国，誓与阵地共存亡的爱国精神所感动。所以，他也希望自己的部下能像谢团一样顽强抗敌，在这场战斗中建立功勋。他要让以往瞧不起特务处的官员们看看，他戴笠领导的特务武装，决不亚于正规部队。

当时，戴笠和宋子文共同坐镇英法租界，指挥苏浙别动队和上海市警察总队。南市大部队撤退的前夜，风雨交加。病愈不久的戴笠，在法租界三级无线电学校的别动队指挥总部坐镇指挥。奉命冒雨前来的特务大队队长王兆槐、侦谍组组长周伟龙及人事科长文观涛，一个个神情严肃地站在戴笠面前，等候着他的指示。

戴笠习惯地把双手叉在腰上，不安地在室内走动着说道：“现在情况非常紧急，明天一早大部队全部撤退，命我别动队、警察总队，配合五十五师的一个旅，固守南市，掩护大部队撤退。我已命陶一珊任总指挥，率别动队五千多同志配合固守。伟龙兄今晚一定要设法送去3万个面包，作为紧急食粮，另外送去二百面国旗，让一珊派人连夜插遍南市各个角落。观涛兄，你马上去哈同路宋公馆，宋部长已为我准备了四部电话机。你拿到后，立却送到伟龙兄的锦江公所，让他一并送给一珊。这些电话可以直接与我及宋部长通话，委员长随时都要了解固守南市的情况。你们现在就分头去办吧！我在这里等一珊的电话。”

周、文两人二话不说，披上雨衣就走了。王兆槐站在一旁有些按捺不住地问：

“戴先生，我的任务……”

“放心！还能没你的事干?！你的任务是坚守白云观稽查处。万一一珊他们的防线被突破，你就要带人顶上去，直到我下令撤退为止。”戴笠说着，从公文包中抓出一叠钞票，递给他，接着说：“你处理完这里的事后，立即带稽查处的同志化装转移，先去香港，再转武汉。这是五百元钱，足够你们做路费了。”

王兆槐接过钱，小心地装进军装内衣的口袋里，自言自语地说：“千万莫丢了。”他扣好衣袋扣，又不放心地摸了摸，这才突然想起什么似地问:“我们走了,那稽查处关的四十多名死刑犯如何处理?”

戴笠习惯地歪着脑袋沉思片刻,正想开口说什么,电话铃急骤地响了起来,一旁的贾金南抓起话筒问了句什么,立即递给戴笠。戴笠急匆匆地去接电话,对王兆槐说道:“现在哪有时间顾他们?到时候你看着处理吧?”

王兆槐知道戴笠没有什么要交待的了,向他行了个军礼,转身走了出去。

电话是杜月笙打来的,他告诉戴笠说,法租界宣布,华法交界的各铁栅栏门,从当天晚 12 时起一律关闭,禁止通行。他担心别动队也将像四行仓库的守军一样三面受敌,无退身之路。戴笠听完,沉默片刻,但坚决地说道:“月笙兄,我们的同志是有这方面思想准备的。”

大敌当前,杜月笙虽然心疼他的三千门徒,但也不便说什么。他清楚,这五千奉命固守南市的别动队成员中,有二千多是戴笠的部下和特训班的青年学生。

自第二天上午,大部队撤出南市之后,日寇就用飞机、大炮开始向南市猛烈轰炸。整个南市地区终日硝烟弥漫,烈焰腾空。身居法租界的杜月笙,深为他的门徒担忧,终日站在楼上向浓烟滚滚、枪声稠密的南市地区眺望,急得像热锅上的蚂蚁似的,在窗前来回搓手踱步。

戴笠也在为他的学生和部下担心。他知道,自己的事业和成功,绝大部分是靠着这些人才取得的。然而,他毕竟是个军人,懂得“养兵千日,用兵一时”的道理。同时,他此时也没有多余的时间去替守南市的部属忧心,他忙着制定上海沦陷后的潜伏计划,以及“苏浙别动队”日后的行动方案。

南市守军与日寇激战三天三夜,戴笠也整整忙了三天三夜，未曾合眼，困乏之极时，他便去洗个热水澡。这是他任特务处长以来，“发现”的一个最佳的解乏、解困、松弛神经的方法。

固守南市的第四天凌晨，大部队全部撤退。守南市的五十五师某旅和警察总队，先后接到撤退命令，已向吴福线转移。戴笠刚刚布置完“苏浙别动队”第一、二支队转移到浦东去打游击的任务，正在英租界的宋子文公馆商量第三、五支队撤退后的去向。

突然，佣人说有电话在找戴笠。戴笠刚抓起电话，就听见杜月笙那低沉而焦灼的声音：

“雨农兄，快下命令撤退吧！现在大部队已经撤退，其他的守军也撤离了南市。弟兄们再不撤，就会全部牺牲的！”

“月笙兄莫急，我也正在考虑他们的撤退问题。现在他们已经三面受敌，只有先撤往法租界。租界方面我正想请宋部长联络……”

戴笠话音未落，杜月笙就接茬儿说：“租界方面由我去疏通，雨农兄，你只要下个手令就行了，一珊没有你的手令不肯撤退。”

“那好，我马上请宋部长的随从给你送上手令。”戴笠放下电话，立即提笔下了道命令：“苏浙别动队立即放弃阵地，向法租界撤退。”

通过杜月笙和宋子文的共同努力，当天下午4时，法租界当局终于同意在当晚12时开放距苏浙别动队指挥部所在地——南市十六铺招商局码头最近的南阳桥铁栅门，放苏浙别动队进入租界。但此时，敌军已到达徐家汇以西地区，炮弹已落到了别动队阵地。陶一珊接到放弃阵地的命令，这才率部向南阳桥方向转移，于当晚12时全部放下武器，撤入法租界，向戴笠复命。

与此同时，王兆槐在日军距白云观稽查处仅半小时路程之际，亦率部化装成难民向后方撤退。临行前，他自作主张，释放了关押着四十多名死刑犯。他颇为激动地对犯人说："你们都是死囚，但都是中国人。在敌人到达前的半小时处决你们，我也于心不忍。现在我自作主张放了你们，你们今后要好好做人……现在赶快离开吧！"

四十多名犯人先是深感突然，但等他们意识到自己已获得自由时，都禁不住感激涕零地跪下冲王兆槐连连磕头，然后才起身离去。

王兆槐等人随即迅速转移，经香港去武汉待命。

陶一珊率领第三、五支队进入法租界后，部队全部化整为零。戴笠命一部分人随周伟龙留在上海执行潜伏任务，另一部分人转往安徽祁门打游击，后改编为"忠义救国军"。还有小部分人随陶一珊化装潜往香港，转道奔赴武汉。此时，老蒋已决定以汉口为中央政府所在地，淞沪保卫战之后的南京保卫战，只是为了阻止和延缓敌人的进攻，以掩护前方部队的休整和后方部队的集结。

南京鸡鹅巷特务处已由郑介民带领，随中央机关转移到了汉口。戴笠的妻儿老母也由当时已晋升为特务处机要秘书毛人凤负责，派人送回了江山保安乡。所以，戴笠安排妥上海的工作之后，径直去武汉向老蒋覆命。他清楚，淞沪一战中，自己和部属的所作所为，无疑又给特务处增加了一圈光环，在老蒋的心目中，又增添了一个砝码……

## 五　拿办逃将韩复榘

韩复榘违抗军令，临阵退缩，遭戴笠设计谋杀。

时任第三集团军总司令兼山东省主席的韩复榘也难逃厄运被秘密枪决。

1938年1月，蒋介石利用在开封召集团长以上军官开会之际，逮捕了韩复榘，立即送往汉口，旋即予以秘密枪决。韩复榘时任第三集团军总司令兼山东省主席。韩复榘的处决，是抗日战争以来，国民党当局处决的最高级将领。

韩复榘被处决，虽然有着历史上复杂的原因，但最根本的原因，则是他不战而放弃济南等地，导致津浦路北段的迅速沦陷，给津浦路对日作战造成巨大损失。

1937年12月，日军在占领沧州、德州后，直逼黄河北岸，并在周村以北黄河渡口集中炮火强渡黄河。时第三集团军辖有第十二军、第五十五军、第五十六军三个军，及一个独立新编师、一个独立旅。第十二军，辖第二十、第八十一两师，由孙桐萱任军长兼第二十师师长；第五十五军辖第二十九、第七十四两师，以曹福林任军长兼第二十九师师长；第五十六军辖第二十二及新编第四师，由谷良民任军长兼第二十二师师长，吴化文任新编第四师师长。当时，该集团军固守黄河南岸，作战面极大，但韩复榘仅调一个旅团防守，而将主力集结于济南后方，致使日军迅速渡过黄河。

12月23日，敌矶谷廉介第十师团由青城、济阳向南渡黄河，占领周村、博山，然后沿胶济路向济南推进。同时，日军在泺口北岸向南岸炮击，济南西面亦受到敌人威胁，危在旦夕。

在济南危机之际，韩复榘不仅未能组织力量进行抗击，相反，不经呈报批准，擅自决定将弹药、给养、医院、修械所及伤病人员、官佐眷属等等，仓促用火车送往河南漯河以西舞阳等县。当运输车辆路过徐州时，第五战区司令部曾去电阻止，并责问豫西非第三集团军的后方，为何将物资等运往该地？韩复榘不仅不停止其违令举动，反而复电抗驳，谓：开封、郑州亦非第五战区后方，为何将弹药、给养存放该地？并率部退至鲁西南曹县地区。

由于韩复榘的逃跑，27日济南失守。日军乘虚南下，长驱直入，31日占领泰安，复又夺取兖州、济宁。

抗战期间，违背军令，事关对日作战的成败。韩复榘这种不服从军令，又不努力对日作战，擅自退避以求自保的违法行动，是不能容忍的。因此，蒋介石决定予以惩处，但韩复榘身为集团军司令，非一般军人可比，对他的惩处不是一纸命令可以生效的。于是，蒋便设计，即借在开封行营召开团以上军事会议为名，诱韩出席，然后将其逮捕法办。

令韩复榘赴开封出席军事会议，是由蒋介石通过电台直接通知韩复榘的。蒋对韩说：我决定召集团长以上军官在开封开个会，请向方（韩复榘号）兄带同孙军长（孙桐萱）等，务必到开封见见面。韩遂往孙桐萱防地曹县，于14日偕孙桐萱到柳河车站，换乘一辆铁甲车，随带卫兵一营，护卫四十人抵开封。车停开封西关外。孙桐萱和各旅团长住在省政府东边路南指定的一个旅馆，韩则住盐商牛敬廷的房子内。15日迁至黄河水利委员会委员长孔祥榕住宅。下午，韩偕孙桐萱等一同乘车赴开封南关袁家花园内礼堂开会。

韩复榘赴会时，有随身亲信警卫4人相随；及至会议室，护兵被阻于室外，随即解除武装。同时，在车站的卫队亦被包围缴械。参加会议的有数百人，将领中有宋哲元、李宗仁、白崇禧、于学忠、刘峙、张钫等。蒋介石主持会议并发表讲话，说明抗战的决心，最后讲道：有些人不听命令，你不听命令，你的部下怎么听命令。会议临散，其他出席会议者皆先出，去饭馆吃饭，然后各回住所。而戴笠奉蒋介石之命，以召见谈话之名，将韩复榘请入侧室，旋借词退去，即由已预先派定之军事委员会警卫正、副组长黎铁、罗敦两人，率卫士将韩复榘监视起来，连夜专车秘密押赴郑州，急解汉口，仍由戴笠负责看管。在韩复榘押离开封的同时，亦派人将孙桐萱等住处包围，旋由蒋伯诚通知孙桐萱，韩已被扣押，并偕孙见蒋，说明扣押韩复榘之原委，以及任命第三集团军正副总司令、前敌总指挥等事项。

韩复榘被解往汉口后，一直在一个看守所楼上秘密关押，由特务人员严密守卫。1月24日，戴笠命两名特务人员至看守室，佯称军政部长何应钦传其下楼谈话。并问韩家里有事否，如写信，他们可送到。但其真实目的是借机将韩处死。当韩复榘出室下楼时，一特务人员拔出手枪从背后向韩复榘连发数枪，韩应声从楼梯滚下。当局在执行死刑之前，曾面告戴笠，不准弹伤韩复榘头部，以保其全尸。韩被处死后，由孙连仲备棺装殓，运至河南信阳鸡公山埋葬。

## 六 唐绍仪上了“黑名单”

“党国元老”唐绍仪被人杀害，杀人者是谁，为什么要杀?

1938年9月30日，在上海法租界福开森路（今武康路）十八号，一座外有武装警卫人员巡逻、内有便衣人员警卫、戒备森严的住宅内，发生了一件奇案：“党国元老”唐绍仪被人杀害。杀人者是谁？为何要将唐绍仪杀死？对此，历来众说纷纭，莫衷一是。

唐绍仪，字少川，广东中山县人。父亲是上海的茶叶出口商。唐绍仪自幼在上海学习外语。1874年他十四岁时，随一批幼童到美国留学，1881年回国。1885年开始在天津税务衙门任职。不久，被派赴朝鲜任商务委员，受到袁世凯的赏识。1900年任天津海关道。1904年，先后两次与英国交涉西藏问题。1906年签署《续订藏印条约》。辛亥革命时，出任袁世凯内阁的全权代表，到上海与民军全权代表伍廷芳谈判议和。1912年3月，袁世凯窃据临时大总统后，唐绍仪被任命为第一任内阁总理。同时，他又经孙中山介绍，参加了同盟会。唐绍仪的内阁被称为同盟会中心内阁，他由此称为国民党元老。不久，唐因袁世凯公然破坏中华民国临时约法，愤然辞职，寓居上海。

1917年，孙中山在广州建立护法军政府，任大元帅，唐绍仪南下广州，被任命为财政部长。次年，军政府中的桂系排斥孙中山，取消大元帅制，改为七总裁制，唐绍仪为总裁之一。1925年7月1日，广州国民政府成立时，唐绍仪为国府委员。1931年5月，汪精卫、陈济棠在广州成立反蒋政府时，唐被选为广州国民党中央常务委员，兼任中山县县长。“九一八”事变后，宁粤合流，他被选为国民党中央监察委员、国民政府委员，常驻上海。

唐绍仪何以遭暗杀呢？最根本的原因是由于他历史是反蒋派的一员及有被日本人利用的可能性。

日本帝国主义为了实施其灭亡中国的计划，在1937年12月14日，即日军攻陷南京的第二天，日本华北方面军就在北平炮制了伪中华民国临时政府。与此同时，华中日军派遣军也开始积极搜罗国民党重要人物，与日本“合作”，在华中地区成立汉奸伪政权。日军物色的首要对象就是唐绍仪。1937年12月中旬，华中日军派遣司令部就开始策动唐绍仪出任行将成立的汉奸政权首脑，妄图利用唐在历史上的影响，以揽华中日军占领区的民心。1938年1月16日，日本首相近卫文麿发表首次对华政策声明，声称今后不以国民政府为对手之后，日本更加速了策动在沦陷区的北洋军阀首脑和国民党要人出任伪职。在北平，策动吴佩孚出山；在上海，则加紧策动唐绍仪。为此，华中日军派遣军总司令松井石根、特务部长原田熊吉等，都一再亲临唐公馆，促其出山，收拾时局。唐本是政治人物，长期寓居上海，但看到中国人民的抗日怒潮，因此没有答应与日本合作。日本华中派遣军特务部不得不另以梁鸿志、温宗尧、陈群等人为对象，于1938年3月28日在南京炮制了“中华民国维新政府”，但并未放弃唐绍仪的工作。事为军统局所侦知，戴笠乃令上海区区长周伟龙，对唐进行制裁。

周伟龙，号道三，湖南湘乡人。他根据局本部的指令，派队长林之江具体实施暗杀计划。他们对唐绍仪的生活起居及喜好进行了分析，大致如下：

1. 唐绍仪每天12时吃午饭，饭后休息十分钟左右，然后午睡两小时。午睡时间，没有特别重要事情，决不接见客人。一般去他家的客人均在下午2时以后；2. 唐最喜欢古玩，爱古玩如生命；3. 他无论会见什么客人，都是闭门见客的。他不喊，佣人就不能随便进去换茶；4. 唐宅有法捕警卫，戒备森严。根据这些情况，他们制定了暗杀方案：1. 确定执行人为行动组长林之江，备黑色轿车一辆（假车牌）供林使用；2. 买些假古董，让林以古董商人身份接近唐；3. 不能用枪，只能使用刀、斧等“冷兵器”；4. 时间定在上午9时左右。

军统大特务谢力公有个弟弟名叫谢志磐，是唐绍仪家的亲戚，出入唐宅比较随便。林之江就是通过这条内线，了解到唐绍仪的许多情况，并介绍他同唐认识。林之江以古董商人的身份常到唐宅同唐绍仪谈论古玩。什么古代名瓷、石河雕塑、康熙的五色大花盘、玲珑石、景泰瓷大花瓶，唐绍仪谈起来滔滔不绝，口若悬河。林之江居然也能对答如流，且能一一说出它们的特色，这更博得了唐的欢喜。林之江趁势说，他在国外购得几件明代瓷器，其中有一件是景泰年间的大瓷花瓶，愿意向唐出售。唐绍仪好像发现了什么重大秘密，睁大了眼睛，惊奇地望着林之江说：“什么？明景泰年间出的花瓶？是真的吗？”这位年轻的古董商矜持地微微点了点头，并说东西还没运到，一到上海，马上就带来给你看。唐绍仪一听，连声道谢，并破例欢迎他经常来做客。林之江去过几次之后，唐宅的佣人、警卫人员都知道他是唐家的常客，也就不再有什么戒心了。

1938年9月30日，军统上海区发出了执行命令，限数小时内，要林之江带唐绍仪血迹复命。

这一天，细雨濛濛，西风瑟瑟，阴霾沉沉。上午9时20分，一辆黑车小汽车疾驶而来，在唐宅大门口戛然而止。来人正是年轻的“古董商”，说有古玩数件送给唐老先生。佣人上楼通报后，客人被请进会客室等候。据说，会客室很大，林把带来的瓷器摆在了地毯上。会客室外面就是花园，花园里有法捕房派来的便衣人员守卫。因有窗纱，从外向里看什么也看不见；由里往外则看得清清楚楚。唐绍仪起身，缓步下楼，进入会客室，与客人寒暄几句。佣人送茶后退出，顺手将门关闭。唐绍仪拿起一件古玩观赏。乘唐绍仪俯身去取另一件古玩时，林之江抽出暗藏在花瓶内的一把锋利的小钢板斧，照准唐绍仪后脑海挥斧猛砍。唐年事已高，猝不及防，头部被砍中两斧，一时血流如注，受伤倒地。来客见已达到目的，擦了擦血迹，离去。在走出会客室时，他向门里深深鞠了一躬，仿佛在辞别主人，并说：“请留步，不要送了。”顺手将装有碰锁的门带上，向佣人微微一笑，快步走向门口，朝警卫人员点了点头，登上汽车疾驰而去。

当佣人再次进入会客室时，发现主人倒在了血泊之中。佣人大声惊呼。全院闻声立刻吹响警笛呼救，一面向法捕房报案，一面将唐送进医院。经抢救无效，唐绍仪于下午 4 时死亡。

就这样，唐绍仪被国民党军统特务暗杀了。蒋介石为表示“关怀”，在事件发生后，于 10 月 5 日，以国民政府的名义公布了“国府委员唐绍仪褒扬令”，拨给治丧费五千元，并将生平事迹存入档案，以备“国史”采择，算是对这个“国府委员”的“哀悼”。

在刺杀唐绍仪的前后，军统还先后暗杀了准备出任伪维新政府军政部长职务的周凤岐等汉奸。

## 七　乱刀砍死汉奸

救命之恩也不如五万元实惠，仆人在军统眼中也是一流杀手。

傅宗耀住所与日本司令部近在咫尺，又怎样被杀害的呢？

傅宗耀，字筱庵，浙江镇海县人。1927 年前曾任上海总商会会长。北伐军抵达上海前，曾支持军阀孙传芳，反对北伐军。北伐军占领上海后被通缉，遂逃往大连，并暗中与日本勾结。后返上海，任汉冶萍公司股东联合会会长兼该公司董事会副会长、商办内地自来水公司董事、中华商业储蓄银行董事及龙潭造纸厂董事等职。1937 年 12 月日本占领上海后，曾扶持苏锡文，在浦东和南市成立“大通市政府”。1938 年 3 月 28 日，伪维新政府成立后，傅即依靠日本人的支持，于 10 月 16 日取苏锡文而代之，任伪上海特别市政府市长，而苏锡文为秘书长。

傅宗耀投敌，出任伪上海市长之后，军统局便下令将其铲除。傅宗耀时住虹口施高塔路支祥德路二十六弄二号。该处属越界筑路区，与日本海军陆战队司令部相距咫尺。该处日军平时警卫森严，外人很少能出入。就是在这样的情况下，傅宗耀还是于 1940 年 10 月 13 日凌晨 4 时许，在他的卧室被朱升用犀利的菜刀砍死，时年六十九岁。

朱升本系傅宗耀亲信仆人。据说，傅为躲避通缉匿居大连时，某年冬的一天，风雪交加，在他的后门外雪堆里，倒下了一个人。傅家的佣人早晨开门，见此情景大叫起来，傅听说后忙问死了没有。经查胸口尚有热气，他的老婆便叫人把他抬进厨房，生了一盆火，再灌以热姜汤。不久，该人便慢慢苏醒过来。询问后，方知此人因投亲不遇，流落在大连，因饥寒昏倒。听他满口讲的都是浙江镇海话，大概感于桑梓之谊，他过去又是厨师，因此，傅便要将朱升收下，让他做厨师。朱升听了便扑通跪下，口称：“老爷，你真是我重生父母，救命恩人，我愿意为你做牛做马一辈子。”这样，朱升便做了傅家的家庭厨师。朱升忠实于傅，勤勤恳恳，因此，也深得傅的信任，家中事无巨细，均靠朱升经手。傅宗耀重返上海时，也将朱升带至上海，不仅把他当作厨师，而且也视为私人保镖。

军统得以完成暗杀傅宗耀的任务，其关键就在于买通了朱升。原来，军统上海区了解了朱与傅的上述关系后，千方百计派人与朱接近，逐渐晓之以抗日锄奸之道理，随之给予5万元之赏金。这样，军统的行动计划，便得到朱的完全同意。

10月10日，是双十节——辛亥革命纪念日，亦即国民政府国庆日。当时的汪精卫伪政权，也在此日举行庆祝。当晚，傅宗耀在法租界亲友处聚宴，至11日晨3时始返虹口寓所。因精神已觉疲惫，就在前室解衣就寝，未往后房与妻妾同床。而朱升在傅回寓时，便即躲入一小房中，待机而动。至4时许，朱听到房中已有鼾声，知傅已酣睡，便轻手蹑脚掩入傅之卧室，拿出早已备好的菜刀，向其头部猛砍三刀，一刀砍在眼部，一刀在下颏部，一刀在颈部，尤以颈部伤势最重，几将头颅割断，下颏则削去一块，眼球亦将脱出，当场声息全无，气绝毙命。

朱升行刺事毕，不慌不忙，趁夜色苍茫之际，骑上自行车，出门而去。当被卫队人员询问时，他伪称上街买菜。因朱升平时亦常于凌晨上街购物，因此卫队未加阻拦。朱出门后，在军统人员的导引下，迅速逃离，并安然到达国民党统治区。

事情发生半小时以后，傅的女佣发现其房门洞开，乃探头察看，发现傅已僵卧于血泊中，连忙叫醒傅的继室张氏，经入傅室探视，摸之，傅体冰凉，已是救无可救矣。当即令傅的警卫队20余人，在房屋四周侦缉凶犯，并报告日军陆战队，随即日军数十人，在附近各路口布防。除在虹口一带施行特别戒严外，北河南路以东、北江西路以西，均实行戒严，致使该地居民无法通过日军岗哨进入租界中去。戒严一直持续到下午7时。在实施戒严搜捕的同时，虹口捕房闻讯后，也立即派巡捕、侦探前往傅室调查，将所有男女仆人集中，严加盘问，结果发现男仆朱升失踪。

11日上午5时许，即傅被刺杀毙命后的1小时，在上海的汪伪特工头子李士群，即将此事用电话报告汪伪政府警政部长周佛海，及伪行政院长汪精卫。汪当即复电苏锡文，令苏暂代市长职务。电文谓：顷得电话，傅市长遇害，至深痛骇。应即严缉凶手，归案讯办，并暂由该秘书长代行市长职务。不久，即任命陈公博为伪上海特别市长。

## 八 “酒里有毒药”

日本领事馆举办的招待会上发生集体中毒事件，可曾轰动一时。

当群魔兴高采烈地喝尽杯中之酒后，突然有人大喊：“酒里有毒药！”是谁干的？

1939年6月10日，在日本帝国主义驻南京总领事官邸的宴会上，发生了一次严重的毒酒中毒事件，致使参加这次宴会的全部人员中毒，并使日寇两人丧生。这次事件，就是由军统南京区策划的。

日本驻南京总领事堀公一，要在10日举行一次大型宴会，招待将于9日到达南京的日本外务省次官清水及其随员三重，并邀请侵华日军华中派遣军司令部首脑及伪维新政权汉奸要员。6月8日发出了请帖，被邀请的有日本华中派遣军司令官山田乙三中将、参谋长吉本少将、副参谋长铃木宗作少将、军报道部长那华雄大佐、伪维新政府顾问原田熊吉少将，以及谷田大佐、高桥大佐、公平中佐、岩松中将、三国大佐、岛本少将、三浦大佐、海军大佐泽田、中佐田中和大佐秋山等人；伪维新政府被邀请的有伪行政院长梁鸿志、伪立法院长温宗尧、伪绥靖部长任援道、伪内政部长陈群、伪交通部长江洪杰、伪司法行政部长胡炳泰、伪教育部长顾澄、伪外交部长廉隅、伪财政部次长严家炽、伪实业部长王子惠、伪南京市长高冠吾等汉奸。日本南京总领事馆出席人员，预定为公使堀公一、领事内田、副领事有久、乾等4人。

宴会于10日下午7时35分在总领事官邸举行。由于偶然的原因，被邀请的许多人未能出席，参加宴会的日本方面只有清水、三重、铃木、泽田、田中等人；伪维新政府汉奸有梁鸿志、温宗尧、任援道、江洪杰、胡炳泰、顾澄、廉隅、高冠吾。由于有许多人缺席，所以临时由领事馆人员补充，这样参加宴会的领事馆方面人员，除堀公一、有久外，还有警察署长内藤四郎，书记官宫下、吉生、船山、金子、清水，翻译石桥，嘱托山本。宴会开始后，总领事掘公一致词，并提议为日本帝国主义侵华战争的胜利干杯，与会者举杯将酒一饮而尽。

宴会用的酒，是由领事馆的工作人员、中国仆役詹长麟于9日下午在中华路一百一十九号老万金酒店买的瓶装陈酒。当群魔兴高采烈地喝尽杯中之酒后，突然有人发觉酒中有异常的味道，大声喊道：“酒里有毒药！”会场立即呈现一片惊慌和恐惧气氛，个个面面相觑。因为无论是日寇，或是他们的傀儡汉奸，都非常害怕中国人民对他们的反抗和惩治。日寇占领南京后，血腥屠杀了三十余万中国人，使数以万计的人们家破人亡，妻离子散，流离失所，无家可归。这个在战前一个近百万人口的繁华城市，几乎变成了极少人烟的废墟。直到 1940 年 3 月，全市人口才只有十三万余人。侵略者的暴行，激起了中国人民无比的愤怒和更加强烈的反抗。当时，在南京周围地区，不仅有新四军直接领导的抗日武装，同时也有其他各种抗日组织，他们不断对日寇发起进攻，给日寇以沉重的打击。就是在南京市内，虽有日军重兵驻扎，又有军警、宪兵的严密防守和检查，但南京人民仍然采用各种方式同日伪进行机智、巧妙的斗争，给日伪以有力的打击，使日寇坐卧不安，日夜不宁，随时随地都担心有被杀死的危险。因此，当有人说酒里有毒之后，他们立即停止暴食狂饮，并且在堀公一的指挥下，重新倒出一、二杯酒，小心翼翼地进行试尝。同时堀公一还命令书记官船山和警察署长内藤，到厨房将买来的陈酒进行全面检查，结果证明确实有异味，于是下令停止饮酒，并立即打电话给同仁会医院及有安、金城、慈惠和日本陆军各医院来人抢救。但说时迟、那时快，当杯酒下肚之后，仅仅只有十五分钟左右，毒药便发生效用。除警察署长等一、二人因来的迟，酒喝得少，中毒较轻之外，大部分人员全身引起不适，特别是觉得口、舌麻痹，行走困难。有的栽倒在会客室和走廊里，有的则在厕所、大厅和厨房门口大口大口地呕吐。警察署长内藤开始还比较清醒，指挥警察署在场人员对官邸周围实行封锁，加强警戒，并对中毒人员采取应急抢救措施。但很快他本人也和其他人一样，神志昏迷，栽倒在地。

那么毒酒又是怎样来的呢？当6月8日日本总领事馆发出请帖，将于10日宴请日伪要员的时候，詹长麟就在中华路老万金酒店买回四瓶老陈酒，在酒中放入大量阿托品，然后把盖口封好。9日下午，领事馆日人会计让詹长麟去买四打老陈酒时，他就来了个偷梁换柱，把放有阿托品的毒酒混入其中，送到总领事官邸。宴会时，温酒的工作也是由詹负责。当日下午6点左右，他就开始往日本式的温壶中灌酒，并在每一个温壶中倒了毒酒。灌好毒酒之后，他向另一中国工作人员玉山说："我只在每个温壶中灌了半壶酒，如果一次灌满酒味会不好，等宴会开始时，再灌满。"并称他肚子痛，出去吃点药，等一会儿就回来，有什么事，请帮个忙。说完就离开了总领事官邸。

詹长麟，别名詹长林，当时年仅二十六岁，住南京市吉兆营十二号。他从1934年4月起，就在日本驻南京总领事馆当仆役。参与这次毒酒事件的还有他的哥哥詹长炳。詹长炳当年二十九岁，住在南京市许家巷，1936年2月起也在该领事馆当仆役。多年来，他们忠于职守，和其他人相处得很好，从未表现出有任何反日寇言行，这一点，就连日寇总领事及警察署长内藤四郎也都不得不承认。那么，他们为什么要乘宴会之机毒杀日寇及其汉奸走狗呢？6月25日，詹长麟和他的哥哥詹长炳，在上海联名写信给堀公一，对此做了说明。信中揭露的铁一般的事实，堀公一和内藤四郎也是公认不讳的。7月10日，他们在给外务大臣有田八郎关于这件事的报告中，称詹长麟的揭露"是事实"。信是这样写的：

总领事先生：

我们兄弟两人在日本总领事馆几年的服务期间，对你们日本人是非常好的，我们也非常忠于职守，没有一次做过违背你们的事，这你们也是相信的吧。说实话，不幸的是，发生了中日战争，我们目睹日本对中国的无理侵略，对日本人确实感到失望。然而那时我们仅仅是从新闻报道中看到你们日本人的凶残，但还不是亲眼看到的。因此，还没有使我们改变在总领事馆内忠实服务的决心。后来，南京被你们日本兵占领，我们亲眼看到了日本兵在南京烧杀奸淫的一切兽行。甚至连我们自己的家也被你们烧了，我们的妻子也被日本兵强奸了，家里的东西也被日本兵抢劫一空。我们兄弟虽如此在领事馆内忠实服务，而我们的家被烧，妻子被奸污，财物被掠夺，可怜劳苦半生的血汗全被你们破坏尽净。既然如此，我们还有什么希望？我们决心要为国报仇，为家雪耻，我们已经和日本人势不两立。只是我们既无兵，又无力量，加之总领事对我们又很好，因此至今我们都下不了手。10日总领事招待客人，我们知道总领事出席，才决定下手。谁死谁不死，这就要看你们的命运了。

我们不管成功的可能性大小，只是为了满足报仇雪耻的心愿。我们事前对谁也没有讲，事后更不愿意给别人添麻烦，“好汉做事一身当”，我们不想再说假话。我们已经来到上海，明天就要去香港，你们有本事就请来捉我们吧！但不要怀疑其他的人。我们既然做了此事，就不怕死，如果被你们捉住，愿为多数被你们蹂躏的人们报仇雪耻，死而无憾。像我们这样的劳动者，除以这样的死作为代价之外，没有比这更光荣的。我们在领事馆进行这次行动，唯恐牵连总领事，但想不出其他报仇雪耻的方法，所以就在公馆宴会的时间下了手。这样做对不起总领事，感到遗憾。

詹长炳　詹长麟

6.25.

詹长麟和他哥哥詹长炳一起策划这次毒酒事件时，为了对付日寇的追捕和报复，事前进行了周密的准备，对家室做了妥善安排转移。10日一大早，詹长麟的妻子詹黄氏，佯称要到城外参加亲戚的安葬仪式，告别邻居，带着两个孩子詹龙珠、詹开亮走了。当天下午便从燕子矶下流的笆斗山渡口乘船到江北。詹长麟自己当晚在离开领事馆后，便立即出了西门，由新河过江，到了江北，找到了妻子儿女。詹长炳及其妻子詹朱氏，以及他们的父亲詹士良、母亲詹潘氏、妹妹詹兰英等，也都诡称去参加亲戚的安葬仪式，一大早离开了自己的家。詹长炳的妻子带着儿子詹开明，先到了和平门外和平乡第四堡的一个朱姓农民家里，不久詹长炳也骑自行车赶到，然后全家一起由笆斗山渡口，乘船到了江北，会同詹长麟一家，由苏北辗转到了上海。詹士良当时五十五岁，他们夫妇和十九岁的女儿住在张家园八号。他们离家后，便乘汽车直接往上海去了。

中毒事件发生时，领事馆领事内田因病在家，未参加宴会，副领事乾也因事未参加宴会。他们获悉此事后，立即赶往现场，组织力量进行救治。因此，除船山、宫下两书记官因中毒较重，当晚死去之外，其他人员经过医治之后，免于一死。

事后，日寇采取了残暴的报复手段，他们对詹长麟及与之有关系的一切人员，进行了严密的搜查、追捕和迫害。当天晚上，日本宪兵队和警察封锁了各城门，进行搜查并暗中监视来往行人。第二天一清早，日寇又在和平门及下关一带进行大搜捕，逮捕了许多无辜的群众。日寇不仅对詹长麟父母和哥哥的住处，就连詹长麟兄弟妻子的娘家，都进行了严密的搜查，并日夜监视。在领事馆中工作的其他几个中国人，虽与此事无关，也被逮捕。就连笆斗山渡口的船夫，也被日寇抓走进行严刑拷打，追问詹长麟等人的去向和下落。从6月10日到7月

10日的一个月期间，日本宪兵队和警察在南京城内及其附近地区日夜搜查，任意逮捕和杀戮中国人，使南京人民处在极度恐怖的境况之中。据不完全的统计，除日军之外，先后出动的日本宪兵队和警察队，人数达一千数百人之多。与此同时，日寇还在上海租界地区密派特务暗中监视，密令他们一旦发现詹长麟等人的踪迹，便予以逮捕或杀害。

日寇为了能够抓到詹长麟等人，对他们下令通缉，把他们的姓名、年龄、身高、相貌、衣着、住址等等，都一一详细列出。不仅在报上刊登广告，而且在城内外到处张贴。如说：詹长麟二十六岁，身高五尺二寸，体型瘦长，皮肤青白，高鼻圆眼，短发，走路时稍有罗圈腿，身着白上衣，黑长制服裤；其妻詹黄氏，年二十四岁，身高五尺，鼻子大，扁平，嘴大；女儿五岁，儿子三岁，都是身着黑色中式衣裤；其兄詹长炳，二十九岁，身高五尺四寸，身体稍瘦，面长，厚嘴唇，长发，长得比较漂亮，南京口音，身着中式白色衣裤；其兄妻詹朱氏，二十六岁，身高一丈四尺八九寸，体胖，圆脸，带有七岁的一个男孩，都是身着中式白色衣裤。对其父母和妹妹，也都一一详细描述。

尽管日寇做了如此严密的布置，日夜监视和搜捕，但在有关方面的掩护下，詹长麟等安全到达了上海，并进入了日寇势力尚未伸入的租界地区。合家汇齐后，便于6月底离开上海，安全到达了香港，脱离了日寇的魔爪。

## 九　急令刺杀石友三

石友三敢叛国叛党，黑名单上怎么能少了他？

30 年代初，石友三公开，投靠日本人，阴谋叛乱，于是军统局的黑名单上又多了个人的名字；然而事情并非那么简单，军统四大杀手之一陈恭澍终于尝到了失败的滋味。

陈恭澍还沉浸在失败的痛苦中之时，戴笠又下了一道命令：刺杀石友三。

陈恭澍对石友三的情况有所了解。

石友三，是个生性反复无常，惯于投机取巧的军阀。1929 年，冯玉祥将军通电全国，与国民党中央决裂，就任“护党救国西北军总司令”，但作为其部属的石友三却通电拥护蒋介石。冯将军因此而功亏一篑。1930 年，阎锡山、冯玉祥联手对抗蒋介石，此时的石友三又归附阎、冯，被任命为“山东省主席”。不久，阎冯在军阀混战中失败，石友三再次归附于蒋介石。不料，1931 年，石友三公开投入日本人的怀抱，在华北捣乱。

此刻，惯于见风使舵的石友三正潜伏在天津的日本租界里，又阴谋叛乱。于是乎石友三上了军统局的黑名单。

陈恭澍深知刺杀石友三的难处。

此次行动由北平站和天津站联手完成。主要行动人员有陈恭澍、白世雄和王文。

王文参于此事的热情比谁都高。吉鸿昌一案的未竟全功，使王文郁郁不乐了好久，他决心一定要想办法弥补。

也多亏了王文，这事有了一个很不错的开端。王文说他认识石友三。眼下他还有一个很要好的同学，在石友三身边当副官。

陈恭澍不由大喜，这真是一个求之不得的好兆头！

王文的这个同学，名叫先鸿霞，他们还是同乡。二人取得联系，也是通过同乡的关系。

原来，天津西开有一家专营棉花土产的老字号三益成。是王文和先鸿霞的家乡宝坻人经营的。同乡们经常托店老板带信捎钱，日子久了，老板也暗底下做些小额汇兑生意，掌柜刘老板，人挺厚道，王文称他为刘老伯，店里的大管事是刘老伯的亲侄儿刘兆南，和王文、先鸿霞年纪相仿佛，他们小时候在一起念过书。王文和先鸿霞的联络，都是通过刘兆南从中联系的。

为了石友三这件事，王文专程到天津联络内应先鸿霞去了。

王文早知道先鸿霞对石友三不满，就暗示他弃暗投明。先鸿霞也有此意，但一听要暗杀石友三，却吃了一惊，无论如何总不肯答应。王文费了好大气力才说服先鸿霞，先鸿霞答应斟酌情况，见机行事。

先鸿霞起身告辞："文翰，我的时间不多，我得赶在石友三午睡起来之前回去。"

王文笑着点点头："鸿霞，别的不多说。我希望你能有个更好的出路。石友三是反复无常的小人，公开当了日本人的走狗，你跟着他没有好结果。"

先鸿霞点头："那我就全听你的安排了。"

先鸿霞不便久留，他要在两点之前，赶回石公馆。

王文急速返回北平。

王文到北平站联络站时，陈恭澍和白世雄已经望眼欲穿。

看着王文那不常见的笑脸，陈、白二人心里都是一松。二人相视一笑：看来这件事有点眉目了。

王文稍事休息，就将此行的经过讲了一遍。

陈恭澍问道：“石友三家里的警备如何？”

王文喝了一口水，擦了擦嘴边的水，说道：“石友三家里有便衣警卫，还驻有两个日本宪兵，说是保护，其实是监视石友三。再加上先鸿霞他们五个副官。防守得严着呢。”

白世雄紧接着问：“石友三平时都干些什么？”

王文笑着哼了一声道：“抽大烟呗！听先鸿霞说，石友三睡得晚，起得也晚。平时很少出去，就窝在家里和三个老婆打麻将、抽大烟。来找他的客人也不多。他要是出门呀，预先都不说到什么地方去。等上了车子，他才指指点点地往东往西的。连司机也不知道他要到哪儿去。不过石友三出门也就在租界里，中国地界他绝对不敢去。”

白世雄笑道：“咱们做了张敬尧、吉鸿昌两个案子，他还不怕下一个轮到他呀？”

王文乐了，哈哈大笑起来。

陈恭澍可没有这么轻松。这件事还是很棘手。

王文又想了一会儿，忽道：“还有一个难题。”

陈恭澍和白世雄同时抬眼盯着王文。一听到“难”字，他们的心里就猛一哆嗦。

王文接着说道：“石友三在家里的活动场所多，他睡觉在二楼，抽大烟也在二楼，起居、吃饭、会客是在楼下的正厅，这些地方先鸿霞他们是不能随便进去的，除非石友三叫他们。石友三最倚重的是一个贺参谋，除了他以外，其他人单独接近石友三的机会并不多。”

陈恭谢听完这番话，眉头皱得更紧了。

陈恭澍吐了一个烟圈，缓声说道："如此说来，先鸿霞纵然有机会临时接近石某，也不一定能够开枪便射，掉头就走。要是安排不妥当，事后就很难逃出石家的大门。即使闯出石家，也逃不出日本租界。"

白世雄、王文想想是这个理儿，不由得更犯愁了。

白世雄揉了揉太阳穴，说："光靠先鸿霞一个人做内应，恐怕势孤力单，孤掌难鸣啊。"

王文忙说："鸿霞也想到这点了。他说自己就是豁出去拼上一条命，也未必能够完成任务。他打算在其他几个副官中，再下功夫吸收一个搭档。听他的口气，这事儿有点眉目。"

陈恭澍稍觉宽慰："这样下起手来就容易多了。"

白世雄道："文翰兄，请你转告先鸿霞，一定要瞅准机会，绝密计划。绝不能单枪匹马去逞一时之勇。"王文点点头。

陈恭澍心里还在盘算着另外一件重要的事：是枪击，还是毒杀。

陈恭澍道："我主张采取硬性的武装制裁，砰的一枪，一了百了。"

白世雄稍微保守一点，他摸着下巴，慢条斯理地说："用毒药似乎更安全一点。"

王文也道："先鸿霞很难有机会爽快地给一枪就走，所以还是用毒药更妥当些。"

陈恭澍沉着说出了自己的想法："用枪杀，我想应该能镇一下其他的汉奸！"

王文点点头："这倒是。"

陈恭澍无意识地玩着手中的一枝笔，接着说："用毒药嘛，我总觉得有失堂堂正正，不太光明磊落。"

白世雄心中不以为然，但他不好直接反驳，于是说道：“我们讨论归讨论，具体行事时还得请先鸿霞自己揣度，掌握好分寸。”

陈恭澍和王文不约而同地点点头。

陈恭澍忽然想起一事：“王子襄曾经给过我一瓶药。此药没有颜色，略有杏仁味儿，用一点即可致命，文翰兄，你把它转给先鸿霞。”

王文一听，喜道：“如此甚好，我们就不必再花时间去找了。”

事情差不多商量完了，三人才发现时间已近午夜。

第二天一早，王文再赴天津。陈恭澍和白世雄留在北平等候消息。

再次见面时，王文发现先鸿霞面有得意色，王文知道事情有进展，连忙笑问：“鸿霞，有好消息？”

先鸿霞点点头：“文翰，我已经争取到一个人，此人名叫史大川，也是副官，我们俩交情甚好。如此一来，办事就容易些了。”

王文兴奋得直搓手：“鸿霞，真是太好了。”

王文此番来津，主要是把那瓶药交给先鸿霞，再了解一下事情的进展情况。听先鸿霞如此一说，他自觉此行不虚。

与王文接过头，先鸿霞就急匆匆回到了石公馆。

他先将药瓶小心地藏好，随后来到了史大川的房间里。

在五个副官中，先鸿霞与史大川最为接近，算得上是好朋友了。此人对石友三的刻薄寡恩颇为不满，暗底里牢骚甚多，他早就不想在石友三手下干了。

此时，二人看看左右无人，连忙抓紧时间互通声气。

先鸿霞点燃一支烟，抽了一口，然后悄声说：“大川，我们总算能为民除害，为国锄奸了。可是，什么时机最合适呢？”

史大川黝黑的脸上现出一层焦虑：“鸿霞，我想啊，在这里动手顾虑太多，即使是得了手，也不容易逃出去。最好是咱们俩能同时跟他出去，那样就好动手了。”

先鸿霞又狠命抽了一口烟：“那贺参谋呢？”

史大川不屑地哼了一声：“那小子，咱们两个还对付不了吗？再说了，这种见风使舵的人一见石某躺下了，还会为他卖命吗？”

先鸿霞沉思了一会儿，说：“这个办法甚好，可是咱们就掌握不了主动，只能干等了。”

史大川也担心等待时间过长，夜长梦多，露出破绽。他皱了皱了眉头：“那该怎么办？”

先鸿霞猛地将手中的烟蒂拧灭，他又趴在窗口往两旁看了看，四周没有人。

先鸿霞回转身，两眼紧盯着史大川，压低嗓音说：“咱们把做饭的老褚拉过来。如果能把他给说通了，在饭里下点药，这样就容易得手了。”

史大川吃了一惊：“这样行吗？”

先鸿霞肯定地点点头：“绝对行！我先前旁敲侧击地跟老褚说过，他有点动心。”

史大川点点头，他知道肯定是先鸿霞许给老褚好处了，他才会“动心”。

先鸿霞又道：“正好他们那边给了我一瓶什么药，据说药性极为厉害。”

史大川又点点头：“那就争取说服老褚吧。”

第二天一早，先鸿霞来到三益成，将与史大川商议之事告诉王文。王文听后甚是高兴，旋即返回北平，向陈恭澍、白世雄汇报。陈、白二人心下都甚是欢喜，夸赞了一番先鸿霞。

王文又道：“对了，三益成的管事刘兆南帮了不少忙。事成之后，我们也该对他意思意思。”

白世雄心中有些不安：“这人知道我们的事情太多了，不大好吧？”

陈恭澍也是这个意思，但这个问题目前还顾不上考虑。他岔开话头，说道：“文翰兄，我在林会计那儿挪了两千块钱，你去天津时随身带上，先鸿霞他们可能有需要钱的地方。”

白世雄接了一句：“如果老褚肯干的话，那就更用得着钱了。”

陈恭澍含笑点头：“你再转告先鸿霞，务必注意自身安全。”

王文点点头：“先鸿霞很有点儿干劲。他说万一到了紧要关头，他就硬干了，拼个你死我活。”

陈恭澍打断了王文的话头：“万万不可如此。绝不能白白地去送死。”

王文郑重地点点头，说：“恭澍兄，世雄兄，我此番赴津，三四天就回来。你们就静候佳音吧。”

王文到天津后的第二天早晨，就与先鸿霞在老地方三益成碰面。

先鸿霞一副匆匆忙忙的样子：“文翰，石友三这时候还没起床，我是向贺参谋请了一个小时的假，才抽身出来的。”

王文忙道：“老褚的事怎么样了？”

先鸿霞说：“老褚已经答应在饭菜里动手脚了。我承诺他事成之后，替他凑点本钱开个小饭馆。”

王文答道：“我们决不亏负他就是了。”又道：“鸿霞，我给你的那瓶药毒性极大，人吃下去，两三分钟就能致命，你跟老褚说清楚。我们的目标只有石友三一人，万万不可放在锅里，毒死一群人。那样我们就不好交差了。”

先鸿霞慎重地说：“我和老褚商量一下，放到石友三最爱吃、最常吃的菜里。”

王文想想还有什么未提到之处，过了一会儿，他又嘱咐道：“瓶里的药只能用一次。用过之后，空瓶子万万不要随手一丢。最好是打碎了扔到阴沟里，免得留下痕迹。”

先鸿霞道：“我记住了。”

快9点了，先鸿霞忙着要走，以免石友三起疑。

王文将先鸿霞送出门外，他低声问道：“鸿霞，这次我带了点钱来，你们如果要用，现在就带回去。”

先鸿霞接摇头：“文翰，就是需要，我也不能带钱回去呀。”

王文明白先鸿霞的苦衷，他又问：“鸿霞，我们什么时候再碰头?”

先鸿霞想了一想，说：“如果可能的话，我明日此时带着史副官来这儿，要是环境不允许，就改在后天早上。真是办不到的话，我也会打电话来。”

王文紧紧地握了握先鸿霞的手：“鸿霞，一切拜托了。”

先鸿霞点点头匆匆地走了。

一阵寒风吹来，王文打了个哆嗦，他这才发现自己只穿了一件单衣，连长衫也忘了披上，他心事重重地回到自己的房间，猛然一抬头，他看见刘兆南站在屋檐下冲自己笑，王文向他点点头。

忽然，王文想起来自己还带着两千块钱，心里有点不放心，他叫住刘兆南：“刘管事，我有点钱，先存在你柜上。”

刘兆南满脸堆笑：“没问题。”

这一天，一直是阴沉沉的，到了傍晚，竟飘飘悠悠地下起雪来。

王文已经在屋子里窝了一天了，他觉得很是憋气，可是又没心情到外面去走走。

夜渐渐地深了，王文躺在床上，翻来覆去地睡不着。外面一直有人进进出出，他心下起疑，决意出去看看。

西厢房里，灯光摇曳，人影幢幢，里面传出搓麻将的声音。隐隐然还有刘兆南的声音。

王文放了心：原来是在赌钱。

这一夜，王文一直睡不实在，说不清为什么，他有一种不祥的预感。

与王文分手之后，先鸿霞就急忙赶回石公馆与史大川商议具体事宜。

先鸿霞说：“大川，咱们就用毒攻，不会太费事的。”

史大川仍有几分紧张：“鸿霞，刚才我看见老褚买菜回来，你快去将药给他。”.

先鸿霞笑了一笑，转身到厨房那边去了。

一见先鸿霞，老褚一张老脸就笑开了花。这可是他的财神爷呀。石友三这么抠门，他老褚干了这么多年也没捞到什么好处。他早就不想干了。老天有眼，让他赶上这么个好机会。至于石友三是死是活，他才管不着呢。只要他这么一做手脚，石友三就会一命呜呼，他就拿着钱，回老家开个饭馆，过一过当老板的瘾。

先鸿霞拿出贴身藏着的药瓶，交给了老褚。

老褚伸手接过来，撩起围裙，藏在了口袋里。他神情紧张，下意识地朝四周看了看。一看没人，老褚放了心，开口说道：“先副官，您放心。只要他点出菜来，我就给他下上药。

要是今天顺手，我今天就干。”

先鸿霞拍了拍老褚的肩膀：“老褚，看不出你这么有种，你放心，事成之后，亏待不了你。”

老褚的眼睛笑成了一条缝。

从厨房里出来，先鸿霞来到了侍从室。几个副官都在，他不便与史大川说话。

史大川询问地望着先鸿霞。先鸿霞微微一点头，意思是事情已经办妥了。二人交换了一个眼神，彼此会心。

日本租界内的秋田街上东头，有一片深宅大院，其中一所房屋高大，院子宽大，大门外的街上冷冷清清，不见行人，临街是高墙，黑漆大门紧闭着，但宅子里人声喧杂，十分热闹，灯光从门缝射到街上，留下一道白线。

这就是石友三的住宅。

此时正是吃晚饭的时候，石友三坐在饭厅里的藤椅上，头向后仰靠在椅背上，让三姨太给他捶肩膀。三姨太的胖胖的小手敲在身上，特别舒服，石友三眯上眼：他妈的，人活着就是好！

他不喜欢读什么诗词，酸溜溜的，让人腻味。但他记住了李白的诗句：“人生得意须尽欢”，老李说的就是好！什么忠孝节义？全是狗屁！人活着就是为了尽欢，而要尽欢又必须有钱有势，而要有权，在这个时代只能靠拳头，谁拳头硬谁就是大哥。他一当上兵就明白了这个“人生真理”。而他当时孑然一身，一无所有，那怎么办？找靠山。

现在想来，他当时为了讨好冯玉祥而费的心力真是没有白费。冯玉祥赏识他，最后提拔他为第六师师长，这是他人生的一大转折。正是由于自己握有兵权，1926 年国民军在南口战败时，阎锡山对他率兵投靠大为欢迎。而他不久就认识到阎锡山势力远不及冯玉祥，不是长久的靠山，于是几个月后他又带兵回到冯玉祥部。

1928年蒋、桂、冯、阎四系联合进攻孙传芳和张作霖旧部。他带兵冲锋陷阵，打了几次胜仗，蒋介石对他大为赞赏，甚至和他称兄道弟，他觉得很是荣幸。第二年冯玉祥派他进驻襄樊观望蒋桂战争动态时，蒋介石派人联络，他就投靠了蒋介石。蒋介石果然不亏待他，任命他为安徽省主席。

自此他与蒋介石结下了“不解之缘”。蒋介石派他攻打李宗仁、陈济棠，李、陈二人许给他很多好处，于是他扣押了蒋的代表，又猛轰南京。接着又和冯、阎对抗蒋介石。后来阎锡山失利，张学良又入关助蒋，他看清形势，又投靠了蒋介石。1931年他又脱离蒋介石，结果遭到蒋介石和张学良的夹攻，全军覆没。蒋介石以中央的名义通缉他。他只好一个人逃到山东，后又逃到大连、天津。

就在这次逃亡中，他结识了日本人。既然连蒋介石都让日本人三分，那就说明日本人强大，可做靠山，于是他投靠了日本人。日本人答应给他许多好处，他于是在天津组织“便衣队”，与日军配合，制造了几起暴乱，大受日本人赞赏。所以当日本特务机关长土肥原贤二酝酿建立“新华北政权”时，首先想到了他，把他列入领导层。因为他带过兵，日本人让他负责组建军队。

他也知道和日本人合作不是光荣的事，会有许多人骂他，但他毫不在乎。只要享受到荣华富贵，别的一切都不值得费脑筋，人生百年，白驹过隙，想那么多做什么？得乐且乐。

他更知道蒋介石对他的仇恨、蒋介石的阴毒。如今他有了日本人做靠山，蒋介石不敢明目张胆缉拿他，但决不会放过他。张敬尧到北平不久就被暗杀，这一定是蒋介石的杰作。蒋介石也会对他下此毒手的。

所以他一定要时时小心。他把住宅选在日本租界，靠近日本兵营。住宅内布置了许多警卫，层层设防。大门内侧是警卫室，住着两名便衣警卫，二门里的长方形大院内，东房三间住两名日本宪兵，西房三间住着五名侍从，他住在北面的楼房中。后院有门，也锁死了，是为了安全考虑。

他知道一出日本租界就有危险，所以他不是万不得已，不出日本租界，很少去其他国家的租界，轻易更不去中国政府管辖的地界。

凭他自己的经验体会，不能轻易相信任何人，最亲近的人有时就是最危险的人。所以即使是随身侍从，他也不很放心。五位侍从中，他对贺来之较为信任，贺来之对自己忠心耿耿，所以他让贺来之当侍从的首领，也只有贺来之可以随便进入北楼正厅。

司机、侍从甚至家人，都有可能泄露自己的行踪，从而招来追踪、暗杀，所以他每次出门，预先都不说到什么地方去，等车子开动了，才指点往东往西，连司机都不知要去哪里。

每一个人都可能背叛自己，为了各种各样的原因，每一个人都是潜在的敌人，甚至连……

刚想到这儿，三姨太的肥软的小手摸了摸他的脸，又扭住了他的鼻子。他睁开眼，看见三姨太白嫩的脸蛋正俯在自己头上，那双媚眼似笑非笑地望着自己。

“老爷，又发什么呆啊？吃饭了。”三姨太娇声说。

他捏了一下三姨太的粉腮，坐了起来。菜已摆好了，只有自己最爱吃的那道菜还没端上来。他刚要问，厨子老褚刚好端着一个大托盘进来。

他看了老褚一眼，老褚的脸色有点异样，两只眼望着他，又不停地往两边瞟，两只手微微发抖。他觉得有点奇怪，刚要喝问，只听咣当一声响，托盘重重地落在桌上，汤汁溅了出来。他不由疑心大起，看了看菜，又看了看老褚，大喝一声：“老褚！”

老褚吓得倒退两步，跌倒在地，浑身哆嗦。

他意识到菜里一定有毒，于是站起来，舀了一勺，走到老褚眼前，命令：“吃下去！”

老褚吓得直往后挪：“老爷，我以后再也不敢了！这毒是……”

他大喝一声：“贺来之，人都在吗？”

贺来之在侍卫室里答应一声，很快五个侍从到了饭厅。

他指着老褚：“他妈的，这个王八羔子竟敢在菜里下毒害我，说，到底是谁指使的？”

贺来之狠狠地踢了老褚一脚，又把老褚拎了起来。老褚哆嗦着，头低着不说话。贺来之接过勺子，就要灌老褚，老褚吓得脸色发白：“我说，我说，是……是……”说着两眼瞟了瞟身后的侍从。

他不由疑心大起，刚要转头看那几个侍从，只听“啊”的一声，一人重重摔在地上，他回头看，是先鸿霞，手里还握着手枪。贺来之一脚踏在了先鸿霞的手腕上。原来贺来之看见先鸿霞掏枪，撇下老褚，抢先一脚，将先鸿霞踢倒。

一切都很明白，但他怎么也不明白先鸿霞为什么要害他。他喝了一声：“把这两个王八羔子送到日本宪兵队，看他们招不招是谁主使！”

贺来之和史大川等人将老褚和先鸿霞捆好，拥出了饭厅。

他越想越后怕，妈的，要不是老子机警……

转过头，看见三姨太早在藤椅上晕了过去。

王文却在三益成焦急地等待着先鸿霞的消息。

好不容易熬到了天明。王文再也躺不下去了，他翻身起床。

眼巴巴地等了一上午，连一个影子都没有。

王文暗道：也许是行动不太方便。

空等了一天，毫无消息，电话也没有一个。

王文已经坐不住了，他预感到一定发生了什么事。先鸿霞是个很守信用的人，他要是不能来，一定会想办法打个电话来的。

次日，也就是王文来天津的第四天。

一睁开眼睛，王文就觉得心情紧张，但是除了干等之外，他连一点办法都没有。

中午已经过了，王文再也等不下去了。他决定到石公馆去走一遭。到了石家门口，只见那扇黑漆大门还是关得紧紧的，悄无声息，并无异样。

王文几乎已经断定：先鸿霞出了事了。

又过了两天，漫长得如同两年的两天。

王文觉得每一秒钟都过得如此艰难。

这一日，王文正在心不在焉地吃早点，刘兆南带着一个人来到他面前。

那人满脸愁苦，一副不知所措的样子。

王文脱口问道："你可是史老弟?"

史大川开口叫了一声："王大哥。"接着便失声痛哭："我是来向你报信的。鸿霞他……他的一腔热血算是白洒了!"

王文呆住了。

在史大川叙述失事的过程中，王文一直是呆若木鸡地听着，一个字都没有说。

好一会儿，他才回过神来：“大川，我马上回北平报告这件事。你先住在我这儿，也别回石友三那儿了。”

史大川点点头，抹了一把眼泪：“我本来就不准备回去了。”

王文又叫来刘兆南：“刘管事，我要回北平办事，今晚不在这儿住了，这位史先生今晚住这儿。”

刘兆南连连点头。

王文又道：“他要是用钱，就在我那两千块钱里支，我回来后结账。”

刘兆南又说：“没问题。”

王文道：“多谢费心。”

王文即刻返回北平，将此事告知陈恭澍、白世雄。陈、白二人的失望之情自是不必细说。

陈恭澍自觉已经心力交瘁，费了这么大劲儿，又是竹篮打水一场空。

这已不是他初次品尝失败的滋味，可是他的心中却依然如此苦涩。

失败的打击，使陈恭澍接连几天都是萎靡不振。

## 十　两面三刀只有死

“李士群真是贼胆包天，敢两面三刀，就要他死!”戴笠狠狠地说。

戴笠通过种种努力把李士群拉拢到军统的一边，然而好景不长，李士群在汪伪政权的地位，今非昔比，他怎么会杀死提拔他的人，毁掉自己的“大好前程”呢？暗杀汪精卫的阴谋再次破产，军统头子戴笠终于下了除奸令。

1942 年 10 月开始，周佛海派往重庆的军统联络员彭寿，在重庆见到他的上司戴笠，将周佛海的意图向他报告。戴笠兴奋极了，真是“踏破铁鞋无觅处，得来全不费功夫”。他马上到蒋介石那里做了汇报，蒋只简单地说了一句：

“就照雨农你的意思办吧。”

蒋介石如此痛快地应允了周佛海的投诚，当然是有自己的目的的。当时，汪伪“七十六号”特务组织破坏了留在上海的所有军统组织，零散的军统人员正待机卷土重来，却又无人能打开局面。同时戴笠也想借太平洋战争的海风，对汪伪政权进行打击，促进汪伪的分崩离析。这时候，自汪伪政权核心的周佛海来投靠，正是达到上述目的的最佳办法。

于是，彭寿带上戴老板的亲笔信，以及蒋在信上批的“可”字，回到南京，面交周佛海。戴笠还给了一本重庆的密电码，以便周佛海与重庆进行联系。同时，彭还带来周佛海岳丈的来信，一是告知他夫妻的双方父母已被戴笠接至息烽软禁起来，二是劝他“忠孝不能两全”，要做“忠臣”，云云。

周佛海将电台设在伪财政部上海办事处的秘密联络站，他通过电台开始向重庆源源不断地输送情报。这些重要情报，绝大多数是由周佛海亲自搜集到的。汪精卫大约到死也不知道，周佛海像一枚重庆政府的炸弹，随时可以引爆汪伪政府这条破船。

1943 年 4 月，周佛海以访伪满洲国“特使”的身份到达长春，并向重庆报告了那里的情况。11 月，周佛海又跟随汪精卫到日本参加大东亚六国会议，之后又将获得的日本国内的经济情况、物资供应以及日本准备对付美军进攻的作战计划等多方面情报，全部报告给重庆。

平日里，周佛海还利用他在伪政府中的地位，保持与南京、上海的日军高级指挥官间的密切交往。他时常宴请这些人，他们常在酒醉饭饱之余，泄露日方的军事行动步骤，这又成了一个重要的消息来源。

周佛海不仅向重庆提供情报，更利用他的权力安插军统特工，保释被捕要员，掩护重庆抗日分子在沦陷区的活动，其中最突出的例子是营救原国民党浙江省主席、上海统一委员会委员长蒋伯诚。

1944年春，蒋被日军捕获。重庆向周佛海下达营救的命令。周佛海决定利用此机会，营救国民党要员，为日后做些打算，因为此时日军的败迹已日益明显。那时，日军在太平洋战场上连连失利，开始走下坡路，周佛海针对日军当时的颓势和幻想及早从中国战场脱身的心理，找到一个与他交情较深的驻沪日军“登部队”的陆军部长川本及他的经济顾问冈田酉次，说蒋伯诚是蒋介石驻沪代表，如果打算实现东京和重庆之间的“全面和平”，蒋伯诚理当释放。日军方面感觉有理，立即释放了蒋伯诚。他们谁都不可能想到，周佛海的屁股早就坐在了重庆的一边。以后，蒋在周佛海的掩护下，一直留在上海。

这当口李士群在汪伪政权中的处境越来越糟，先是与周佛海有了矛盾，而后又得罪了日本人，并且对军统的态度暧昧，都加速了他的死亡的到来。1943年夏天，重庆军统局给周佛海下达了除奸令，要他设法杀掉李士群。

李士群与军统的关系十分复杂，一面他手下不留情地铲除军统组织和地下人员，把个上海的军统系统搅了个地覆天翻，军统小喽罗相继归降，军统要员也多进过“七十六号”的优待室，进进出出的军统人员，大部分为汪伪政权所用，这让戴笠大丢其脸。另一方面，他也不放弃各种机会，取得和军统上层的联系，妄想在重庆方面留条后路。

因此，军统也时常密切关注李士群的变化。比如，1940年春，李士群为和丁默村争夺伪警政部长一职，闹得不可开交之时，戴笠闻讯，打算争取李士群，以搞垮汪伪政权。杜月笙经过详细调查，看中了原上海纱布交易所理事长闻兰亭的寄子、律师余祥琴。

那么，这个余律师何以能当此大任，他与李士群是什么关系?

早在三十年代，余祥琴就与李士群有过交往。当时，李士群曾因在刊物上登载涉及日本天皇的文字，日本大使馆向上海租界工部局巡捕房提起公诉，余祥琴义务做李士群的律师，从中帮忙，并出庭辩护，使李士群被宣告无罪。当时，李士群十分感谢，非要付余报酬，余本为爱国青年，为李打官司，既展现了才华，也就谢绝了酬劳。这使李士群深为感动，表示以图后报。

1939 年 4 月，李士群走上汉奸卖国的道路，他看到余祥琴在上海当了十年律师，虽并不很有地位，但对于两租界警务当局及社会各阶层都相当熟悉，就登门拜访联络，以图获取情报。李士群拿出往日关系说:

“过去承蒙仗义相助，不忘旧交，所以特来造访。我知道余兄与各方面关系很好，以后请多加照应。”

余祥琴既不图报，当然更不愿受人利用，做出有愧国家的事情，于是草草敷衍，并不热情，过后也没对李回访。后来，孔祥熙在上海的留守人员余新福等两人被汪伪特工总部逮捕，余祥琴受托前去保释。李士群果然卖了交情，将人释放。此事被杜月笙知道了，就把余向戴笠做了推荐。

1941 年 6 月，余祥琴被杜邀至香港见面，8 月，又飞往重庆见戴笠。戴笠对此诱降李士群计划非常抱有希望，他对余交待说：

“你对李士群说，现在国家给他一个机会，或者把汪精卫杀了，我们集中全力接应他撤退，或者趁汪到苏州时，将他劫持到重庆。我负责把他向委员长推荐，给他在国民党中一个崇高的地位；或者他协助我们完成制裁汪的工作，我发给奖金三百万元，参加行动的人均可获得出国深造的机会。”

余在此次与戴的会见中，秘密地加入了军统局，由一个爱国青年变为一个负有特殊使命的人。

戴在余临走时，对他特别加以叮嘱：

“你要谨慎小心，如果你与李士群取得了联系，我马上通知上海区，专拨电台供你使用。”

尽管为了该计划的实施，戴笠出了个大价码，动用了各地的人力、物力，但是，当余祥琴又重返上海时，短短的一个月间，却发生了天翻地覆的变化。问题出在李士群的身上。李士群在汪伪政权的地位已今非昔比。他不仅当上了伪警政部的“部长”，而且由于日本特务机关的支持，还成了负责主持“清乡”的副组长，组长正是汪伪政府主席汪精卫。试想，一个一步登天、正踌躇满志的人，会杀死提拔他的人，亲手毁掉自己的“大好前程”吗？

9月21日晚，余祥琴得知李士群要到上海度周末，就到愚园路李家登门拜访。两人来到卧室进行密谈，余开门见山地说：

“士群兄，我们今天要在一起检讨检讨时局。实话跟你讲，我这次去香港，实际上是应戴雨农先生的邀请，秘密飞往重庆。戴先生十分清楚你目前的境况。你拒绝把刘戈青引渡给日本宪兵队的事，令戴先生颇有好感。他命我与你取得联系，现在我就是戴先生的代表，如果你认为站在你面前的是敌人，就把我捉押或枪毙，我也决无怨言。”

李士群把话题接过来，说：

“余兄，你这话就见外了。只要你不参与军统在上海的暗杀活动，我可以负责你的行动安全。”

余继续自己的话题，又说：

“戴先生要我转告你，如能按他的指示去完成任务，他不但可以既往不咎，而且还负责把你举荐给蒋委员长，给你更好的地位和优厚的报酬。”

李士群连忙问：

“要完成什么任务？”

余严肃地说：

“杀死汪精卫，然后光荣反正回重庆。”

接下来，余还向李士群详细转述了军统局提出的几个方案，让李士群选择。余一心只顾完成戴交的任务，借李士群之手惩治汪精卫，并未了解清楚李士群此刻的心态。

李士群见余提出杀汪精卫的要求，在仔细考虑后说道：

“祥琴兄，目前除了杀汪一事外，我都可答应。因为汪先生对我很爱护与支持，在道义上我不能下手。但我愿意与戴先生合作，并请你将我的意见转告给戴先生。”

余回去后，将会见李士群的情况转报给戴笠，自此，李士群与军统拉上了关系，而余也成了李家的常客。

李士群与军统的这种勾勾搭搭的关系，直到 1941 年 11 月，汪伪特工总部破获军统上海区全部组织为止，才变得恶化起来。为此，戴笠电催余祥琴返回重庆，汇报详情。余临行前去见李士群，质问原因，李士群解释说：

“此事与你无关，在你从香港回上海之前，我们已得到线索。因为开始是由日本方面协助侦查，日本顾问对此也非常重视。自与你见面之后，我不便下令停止进行。但我可以保证，尽量保全这些人的性命。”

余祥琴回到重庆后，向戴笠报告了李士群两面派的做法，戴十分恼火，恨恨地说：

“此仇必报不可。”

后来，因考虑到保全被捕人员的性命，戴决定仍派余祥琴回上海，继续保持与李士群的联系。

李士群生性八面玲珑，摇摆不定，他不仅与军统这些人勾结，甚至与他早已叛变过的CC系重新又拉起了关系。当时“七十六号”曾逮捕了中统在上海的负责人陈宝骅（即陈立夫侄子），李士群很快把他放出来了，以此向中统示好。

尽管李士群背着日本人与军统和中统眉来眼去，但他自知罪孽深重，血债累累，不敢奢望这些人日后对他有什么关照。因此，一遇到问题，李士群更多地是顾全日本人和汪伪政权的利益，而情愿牺牲和军统等的交情。戴笠把李士群这种首鼠两端的态度向蒋介石做了汇报。蒋介石此时正准备迎接中国反攻的日子到来，急于利用汪伪这支力量，来配合美国盟军在东南沿海登陆，在中国开辟第二战场，他非常担心李士群的顽固和他手中的实力，于是通过戴笠，向军统特工下达了除掉李士群的命令。

周佛海接到了军统的除奸令，制定了杀死李士群的三个策略。其“上策”是利用日本侵略势力，即日本军人和李士群之间的矛盾杀掉他；“中策”是利用李士群与其他汉奸的争斗除掉他；那么“下策”就是直接派军统特务搞暗杀。中策，比较容易露；下策，则由于李士群的安全保卫工作十分严密，难于实施。因此，经过反复比较利害，最终军统局采纳了“上策”，借日本人之手除掉李士群。

这个计划，在1943年初秋悄悄地进行着。在周佛海的策划下，素与李士群有矛盾的伪税警团副总团长熊剑东利用与日本宪兵特高课长冈村是老同学的关系，向冈村说：李士群对日本宪兵队不满，野心勃勃，要和日本宪兵队争夺权力，他还非常瞧不起你。熊剑东搬弄是非的话，激怒了傲慢的日本人冈村，他叫了声：

"巴嘎亚鲁!"

说着，他用手比划了一下脖子，嘴里发出"咔"的一声，表示要把李士群杀掉。

周佛海既然已选中了杀手，就在等鱼上钩。他和一伙人到处散布日本人要杀李士群的消息，以便日后推卸责任，做出与己无关的样子。一天，汪星云到南京西流湾去看他，周佛海假装很义气地告诉汪曼云：

"你见了士群老弟，告诉他说，我叫他不要再乱搞了，再这样下去，日本人要杀掉他了。我们究竟还是兄弟，所以叫你通知他一声，要他当心些。"

汪曼云觉得此事重大，当即赶到苏州去向李士群通风报信。哪知当他把周佛海的话一字不漏地告诉李士群后，李士群竟一脸不高兴地说：

"我把你当作弟兄，你怎么拿周佛海的话来吓唬我?"

这时，李士群与周的矛盾很大，怎么会听得进去他的话，但汪曼云也生气了，嚷嚷着：

"佛海对我这样讲，我既未添一字，也没减一字，怎么说这是我在吓唬你。事情到底怎样，恐怕你心里比我清楚。我也是拿了你当作兄弟，把这话传过来，以免真有此事，我对你们二位都无法交待；既然你对他有意见，我也犯不上夹在中间。

今后你们的事，我决不再管了！”

说完，汪曼云气冲冲地走了，赶当天火车回南京去了。

但是，有关李士群的传闻越来越多。这天，汪曼云的亲家张韬打电话把汪找去叙话。一见面，他就很紧张地对汪说：

“亲家，有一件万分机密的事告诉你，日本人要干掉李士群了，你去告诉他一声，让他一定留神。”

汪曼云怕消息不确，就问：

“你是怎么知道的？”

张韬很有把握地回答说：

“我的四儿子告诉我的。他是听罗君强的弟弟罗光煦讲的，因为罗知道我和士群有往来，特意告诉我和李士群疏远些，以免受到牵连。”

汪曼云思索了一下，说：

“亲家公，你这话是不能告诉李士群的，如果他向日本人追问起这话时，势必要向上追究，到时候我们就会惹麻烦了。看现在的情形，我们只有暗中看情况，慢慢劝他后退吧。”

张韬对汪曼云一向言听计从，对汪的一番话深以为然。

尽管汪曼云上次因周佛海的口信与李士群闹了通别扭，但人命关天的事，总不能袖手旁观，坐视不管吧。于是，他又跑到李士群的另一个拜把子兄弟唐惠民的家中，把事情原委向唐诉说一遍。唐惠民较汪曼云更老于世故，他拉着汪曼云说：

“我们现在就到士群家商议一下办法吧！”

汪曼云表示不愿意去，觉得多少有些别扭。

唐惠民连哄带劝对汪曼云说：

“好了，好了。兄弟之间，互相呕呕气算不了什么，还是以大局为重吧。如果士群真的出了事，你我二人眼见不管，就枉做兄弟一场，到那时后悔药可没有地方吃去。”

一进门，李士群神情沮丧地迎接了他们的到来，说话声音软弱无力，精神也不是往常的那种意气洋洋，神采飞扬的样子。刚听到汪、唐所转述张韬的话，竟然一言不发，这些风闻其实已经灌满了他的耳朵。他消沉地对他们说：

“感谢两位兄弟的关怀。我在这里辛勤工作，克尽职责，却不承想竟然结下了许多仇怨，这本不是我的初衷。我已经写信给晴气，让他帮忙在日本找一住所，我想到那里去休养一年，暂时躲避一下现在的风头。”

汪曼云见机也赶紧进了一言：

“既然你要出国，何不干脆就把江苏省长也辞了，免得树大招风；这未尝不是一个以退为进的办法。”

李对汪的话似乎也理解，但深恐自己一旦离开中国，江苏这块地盘就会被别人抢去。汪觉得该说的话已说，对朋友也算尽了责任。并且，罗光煦要张韬和李士群少接近，以免牵连的话，对照自己，觉得自己因“清乡工作”的关系，与李交往较密，为避免今后的麻烦，在行动上应与李士群保持一定的距离。同时，汪看到人与人之间的关系，如此可怕，因此也流露了内心的忧虑。这些，当然瞒不了特务头子李士群。

因此，就在上海日本宪兵队特高课长冈村少佐，暗中给李士群吃毒药的前一天，李士群知道汪曼云回上海了，就亲自给汪打了一个电话：

“曼兄，明天晚上到我家里来吃夜宵，把太太也带上，这是吉卿特意叮嘱的，要请之璇吃她亲自做的西菜。一定要来哟。”

“一定，一定。”汪因李亲自来电话相约，盛情不便推却，于是满口答应了。

第二天傍晚，汪曼云就带着他的老婆吴之璇，到了愚园路李士群家里。李士群却不在家里，叶吉卿忙对汪说：

“对不起，士群因为临时有个约会，去一去就回来，再来陪你吃饭，请坐，请坐！请等一会儿。”

汪曼云连说：

“没关系，没关系。”

太太们就坐在一起品尝起叶吉卿做的西菜。在座的都是熟人，汪曼云也有些饥饿，便坐下来也吃了两道菜。汪幸亏吃了点东西，才免得饥肠辘辘，因为李士群将近10点钟才回来。

李士群回到家里，连声向汪曼云道歉：

“对不住，对不住，要你久等了，饿肚皮了。”边说边急忙往卫生间去。

汪曼云以为他是去解便的，其实李是去抠喉咙，想把在日本人那儿吃的东西呕出来。或许是因为时间过久了没有呕出来，也因为时间关系，只好出来陪汪曼云吃饭。

这天，李士群异常兴奋，仿佛雨过天晴，全然没有这几个月以来的阴郁气氛。他对汪曼云详细地叙述了宴会的经过：

当李士群和夏仲明来到百老汇大楼冈村的家时，熊剑东早在那里了。李、熊二人一见，彼此都没说话，站在一旁的主人冈村连忙给调和。他说：

“李先生与熊先生都是我的朋友，而且都是国家栋梁，有为青年，你们都可以为国家和大东亚做很多的事，就你们个人而言，前途也不可限量。然而不幸的是，两位这么有志向的人竟为部下的事发生误会。李先生对我讲过，这事不是出自他本心，我了解的情况也是这样，完全是受人离间；你们两人之间既没杀父夺妻之恨，又无绝人水粮之怨，中国人不是有句话叫作‘冤家宜解不宜结’吗？我既是两位的朋友，就不能看这种情形继续下去，不然，怎么算得上好朋友呢。从公的利益讲，你们两人结冤越深，对国家的损失越大。所以，今天我把你们请来，把误会当面化解。能蒙两位临幸，本人万分高兴。”

李士群最忌怕日本人，上次万墨林的事那样了结，他也从没当众说个不字。现在，日本人请客，为他和熊剑东调解，他更是感激不尽。而且，冈村的一脸真诚表情，不由人不领受他的好意。就李士群方面，他对熊剑东的误会远没有熊对他的仇恨大。熊因为手下曹炳生父子死在李士群之手，心中十分怨恨。李士群为化解熊的仇视，就把一切罪责推到了丁默村的身上，他对熊说：

“这件事我十分抱歉，我当时没有劝阻老丁，使我有负于老兄你。”

熊剑东见李士群极不诚恳，也假惺惺地表示与李士群和好，他说：

“今天的会见，我们俩应该向冈村课长表示由衷的感激，没有他的邀请，我就不可能听到李先生的肺腑之言，也不可能知道当时的真情实况，我们之间的误会，也就不可能消除。士群兄，我是个爽直的人，大兵一个，没有什么鸡肠子。既然你把事情跟我说清楚了，我们之间就没有什么了，还是朋友兄弟。我也不该对你有什么隐瞒，就把佛海他们和我的关系，以及导致我俩结怨的情况谈一谈。曹炳生父子的事，没经李先生解释，我的确误会很深。佛海他们便利用我们之间的误会，让我充当他们的马前卒。其实我也明白他们这是在利用我，但为了我自己的前途，我也乐于为之所用，让他们做我的政治靠山。现在咱们兄弟和好如初，我不妨告诉你实话，我只把周佛海当跳板而已，我自己有我的打算，这个打算我还没和别人谈起过呢。”

李士群十分理解地点点头。他之所以相信熊剑东的一篇鬼话，是因为他自己就是这么想的。李士群打算借“七十六号”的势力，获得汪精卫的信任，将来取代周佛海。而周佛海更是把住军、政、财权不放手，准备以后取代汪精卫的地位。这些大小汉奸都是一样的算计，所以李士群真就认为熊剑东在跟他掏心窝子。

他接着熊的话问：

“现在我们既是朋友了，你的事也就是我的事，你的计划可以让我听听吗?”

熊豪爽地一笑，说：

“现在我们之间有什么不可相告的呢?我研究了一下我们的统辖区，只有浙东还不稳固。我的意思是开辟浙东，然后以图发展。在政治上，日本和汪总裁那里都无问题，现在最大的困难，倒是经济问题，这令我很难办。”

李士群表现出很感兴趣的样子，问：

“熊兄，你需要多少钱?”

熊剑东伸出五个手指说：

“大约五百万。”

李士群便接着说：

“好！我出这五百万。另外，我再送你五百万。”

熊剑东与冈村对李士群的回答颇感意外，熊剑东更是受到了震动一般，跳起来，一把攥住李士群的手，激动地说：

“李先生，我这一生都没见过像你这样豪爽的人。要不是冈村先生从中搭桥，我会让一个好朋友失之交臂了。这么说来，我以前的事真是惭愧……”

冈村也插话说：

“见到你们又成为好朋友，我很替你们高兴。拿威士忌来，让我们庆祝一下。”

李士群对汪曼云讲述了一番之后，汪曼云也替李士群放了心，既然化解了熊李之间的矛盾，日本人又表现出了一种高姿态，大约以后李士群就不会有事了，其实他想错了。这次宴会原本就是一个鸿门宴，目的就是骗杀李士群。可以说，这个令李士群开心、汪曼云放心的宴会正要了李士群的命。

出门前，李士群将子弹上膛的枪挂在腰间，再披上西式外套。

临行叶吉卿再三叮嘱："士群，吃什么东西，千万要小心，日本人的酒是不好吃的，他们什么事情都干得出来。"

"吉卿放心，我不吃他们的任何东西，香烟也抽自己的。"李士群拍拍香烟的口袋，笑言道。

与李士群同行的，是兼任日语翻译的伪调查统计部次长夏仲明。

车至百老汇大厦后，李士群下车低声吩咐他的保镖两句：

"如果两小时之后我们还不下来，你们就冲上去！"

"是！"

上得楼去，熊剑东已经捷足先登。仇人相见，不免有些尴尬。

宾主四人，围着一张日式小矮桌，盘膝而坐。打扮得花枝招展的女主人，殷勤周到地替客人一一斟茶。李士群注视着这位年轻貌美的女主人，觉得她的一举一动，似乎沾有一些日本歌妓的气质，缺少一些良家妇女的沉稳与矜持。

在熊剑东的主持下，正如前面李士群晚上10点钟回到家里跟汪曼云等说的，李士群与熊剑东冰释前嫌，握手言和。

李士群十分得意这一千万元钱，不仅把熊剑东这个捏枪杆子的人从周佛海营垒中挖了过来，还买通了一个日本宪兵中佐。钱真是能使鬼推磨呀！

“啊，今天的天气真热呀。”李士群掏出手绢，擦擦额头上沁出的汗珠，又脱下西装外套，并随手将那支防身手枪卸下来，递给冈村：

“冈村先生，这支枪，暂时请你保存一下。”

“好的，好的。”冈村笑着接过手枪，放进壁柜里。

李士群又以上厕所为名，向夏仲明悄声言道：“仲明，你下楼同弟兄们讲一声，请他们安心等候，到时候不必冲上楼来了。”

“老兄，虽然如此，还是小心为上。”夏仲明临下楼时，仍提醒道。

“我知道，你快去快回。”

房间里的气氛，由于李士群表现出来的这一番心无芥蒂的动作，越来越活跃、融洽。

女主人终于将日本风味的莱肴一道又一道端上桌来。李士群虽然自动解除了武装，心里的戒备依然存在，凡属同一容器中取出的食品饮料，供四人共同食用的食品，他才品尝，否则，他总是借故婉谢，不饮不食。

热情的女主人，捧上了最后一道主菜。这是一碟牛肉饼。为了保持牛肉饼的热度和香味，连同平底锅一块端了出来，放在旁边的另一张矮桌上，然后将牛肉饼放在四只精致的小碟子里。

“这是我的太大最拿手的一道小菜。”冈村连忙笑着向李士群等人介绍道，“今天听说李部长光临，所以特意做了这道莱，请尝尝。”

说话间，女主人已将一碟牛肉饼轻轻放在李士群面前的桌子上：“李先生，请尝尝。”

怎么只端上一碟？李士群疑虑顿起，连忙不动声色地将碟子推移到熊剑东面前："熊先生是我所钦佩的朋友，应该熊先生先来。"

"这可使不得！"熊慌忙将碟子推还给李士群，笑道："李部长是今天的第一贵宾，冈村太太是特地为你做的，况且我又是这里的常客，今天决不敢占先。"

"那我就借花献佛了。"李士群又将碟子推移到冈村面前，"今天冈村先生特意为我和熊先生安排了一个肝胆相照的机会，我愿借此肉饼，向您表示衷心的谢意。"

"使不得，使不得。"冈村连连摆手，并将碟子推还给李士群，"我太太为了对李部长表示敬意，才特意做的，我若要占先了，岂不要被太太骂死？"

李士群欲待再推，那个日本女人又用盘子端来了三碟牛肉饼，分别放在冈村、熊剑东、夏仲明的面前。

"李先生别见怪，我们日本人的习惯，以单数为尊敬。我们四个人只能分作一、三之数，分两次端上桌来，以示对贵客敬重之意。"冈村解释道，"在我们日本，送礼也以单数为敬。"

对于日本人送礼以单数为敬的风格，李士群本来也知道，如今听了冈村的解释，方才的疑虑也消失了。并且，他们三人都津津有味地吃起来，李士群也就拿起筷子，吃了一小口。细细品味，未觉有何异味。吃了三分之一，不觉又想起临出家门时妻子的嘱咐，顿时放下筷子。

"李先生，怎么不吃了？"冈村见李士群忽然停住了筷子，便问道：

"尝过了，味道挺好。只是我平时从来不吃牛肉，第一次不能多吃。"李士群解释道。

冈村见他已经吃了三分之一只牛肉饼，也不再勉强。

李士群看了看表起身告辞。

李士群吃了带毒的牛肉饼！他被日本特务所迷惑，感情上一麻痹，松懈了自己的警惕，把原定计划放弃了。遂上了日本特务的圈套，最终因之送命。所以李士群在死前曾要拿枪来自杀，说道：

“我死倒不怕，可惜我做了一世的特务，不料自己还是落入人家的陷阱里，真是一生英名，毁于一旦！这是我自己对不住自己的。”

李士群死的时候，汪曼云正在参加伪浙江省主席傅式悦在伪府召开的盛大迎汪宴会，因为汪曼云受命前去视察。汪曼云从南京起程时，路过镇江，见伪江苏省教育厅长兼镇江地区清乡督察专员袁殊上车，便问袁到哪里去？袁说：“去苏州，去看李先生，因为李先生病情非常重。”当时，汪曼云觉得很奇怪，就说：“我昨天和他同车，他在苏州下车时还是好好的，怎么会生起重病了？”袁说：“我也听说他昨天去苏州的。”汪对袁说：“你到苏州去看李兄，说我去杭州，等我视察回来，再去看他。”

在欢迎宴上，汪和伪特工总部杭州区长万里浪坐在一起。刚入席不久，万就被人找了出去，不一会儿，万脸色苍白地叫汪出去一谈，说有要事相告。汪觉得在这个场合这么做，有失礼貌，就说：

“别开玩笑，要上大莱了，要这么多人等我太不好意思，有话就说吧！”

万看了看四周，趴在汪的耳边说了句：

“我得到一个惊人的消息，说李先生死了。”

汪曼云突然联想起周佛海、张韬的话，以及李士群参加的那个晚宴，不禁打了个冷战，唐突地问道：

“是不是中了毒？”

万里浪是个嗅觉很灵敏的老特务，觉得汪话里有话，就追问：

“你怎么知道是中毒?”

这一问，差点把汪曼云问住了，他只好自圆其说地讲了一通李士群两天前去苏州时还是活蹦乱跳的话，骤然一死，就想到了中毒的事，为自己解围。

万里浪也感觉有不对头，向汪说：

“我说我为什么至今还没收到苏州方面的电报。这条消息是日本方面梅机关送来的。”

汪闻听，马上让万前去梅机关问个清楚。然后自己也向大会主持人告假，以有事为由辞去。当他驾车去西湖葛岭半山的梅机关，抬头一望，见万里浪正从山上踉踉跄跄地走下来，近前一看万里浪正在放声嚎啕。汪见状已明白了，就问：

“那是真的了?!”

万里浪只是点了点头，跟在汪的后面又重新上山。

梅机关的机关长陆军大尉中岛信一，出来接见了他们。梅机关原是日本对华的特务组织，自从机关长影佐帧昭少将做了汪精卫的最高军事顾问，就把梅机关改成军事顾问部。后来日方派了这个官阶较低的中岛来了之后，梅机关与汪伪军事顾问部一刀两断了。

中岛虽然只是一个大尉，却资格很老。他与日本派遣军总司令板垣征四即是日本陆大的同班同学，是日本少壮军人的头子。日本在三十年代发动的那场血洗内阁的军人政变中，他是杀死首相犬养毅的主使人，为此被剥夺了军职。直到侵华战争，才被重新起用。

中岛认识汪曼云，让过座后，汪就问：

“怎么死的?”

中岛说：

“他是中了阿米巴菌的毒死的。”

他见汪等莫名其妙的神情，就解释说：

“这阿米巴菌是以患霍乱的老鼠拉出来的屎培养出来的细菌，只要你吃进一个，一分钟就繁殖一倍，在繁殖期间没有任何特征和感觉，直到三十六个小时后，培植已经到达一个饱和点，便突然爆发，症状是上吐下泻，完全是一种霍乱症状。到了这个地步，便是无医可救。因为细菌在人体内破坏白血球，使人体内部的水分，通过排泄损失殆尽，所以死后的尸体往往缩小得会像猴子那般大小。”

接着他又像想起什么事似的，又说：

“不过我觉得很奇怪，李先生怎么会中这个毒呢？因为这种东西，只有日本有，在日本先后发生过这样的案子十八起，可是没有一起救活的。”

其实，中岛只是个军人，他所说的话只不过是重复日本医生的话而已。情况是这样的：

在苏州日本驻军，有一个名叫小林的师团长，因他负责指挥苏州地区的“清乡运动”，平素与李士群多有接触。平日李对小林谦虚顺从，赢得了小林对他的好感。当李士群的病情发展到高潮的时候，小林曾带了他师团部的军医官和华中铁道会社的一个铁路医官来给他看病。李一见又来了日本人，就以为是来看他是否已死，或见不死再干一下子，便非常生气，大嚷着让小林滚出去。小林再三向李解释是来看病的，但李知道已遭了日本人暗算，绝不同意看病，后经叶吉卿再三央求，只同意让医生做了检查，所以中岛所说的阿米巴菌就是从他们那里听来的。

小林因不知是日本人杀的李士群，才把这个谜解开了。虽然日本宪兵拿他没有办法，但是那个军医和铁路医生，都为此受了处分，解回日本。

李士群的病被确诊以后，叶吉卿连忙把上海江苏省立医院院长储麟苏找来进行急救，同时电告马啸天、杨杰等“76 号”头子来苏州商议。这个储院长，与李家非常熟悉，常登门来访，因李士群事务繁忙，渐渐与叶吉卿成为无话不谈的朋友，进而又发展成为情人关系。

当马啸天赶到苏州李家，见储正在给李打盐水针，这时李的血管已逐渐硬化，但他的神志尚且清醒。他见到马，十分懊悔，说：

“啸天，我悔不听你的话啊！”

因为马啸天也劝李士群以退为进。

等到杨杰走近李士群，李带着一肚子仇恨对杨杰交待：

“别忘了那家伙（熊剑东）和大块苏成德，你要执行（干掉他们），这是我的遗命，也是纪律。”

然后，他便再没有一句话了。

# 第十章　军统改组，如虎添翼

沦陷区戴笠一系列的臂膀被打折，几乎是屡战屡败，戴笠几乎心灰意冷，但他很快意识到必须自救，为此，他左右开弓，“以夷制夷”，大肆修理本部，以重振声威。只可惜狐狸虽然狡猾，但也挨打不断，就连“老蒋”也有点忙，为迎合“老蒋”，戴笠乱凑小黄埔。奉行“有权不用，过期作废”，贩毒、走私，无所不及。

## 一　权大震主，“老蒋”有点忙

接连的失败，让戴笠更加努力，权力也越来越大，“老蒋”有点忙了。

1938年10月下旬，武汉三镇沦陷。驻武昌的军统局机关奉命和滞留在武汉的各中央机关一起，迫于无奈，不得不西迁重庆。这就开始了军统的七年陪都时期。

军统利用原在重庆的特务组织，捷足先登，首先抢到观音岩下罗家湾的警察训练所，共有一座三层、一座二层的旧式楼房，另有几十间大大小小的平房，作为军统局的临时办公处；然后又把隔壁重庆市警察局游民习艺所占了过来，与四川军阀杨森在中二路的“渝舍”成为邻居。

不久，又强行买下局本部大院对门的枣子岚垭“漱庐”的

3层楼花园洋房作为军统接待室，一楼辟为一般大特务接待客人的地方，二楼作为戴笠接待客人的地方，三楼是一些军统大特务中午或晚上临时休息的卧室。以后，戴笠看中隔壁罗家湾十九号的花园公馆，又强购下来。这样，罗家湾成为一个庞大的军统办公和宿舍区，占地达二百亩左右，成为重庆一大禁地。

在此基础上，戴笠利用职权，贪赃枉法，不断扩大地皮，广夺强抢。抢到曾家岩五十号房屋做戴公馆；抢到磁器口螺丝厂数十间厂房、平房做军统办公处；抢到白公馆、松林坡、杨家山、钟家山、余家院子、渣滓洞等处的大片地皮，以后成为中美合作所的所在地。

戴笠在重庆安营扎寨后，便着手整顿内部。因军统局5月份在武昌成立时，由于战事关系，内部的组织和人事机构均未做大的调整。这次戴笠将内勤科、股逐次升格为处，并新设许多处、室、科、股，大量扩充人员。从戴笠建立特务处以来，其内部机构的变化从没有停止过。

建立军统局后，内部机构的变化更为频繁，有时快得连人事处跟着更改名字都来不及。这是因为军统是一个特殊机构，不受军委会编制部门的约束，况且戴笠生性多变，一个念头闪过，马上付诸实施，从不受任何清规戒律约束，蒋介石对军统的原则是只过问局级人事和编制情况，对局以下的机构、人事全权交给戴处理。因而，军统内勤要增一处一室、外勤要增一区一站，只要戴笠决定之后，马上就可以实行，完全不需要向蒋介石或军委会请示报告。所需经费除军委会按核定编制拨发部分外，绝大部分都是由蒋介石按年度统一从特别费项目下补助。抗战中期以后，由于军统组织极度膨胀，所需经费十分巨大，蒋介石的年度巨额补助也不能解决问题，戴笠就自己多方面开辟财源进行解决。

军统扩建之初，戴笠首先把书记室升格为秘书室，秘书室内初设文书科和译电科，后因业务大量增加，这两个科又分别扩充为文书组和机要组，组内再设科。秘书室由主任秘书主持工作，但因主任秘书郑介民不肯到职，故军统局仍保留特务处时期的书记长一职，主持内勤业务，大特务唐纵、张严佛、周伟龙、吴赓恕都在这个时期担任过书记长。结果弄得不但许多外勤特务不清楚书记长之上还有一个主任秘书郑介民，就是许多内勤特务也不清楚。

戴笠是个细心之人，感到这样下去，一旦蒋介石查问起来，容易引起他的猜忌心理，郑介民也可以借口推脱。于是决定将书记长一职撤销。改设代理主任秘书一职，主持内勤业务。

秘书室以下的各处，习惯上按序号排列。初设一、二、三、四处，后来发展到八大处。

一处，即军事情报处，由特务处时期的情报科升格而成。与特务处时期有所区别的是，它不是按地区划分，而是按业务分工设置内部科室。先后设有军事情报科、军运科、策反科、谍参科和国际科。处长先后由大特务杨继荣、鲍志鸿担任。

二处，即党政情报处，由特务处后期设立的党政科升格而成。下设党政科、侦防科、航检科、中共科和经济科。处长先后由大特务何芝园、王新衡等人担任。二处的核心是中共科。这是在国共二次合作后新成立的一个科，任务是集中处理有关中共的问题。二处的经济科是一个权力极大的科室。第一任科长是德国经济学博士费同泽，但因费与副科长、颇有才华的日本经济学家邓葆光不和，科长一职被撤，由邓接任。邓同时兼任军统经济研究室副主任，并以局本部名义直接指挥财政部缉私处、货运管理局、国家总动员会议经济检查组领导的各地经济检查队，权力之大，令人侧目。

三处，即行动处，由特务处行动科升格而成。下设行动科、警稽科和司法科。不久，戴笠又将警稽科、司法科从三处中划出，成立警务处、司法处。行动处主管军统行动工作，领导全国各地的行动总队、大队、队、组等近八十多个，并负责指导军统特务团和蒋介石侍从室特别警卫组的任务。处长先后由大特务余铎、徐业道、阮清源等人担任。

四处，即电讯处，由特务处电讯科升格而成。下设通讯科、机务科、工务科、考核科、电监科，并单独设有一个人事科，负责管理该处的电讯人员。由于该处工作的特殊性，戴笠将其安排在重庆马鞍山独立办公，与军统局各大处分开活动。处长魏大铭，是特务处时期的“老军统”，著名的电讯专家，同时主管规模庞大的军委会技术研究室。

五处，即司法处，下设审讯科和狱管科。处长先后由徐业道、沈维翰、李希成等大特务担任。

六处，即人事处，由军统人事室扩充而成。下设人事行政科、考铨科、福利科及卡片室。处长由李肖白、龚仙舫等大特务担任。

七处，即经理处，由军统会计室扩充而成。下设综计科、审计科、预算科、财务科及现金出纳股。处长徐人骥是蒋介石“钦定”的，他是协助戴笠、郑介民筹建特务处的元老，又负有财务上监视戴笠活动的特务，故戴笠非但不敢搬动他的位置，平时在工作中也要让他三分。

八处，即总务处，由军统总务科扩充而成。下设庶务科、管理科、交通科，并领导汽车大队、电话队、农场、官兵消费合作社。处长沈醉，是军统最年轻的处级干部。

军统后期成立的还有训练处、警务处和布置处。训练处由军统训练科扩充而成，任务是对军统的数十个训练班进行督训。处长郑锡麟是“十人团”成员，被称为军统的“训练专家”。其后由军统老特务廖华平担任处长。

训练处同时主骗军统内部发行的月刊《家风》，领导军统外围组织“抗日锄奸团”。《家风》创刊于1938年5月，初名《半月时评》，这是戴笠用以控制军统内部思想的刊物。“抗日锄奸团”原由华北等地的爱国青年学生自发组成，后被戴笠发现并掌握，因而逐渐改变性质。

警务处主管各地的警察机构与稽查机构。布置处是军统成立的最后一个处，任务是布置对沦陷区的潜伏和策反工作。处长马汉三，是一位野心极大的高级特务。戴死后，被郑介民处决。

除上面所说的各处外，军统局内部还有比处略小一点的各室和委员会等机构。督察室的任务与特务处时期无大的区别，值得注意的是戴笠在军统局督察室内新增设了一个防奸股，专门监视在军统内部的中共叛徒，并防范中共派人打入军统活动。该股手拿戴笠赐予的“尚方宝剑”，发现有嫌疑人物，有权先行扣押，再审讯调查。特种技术研究室是专门研究如何杀人放火、行凶破坏等方面的专业技术机构。经济研究室主要研究有关破坏、扰乱沦陷区经济以及军统自身如何缉私、走私等方面问题的专门机构。总督核室是军统的经济审计和监督机构。机要室（译电室）原隶属于秘书室，后由戴笠提升为处级机构，主任由军统唯一的女少将姜毅英担任。

军统另外设有设计委员会、策反委员会、惩戒委员会、考核委员会、财产清理委员会等专门委员会以及中山活动室、“四一”医院、神仙洞招待所、印刷所、造纸厂和特务团等服务、勤务机构。重庆磁器口缫丝厂办事处是因躲避日军空袭而设立的军统乡下办事处，有内外勤兼顾的任务。

军统的外勤组织除站、组相对比较稳定以外，区及办事处一类的机构变化甚多，难以确定数目。抗战时期，除了东北以外，各省（包括西藏、西康、新疆这些偏远省份）都建立了省站，有的一省则建数站。

军统时期，海外特工机构也逐渐建成。先后成立了美国站、伦敦站、巴黎站、菲律宾站、新加坡站、曼谷站、腊戍站、仰光站、印度站（辖德里、孟买两个分站）等机构。仅在越南境内就设有七个情报分站，并于1939年在广西南宁设情报总站，进行领导。另外，在德国、意大利、埃及、日本及西北欧、东南亚等国设有特工组或直属通讯员，其组织几乎遍及全球。

军统掌握的公开机关可谓多如牛毛，比较有影响的计有委员长侍从室第二处第六组、侍从室特别警卫组、军令部第二厅、军委会特种邮电检查处、军委会水陆交通统一检查处、财政部缉私署、直接税署、货运管理局、内政部警政司、各大城市警察局、外交部护照科、驻各国武官处、陆军总司令部以及各战区和集团军调查室、三军谍报参谋处室、各大城市及各地警备司令部稽查处、航处委员会政治部调查室等等。

特务处时期，戴笠对手下的特工人数有确切的记录，从1932年4月1日前的十个人，到1937年7月“七七事变”发生，人数已达三千六百人。但后来因军统扩展太快，几至膨胀的程度，其在抗战各个时期的确切人数，根本无法掌握，粗略估计，军统在全盛时期的内外勤人数约五万人，军统掌握的各种特务武装约二十万人，通过军统策反掌握的伪军力量约八十万人，三部分力量合计一百余万人。尤其前两部分力量的组织之严密、调动之灵活，超过了任何一支国民党军队。戴笠拥有的强大实力超过了使蒋介石放心的程度，最终引起蒋介石的猜疑和不安。

## 二　戴笠也有被耍时

戴笠狡诈无比，但还是被一个小小的孙殿英给耍了。

在河内追杀汪精卫的失败，使戴笠感觉到异常沮丧，心中往往想起自己身负军统要职，竟然如此失败，又怕别人对自己有所瞧不起，迫于无奈，只好回到重庆，向蒋介石请罪复命。

出乎戴笠意料之外，蒋并未对这次失利进行指责。蒋深知汪精卫也是国民党集团中的顶尖人物，绝非等闲之辈，以蒋之老练精明，数十年来尚不能制服汪，何况戴笠。退而论之，戴笠这次能率特务，第一次超出国民党政权所能提供保护的范围，孤军深入到别国境内，将汪精卫的副手打死，也属难能可贵。

更为重要的是，从1939年初开始，蒋介石的政策重心已经开始从对外抗日转变到对内反共。

在1939年1月21日至30日召开的国民党五届五中全会上，蒋介石提出了“防共、溶共、限共、反共”的政策，成立了专门的“防共委员会”。会后，蒋介石特别交代戴笠，当前许多地方实力派控制的军队中钻进了中共人员，有的在相当程度上掌握了地方武装大权，形成了与国民党中央军抗衡的力量。

蒋介石特地告诫戴笠，据有关方面报告，孙殿英的新五军里就钻进了大批共产党人。蒋介石说，华北沦陷以后，晋东南的中条山区、太行山区成了国民党军队的唯一敌后根据地，必须确保能把孙殿英控制在“中央”手中，不使这块根据地丢失。

为此，蒋介石指令戴笠以校阅新五军为名，视察华北太行山的部队，规劝孙殿英反共，清除新五军中的中共组织，对其他地方实力派控制的军队组织和群众抗日武装也要照此办理，以确保五届五中全会制订的反共方针能够切实贯彻执行。

戴笠受命后，动身前往华北太行山区。戴笠此行一方面是奉命清查孙殿英的通共行为，一方面是为了向孙殿英讨要一件国宝——龙泉宝剑。

对于孙殿英，戴笠其实早有布置，自从 1933 年戴笠与孙天津一别之后，孙殿英率部西进宁夏，结果是兵败如山倒，被西北“五马”之一马鸿逵杀得东倒西歪，届时，又被何应钦趁机免去本兼各职，倒霉的孙殿英真是祸不单行，骂爹哭娘不成，迫于无奈，孙殿英黔驴技穷，只好下野赴山西太原晋祠闲居。

七七事变后，孙殿英东山再起。他只身溜回北平，从二十九军军长宋哲元那里弄到五百杆枪。接着从北平出城，一路收容散兵游勇。当他走到石家庄以北的东长寿时，居然收容到二千多人，编成了四个大队，有了一定实力。

孙殿英是个惯于见机行事，因时而起的枭雄。他知道要想在政治上重新造成一个气候，必须先从蒋介石那里谋取一个正式“名义”，才能名正言顺地招兵买马，进一步扩充实力。不然凭这两千条人枪，最多只能当个“山大王”，难得“正果”。

于是，孙殿英想到了戴笠。他先派擅长外交的亲信随从刘曾若到南京找到戴笠，请戴为他在蒋介石面前打通关节。然后由驻防保定的第二集团军司令刘峙电请蒋介石召见。其间，孙殿英的杀手锏就是用东陵盗来的稀世珍宝开路。

1937年8月上旬，孙殿英带上大批礼物来到南京，行色匆匆。他先与戴笠见面，献上随身所带的奇珍异宝，请戴笠转赠蒋介石、宋美龄、何应钦、宋子文等人。

宝物中最名贵的是一颗夜明珠。据孙殿英向戴笠介绍，这本是用炸药崩开慈禧陵墓时，从慈禧嘴里掏出来的。当时将棺材劈开，慈禧尸身完好，好像在睡觉一样，就是因为她嘴里含着这颗夜明珠。夜明珠分开是两块，合拢是一个圆球，分开透明无光，合拢则透出一道绿色的寒光，夜间在百步之内可照见头发。

戴笠提议说："魁元兄，这件宝物献给蒋夫人，你看怎样?"

孙殿英连忙说："老兄说得好，我原本就这样想的。"

另一件宝物是慈禧在墓中用的枕头，名翡翠西瓜，也由戴笠提议转赠给宋子文。其余一应大小宝物都由戴笠一一做主，或献蒋、或赠何、或送孔，孙殿英莫不称是。

孙殿英这次向戴笠点交宝物之后，又向戴笠许诺，他尚有一件最珍贵的九龙宝剑，准备送给戴笠。

所谓九龙宝剑，是从乾隆皇帝墓中盗得，剑长五尺，剑柄特长，上雕九条紫金龙，象征"九九归一"的至尊皇位，剑体光华四射，不锈不污，其锋无比，吹毛可断，削铁如泥。

剑鞘用名贵鲨鱼皮制成，嵌满红蓝宝石及金刚石，太阳之下，一片光华闪灿，令人炫目。

孙殿英炫耀地说："得到此剑以后，我曾暗中请人考证，才知此剑乃清乾隆二十三年春，由新疆爱乌罕、巴达克山、霍罕、哈萨克各部落派使节来京入朝，晋谒高宗弘历皇帝，所献的一件宝物。当时高宗乾隆皇帝佩上此剑，顿时满殿生辉，华光耀眼，犹如万朵彩云在殿中飘舞，满朝文武大臣莫不称幸。高宗皇帝见此龙颜大悦，特以'龙泉'二字命名，并赐宴使节和文武大臣于紫光阁。从此之后，高宗皇帝对此剑爱不释手，朝夕相伴，直至驾崩之时，仍遗命将此剑同时下葬，永不分离。"

说到这里，孙殿英又鬼头鬼脑地对戴笠附耳低言，说："此剑是我从东陵盗取的无数奇珍异宝中最宝贵的宝物，自得此剑后，一直藏在秘处，不肯示人。只因此行匆匆，未能及时取来，只待下次有机会，一定将此剑献上，请戴先生转献委员长或何部长，一切由戴先生裁处。"

戴笠听完此事，不觉怦然心动，当即满面笑容地应承此事。

献完了这些价值连城的稀世之宝，孙殿英才与戴笠言归正传，谈到此行的目的。孙殿英先吹嘘自己已有人枪近万，还可以号召旧部数万，进可以与日军决一雌雄，退可以与八路军争一短长。凭人老闯江湖的一套本领，总不会落在别人后头。

孙殿英的这一套大话自然骗不过戴笠。不过，在戴笠看来，抗战初期正是用人之际，况孙老殿的这一套想法正合老头子的心意，大可利用。同时，如能把孙殿英扶植起来，控制在自己手中，不啻也是增加一份实力，加强自己在老头子心目中的地位。于是，戴笠当即向孙殿英允诺，要助他一臂之力，使他不虚此行。

经戴笠安排，蒋如期接见孙殿英，一见面，蒋说："你的情形戴局长向我说明白了，你好好地为国出力，我已手令你为冀察游击司令。"

孙殿英连忙站起来，连说："多谢委员长的大恩大德。"

蒋眯着眼睛把孙殿英从头到脚瞧了一遍，一字一句地说：

“魁元，你很能干，有作为，就是过去的历史不太清白，趁抗日救国之机，好好地洗刷一番，以后不要胡来，有困难找我。”

孙殿英听了，激动得热泪盈眶，当即站起来倒身便拜，连说：“我过去没有找到亲爹亲娘，这次雨农引我找到了亲爹亲娘，走上了正道，从此忠心不二，要我生就生，要我死就死，我早就和雨农盟过誓……”

孙殿英话没有说完，蒋介石立刻改变了严肃的面孔，命侍从参谋将孙殿英扶起来，摆了摆手，含笑地连说了几个好好好，即退了出去。

孙殿英的南京之行，表面上对戴笠异常感激。其实，他只不过是利用戴笠而已。在孙殿英看来，带着从东陵盗来的大批奇珍异宝，就是没有戴笠，也能买到个把司令的头衔。这就是“钱能通神”的妙用。

孙殿英要利用戴笠，而戴笠其实也对孙殿英看得很透。他对孙殿英始终是不放心的，为此，戴笠在南京就与孙殿英谈定，在冀察游击司令部里成立联络参谋室，由军统特务严家诰以军委会联络参谋的名义掩护，率领一个特派小组，配合1部电台，随同孙殿英到华北赴任，常驻孙部，对孙进行严密控制。

做到这些，自然要附有交换条件。交换条件是，由孙在南京设一个办事处，以刘曾若为主任。办事处的主要任务就是跟戴保持联络。孙部的军费、枪支弹药，都由办事处通过戴接洽后给予补充。孙殿英由南京北上之际，戴笠又向孙介绍了一位叫于炳然的神秘人物随行，因此人与内蒙古德王驻北平办事处主任有同学之谊，私交颇笃。故请孙殿英掩护此人潜入北平，对其同学进行策反活动，孙殿英如约办到。

孙殿英始终是个以个人利益为中心的唯我主义者，信奉有奶就是娘，有枪就有权。根本无所谓革命与反革命的进步与落后的差别，在一定时间、地点、条件下，谁对他有利，就利用谁为他服务。

这时，孙殿英一方面利用戴笠做靠山，谋取头衔，取得军费、弹药的补充，一方面则积极与共产党人接触，保持联系，利用中共党员的革命献身精神与强有力的政治工作为他训练部队，提高战斗力。因此，在孙殿英编成的四个大队中，有不少干部是由共产党员担任，其中有位大队长就是共产党派遣的干部。

孙殿英到石家庄东长寿以后，在车站会见了当时以国民党军委会政治部副部长身份乘专车北上宣传抗日的周恩来，孙当即向周恩来表示，拥护国共合作，坚持抗战立场，并接受了周恩来介绍到孙部工作的共产党人靖任秋。

1939 年 1 月，蒋介石手令何应钦将孙部改编成新编第五军，下辖第三师和第四师，所部调防河南林县，靖任秋调任第四师副师长。新五军处于蒋军晋东南根据地的前沿，所以蒋介石对孙殿英的一举一动非常注意，既防他通共，又防他投降日伪，不断指示戴笠加强对孙部的控制。

戴笠为此除继续派大特务严家诰以新五军高参名义随孙部行动外，又加派大特务徐静远、张振远为“军事委员会平汉路北段爆破总队”正副总队长，成立一千余人的庞大爆破队，军统电台随孙部行动，亦步亦趋对新五军进行监视。另外，又成立军统局晋东南站，派山西人、黄埔五期毕业的大特务乔家才为站长，重点还是加强对孙部的监视控制。

戴笠来到新五军驻地，通过对各方面进行深入考察了解，发现在孙殿英身边确有不少共产党人，但孙殿英是很狡诈精明的，他始终把各级军事主官交给其旧部军人掌握，不让共产党人担任实职。这说明他对共产党也仅限于利用而已。

戴笠据此认为，孙殿英仍是个绝对的个人主义者，处处以个人利害为转移，投共绝非他所愿，投日伪却有可能，但不到无路可走时，当不致出此下策。然而当前要他断然采取反共立场，似乎也不太现实。

因此，戴笠的策略是继续加强对孙殿英的监控，逐步收紧绳索，加大压力，逼迫他采取反共、清共措施，摆脱共产党的影响，确保他为国民党所用。同时，作为控制孙殿英的措施之一，戴笠在这次与孙殿英的会晤中，主动提出与孙拈香拜把，结为兄弟，孙殿英一听，自是喜不自胜。于是孙年长为兄，戴年少为弟。自此以后，戴称孙为“魁元兄”，孙也改口叫戴笠为“雨农老弟”。

“雨农老弟”“校阅”既毕，开始旧事重提，拾起东陵盗宝的话题。“魁元兄”是一点就通之人，马上连叫“请罪”、“请罪”，立即交出已在南京许诺的“龙泉宝剑”，即托戴笠代为转献。

戴笠得剑后细细把玩，果然名不虚传，确是平生未见之稀世珍宝。一时心花怒放，笑逐颜开。他连拍孙殿英的肩头说：“魁元兄，有了此剑，我包你后半生平安无事！”

戴笠对此剑极为看重，但因为还要继续前往中原各部队视察，检查贯彻五届五中全会所定反共方针的情况，生怕带着此剑过于招摇，难保没有闪失。于是亲自交代大特务马汉三，要他视陆路“保险”时将此剑带交何应钦，再由他本人亲自转献于校长。

马汉三原系军统北平区张家口察绥站站长，这次由戴召到林县见面，改调他为军统陕坝工作组组长，专门负责内蒙一带的特工活动，并对率部进入绥西作战的第八战区副司令长官傅作义进行监视控制，以防他通共联共。

林县分手之后，戴笠在外转了一大圈之后，很久才回到重庆，然而也还未见马汉三将此剑送来。发电催问，马汉三回答说，风云突变，为安全计，古剑仍留孙军长处，容日后再做计议。戴笠再去电问孙殿英，孙则久久没有回电，因此时孙与日本侵略者在暗中洽谈投降事宜，无暇顾及领会戴笠重提讨剑一电的用意，因而将此事搁下。留下一段公案，终至危及戴笠日后生命。

## 三　狐狸虽“狡猾”，但也挨打

1939年，是戴笠的军统组织经受重大打击和考验的一年。但是怎么说，戴笠总算挺过来了。

七七事变后，仅一年多时间，中国半壁河山已处在敌蹄的蹂躏之下。随着国民党数百万大军的战败和溃退，军统掌握的公开机关大都随军西撤，军统秘密组织则纷纷进入潜伏状态，继续从事沦陷区的特工活动。

由于蒋介石长期推行“攘外必先安内”的对日绥靖和顽固反共政策，戴笠的特工工作缺乏对日特斗争的思想、组织和业务训练与物质准备，结果匆忙转入真正意义上的地下工作，使得平日里习惯依靠统治阶级的力量，为虎作伥、养尊处优的军统特务，根本适应不了艰难困苦的地下特工生活，结果在日伪特务汉奸的威逼利诱和残酷打击下，纷纷暴露瓦解。最使戴笠心痛的是许多军统特务被日伪逮捕后，又摇身一变，公开落水当起汉奸特务，转过身来更加凶狠地帮助日伪组织向军统进攻。军统南京潜伏区彻底垮台。

接着是军统上海潜伏区受到沉重打击。由于上海租界当局对军统特务暗杀唐绍仪事件不满，先后逮捕了上海潜伏区情报组长和助理书记刘方雄、王方南以及上海区区长周伟龙等人，后经戴笠出钱买通租界探警人员，刘、王、周等人先后获释，调往香港、重庆。

周伟龙调走后，戴笠调华北区区长王天木接任上海区长。1939 年夏，上海区人事股长陈明楚被汪伪七十六号逮捕后投敌。经陈明楚出卖，上海区机关遭到极大破坏，区长王天木也被逮捕。因经不住七十六号特务的威胁利诱，也公开落水当起了汉奸。

这个时期同时落水投敌的军统大特务还有忠义救国军淞沪指挥部副总指挥兼第一纵队司令何天风、上海区行动组长林之江等。这些军统特务投敌后都先后在汪伪特工总部（七十六号）出任要职，疯狂地破坏打击军统潜伏组织。

王天木在上海投降日伪后，其在天津的老部下、军统天津站行动组特务裴级三受王的影响，也在当年 9 月向日伪投降。他把平、津、保定站和唐山、沧县两个组的人和组织一并出卖给日本人，致使华北区受到致命打击，仅有区长陈恭澍一人逃往重庆，区书记曾澈以下若干人员被捕，嗣后有的投敌、有的坐牢、有的被杀、有的潜逃，华北区组织机构从此瘫痪，活动陷于停顿状态。

几乎在这同时，军统外围组织平津抗日锄奸团亦被株连，惨遭打击。大批团员被捕坐牢，不少人被杀害。组长曾澈也未能幸免。

戴笠多年苦心经营起来的南北两大特工中心上海、天津受到严重破坏。震惊之余，戴笠一方面迅速调整人事，指定原上海区行动组长赵理君代理上海区长，原华北区副区长倪中立出任天津站长，重建上海区和天津站；一方面指令赵理君、倪中立制裁王天木、裴级三。

但是，全部出师不利。

赵理君不但未能完成任务，甚至自身在上海也不能立足，戴笠只得将他调往重庆任局本部行动处科长，派陈恭澍到上海任区长，执行制裁王天木的任务；赴天津组建天津站，负责制裁裴级三等汉奸任务的倪中立到津后，立足未稳，即遭日特破坏，倪中立也被杀害。

屋漏偏遇连阴雨。

不久以后，戴笠又续派大特务陈仙洲到天津建立特别站，派张家铨重建天津站，两站再次被日特破坏，仅余张家铨、陈仙洲二人分别逃回河南和重庆，站中许多人被捕。从此以后，天津站一蹶不振，始终未能重建起来，军统在天津的组织只余下一些零星的小组或电台断断续续在活动。

1939 年底，汪伪七十六号特务在王天木的协助下，又赶赴青岛，将军统青岛站长傅胜兰特以下十余人，连同电台全部拿获，傅胜兰等一批人亦集体投靠了七十六号特务组织。在这期间，军统武汉区也被日本宪兵队破坏，区长李果谌被捕投敌，出任伪皇协军参谋长，后因争权夺利，被伪皇协军司令熊剑东借机诛杀。

面对一连串失败，戴笠十分窝火，他要反击了。

1939 年 5 月 6 日，汪精卫一行从河内抵达上海，很快与原中统特务头目丁默村、李士群等人先期成立的汉奸特务组织合流。一时，上海的各派蒋系势联合成为蒋介石批准统一指挥的力量，与日汪汉奸特务斗争。但是，统一委员会负责实际工作的 CC 系特务吴开先指挥不了军统在上海的组织，统一委员会还是“统而不一”。

接着，戴笠给军统上海区区长陈恭澍下令，指示他在上海广泛组织除奸活动，反击汪伪汉奸势力。

陈恭澍奉命后，于这年秋天派军统特务詹森把汪伪七十六号特务组织的后台人物季云卿杀死在上海威海卫路智仁勇中学对面。

反击初战告捷，但也是很艰辛的。

季是上海青帮"通"字辈流氓，七十六号的大头目丁默村、李士群、唐惠民都是季云卿的"徒弟"，七十六号的许多凶狠打手，都是经季云卿介绍的。所以陈恭澍首先选择季云卿作为打击七十六号的目标。但是，不料后来詹森因自泄"天机"而被七十六号逮捕，由汪伪特工委员会主任周佛海批准将詹森枪毙。

之后，军统少将高参萧家驹、军统特派员罗梦芗先后到上海开展除奸活动，均被原先从军统落水的七十六号第四行动大队长万里浪诱降引荐给七十六号特务头目丁默村、李士群，由七十六号分别安置为"和平救国军"的参谋、七十六号的顾问等职。

1939年10月，军统少将特派员王钟麒、李济时被派到上海不久，也被由军统反水到七十六号任第一处处长的林之江出卖抓进七十六号，先后投敌，被聘为七十六号顾问和专员。

这年年底，军统特务李持平、陈家栋也先后被由军统反水过去的特务吴道绅出卖，未经用刑就投降了七十六号，也被分别委任为七十六号专员和电务处电务员。后因发现李、陈二人仍暗中与戴笠保持联系，当即命七十六号第一处处长兼第四行动大队大队长万里浪将二人押赴上海中山北路七十六号刑场一起枪杀。

戴笠屡战屡败，极为震怒。

他总结了这一年多时间里连遭失利的关键是一批军统特务的反水，他们像“多米诺骨牌”效应一样，一个落水，带动一串；一串落水，又带动一片。

为了扭转被动局面，戴笠经过反复研究，认识到汪伪汉奸特务的手法是以“军统”打击军统，自己何不以其人之道，还击其人之身，暗中收买拉拢汪伪汉奸特务打击汪伪汉奸。于是，戴笠急电军统上海区长陈恭澍，指示他或用重金收买，或用既往不咎、将功赎罪等办法，对原先落水的军统特务，进行反收买。然后利用他们开展除奸活动。

陈恭澍接电后依计行事，首先收买到王天木的随身警卫员马河图，许以重金，要他伺机暗杀王天木、何天风、陈明楚等一批汉奸特务。

1939年12月25日的圣诞之夜，马河图利用王天木、陈明楚、何天风等人到沪西北来夜总会去享乐的机会，趁他们舞兴正浓时，拔枪突袭他们，将何天风、陈明楚当场打死。马河图对王天木念在多年的老上司的份上，一时手软，使王天木瞬息之间躲进沙发背后，幸免一死。马河图当即逃离夜总会。由陈恭澍将他转移送到重庆，向戴笠领取十万元奖金。王天木虽死里逃生，但由于涉嫌太多，也被七十六号牢房扣押起来。戴笠一击而中，也出了口恶气。

## 四 修理内部，重整江山

一大批军统特工叛变投敌，说明军统内部的混乱，已到了必须整顿的地步。这样，内部大整肃势在必行。

抗战初期，一方面，军统在沦陷区的各级潜伏组织出现了一股反叛、分化、瓦解之潮；一方面，军统在国统区或大后方的各级组织利用手中的特权，大肆弄权作势，贪赃枉法，胡作非为，使军统恶名远扬。这使戴笠感到一种危机，多行不义必自毙，忧虑如此下去，军统组织将有垮台的危险。

1940 年 12 月 30 日，戴笠在重庆军统局本部孙总理纪念周上发表《发扬正气》的讲话时指出："当然，就我们的政治环境来讲，有的人是很讨厌我们的。但抗战好几年过去了，人家都不能排斥我们，并且不能离开我们，为什么？这就是今天的基础和力量。这就是今天对时代的需要，所以今天我们的问题，不在于我们的工作是否重要，而在于我们的房子很大，柱头很小。我们本身的声望超过了我们的力量，我们怕的是自己实不足以副名，就我们现在所掌握的公开机关的业务性质来说，在交通方面有运输监察；在经济方面有缉私；在治安方面有警卫、稽查和特检；在内政方面有全国警政；经济、治安、交通、内政、军事，今天都已掌握在我们的手里。"

权力越大，越容易产生腐化现象。为此，戴笠开始在军统内部进行整肃工作。

根据抗战初期军统各地潜伏组织纷纷反叛、瓦解的教训，戴笠首先注意在吸收军统成员时严格把关。

早在 1938 年 5 月 4 日，戴笠就致电广州的军统组织，指出："非常时期之工作，不可用流氓。因流氓行动招摇，不切实际，用之未有不败也。"

1939 年 7 月 3 日，戴笠再次给军统各外勤组织指示："发展工作需能结纳同志，深入群众。"

以后，戴笠进一步提出军统工作的十六字方针："主义领导，理智运用，感情结纳，纪律维系。"

按照这个方针，戴笠十分强调军统组织的发展必须注重政治上绝对可靠忠诚，一方面要加强感情培养，一方面要用严明的纪律来维系团体的存在。对此，戴笠曾经在军统局本部纪念周会上，对军统大特务们大讲他的“官”、“管”、“棺”的三字经，即对特务统治的手法：先是给“官”做，但如果特务们贪赃枉法、不负责任，则加竹为“管”，如还不能达到目的，则添木为“棺”。

戴笠对“管”有很多手法，运用得最多的、惩罚最轻的一种，是在军统局本部纪念周大会上痛骂一番。戴笠骂人的特点是异常冷酷严厉，且越是人多的场合，越是在有来宾的场合，甚至越是在夫人小姐出场的场合，戴笠骂人的劲头就越足。

因此每到纪念周或每年的“四一”大会、圣诞节、招待会、集会等重要场合，大小特务们无不战战兢兢，提心吊胆，担心由此要吃到一顿“大菜”，即使是亲信大特务也不能例外。军统大特务赵世瑞，黄埔四期毕业，曾任军统局重庆卫戍总司令部稽查处处长、局本部缉私总处副处长，是戴笠身边的头牌宠信人物，但因为乱搞女人，与军统五原办事处副主任史泓一起，被戴笠在局本部纪念周大会上骂得一塌糊涂。

由于戴笠骂人言词尖刻，态度粗暴，有的大特务甚至因受不了戴笠的痛骂而自杀。曾任重庆卫戍总司令部稽查处副处长的王克全，因参与暗杀杨杏佛、史量才而受到戴笠的赏识。但在一次日机对重庆的空袭轰炸中，他保管的100支刚从香港购进的左轮手枪被炸毁。戴笠是爱枪如命的，闻之大为光火，当即在电话中对王克全一阵痛骂，声嘶力竭地挖苦训斥：“你不好好保管这批手枪，是不是怕拿去对付你过去的老祖宗（指共产党)!”王闻之羞愧无以自容，精神崩溃竟不能自已，接完电话后，关上稽查处处长办公室的房门就开枪自杀了。

军统兰州特训班教官宋良，因忍受不了戴笠的痛骂，竟出家当和尚去了。

对一些年轻气盛的大特务，戴笠不但予以责骂训示，而且故意降级使用，以磨其锋芒。军统大特务毛万里曾任军统北平区站长、区长，1939 年调重庆中央高级干部训练班受训后回到军统等待分配。戴知其恃才傲慢，好高骛远，就将他分配在重庆卫戍司令部稽查处当一名上校秘书。毛万里内心不服，大闹情绪，又遭戴笠一顿痛骂，说："万字头上两只角，我是磨角人。"毛万里知道跳不出戴笠的手心，只得收敛锋芒，老老实实在稽查处干了几年，才得到调升外放，成为独挡一面的大特务。

骂人之外，戴笠惩处特务的方法是撤职查办。在军统内部，大特务们受到撤职可以说是家常便饭。赵世瑞被骂过之后，因恶习难改，坚持要讨小老婆，被戴笠一纸手令，免去缉私总处副处长的本兼各职，解甲归田。受到过撤职或免职处分的还有不少将级大特务，有的还被关押过。

至于中、小特务因失职或违反团体纪律被撤职、关押的更是不计其数。戴笠在西安一个会上，就曾经当场宣布将私自结婚的姜维世和陈友桂一对军统夫妇给以关押五年的处分，以维护戴笠宣布的军统特务抗战期间不准结婚的禁令，自此以后，特务们均采取秘密结婚的办法，或谎称是从故乡来的父母包办婚姻，在沦陷区的特务则申请结为"工作夫妻"。

关押军统特务，是戴笠处置违纪特工的最严厉的一着，其关押的地方，也根据其罪行等级有所区别。罪行较轻的关在望龙门看守所，特务们称之为"小学"；稍进一步则关押到白公馆看守所，谓之"中学"；罪行很大的则关到息烽集中营，谓之"大学"。

对于息烽集中营，军统特务沈醉在 1941 年 5 月 8 日的日记中曾有过一段记述："明选等纵谈息烽在押之人犯种种惨事，闻之使人抱无限同情，尤使人惊心胆小。对今后一切更不能不立稳脚跟，那儿真不是开玩笑的，越听越使人恐慌。人世间之惨举，一幕幕如摆在眼前。诸事留心，不自由的生活真太惨！"

在1942年3月6日的日记中，沈醉又写道："睡前谈杨（阳）朗坝之惨事太多，神经方面不无影响。为人莫犯法，犯法身无主，思之每为悚然。"

"管"不住，戴笠的手法就是加木为"棺"。抗战初期，戴笠为了整肃内部，表示军统的廉洁，即使是对一些罪不至死的特务，也动辄判处死刑。贵阳邮检所一个女特务因贪污了几十元汇款，由戴笠亲自审问后处决。当时这名女特务正怀孕，挺着个大肚子，向戴笠哀求能让她把孩子生下来再去死，戴笠也未答应。

戴笠对军统中、小特务有生死予夺之权，可以不经过蒋介石批准而处死。但有时为了沽名钓誉，在蒋介石心目中取得一个"治理严格"的名声，有意把一些具有宣传效果的案件报请蒋批准。

1940年春，戴笠的随身警卫员王春泉负债与财政部女职员李琼私自结婚，后为还债，借用军统局车队名义，私收重庆商行的运货定金。事发后，被戴笠以诈骗罪处以死刑，向蒋报告后，公开执行枪决。

同年冬天，戴笠的汽车驾驶员马福玉受命去浙江给局本部运一批贵重药品回重庆，因受局本部汽车队长黄四钦之托，顺便帮他夹带一箱走私的文具到重庆贩卖，被宪兵团查获。戴笠闻讯，认为马福玉丢了军统的面子，污了军统的名声，立即下令将马福玉扣押，送交军法处。经审讯后由戴笠亲自判处死罪，报蒋介石批准。

马福玉为戴笠安全开车十年，忠心耿耿，很得戴笠赏识，现在竟因受人之托带一箱走私文具而成死罪，毛人凤、张冠夫不免可惜，于是向戴笠求情，免其一死。戴笠回答说，我报批马福玉的死刑，是为了促批王世和外甥那个案件。结果，王世和外甥没有扳得倒，马福玉却被蒋介石批示枪决，在重庆西区公园执行。马福玉终为王世和外甥而枉送一命。

在抗战前期被戴笠关杀最多的，还是因贪赃枉法而犯案的。即使对一些出身权势之门的特务，戴笠也毫不手软。

一次，某中央委员因其子在军统供职时贪污被押，其人访戴笠要求宽大处理。戴笠虽然政治地位远不及中央委员，但权势之大又是中央委员不及的。结果，戴笠当面应允，待这位委员刚回到家，即报其子已被枪决。

还有一次，临训班一名教官调重庆工作后，偷窃同事公款三千元，事发后戴笠下令枪决。行刑时安排得别开生面，先让该教官去篮球场打球，一球在手举起，行刑人员的枪声已响，人即倒下。

事后，戴笠还说这是为了“不使殉法者以精神上的痛苦”，实际是杀鸡儆猴，威慑其他军统特务。使各位都听他的。

抗战期间，戴笠为了整肃内部，到底枪决了多少特务，实无从统计。据说，在军统成立十周年召开的“四一”大会上，戴笠曾将殉职者与殉法者的照片都在会场陈列起来，两种人加在一起，约五百多人。可见所谓殉法者，当不在少数。

戴笠为了笼络人心，对被处决的特务家属，给以与殉职者同样优厚的待遇，对其子女的抚恤也从厚从优，以此表示“团体”的关怀和“家长”的慈悲。

军统安徽站芜湖组组长洪云樵，因“擅自撤退”被戴笠下令枪决，后戴笠电令安徽站贵池组组长汪半樵派特务吴智新到泾县桥河查访洪云樵遗孀遗孤上报，不久即予以抚恤安置。

平时每逢春节，殉法者家属与殉职者家属一样都能领到抚恤金。婚丧以及意外事故都能发给资助金，以激励和宽慰生者与死者。

为了进一步加强内部整肃活动，从1940年开始，戴笠在重庆赣江街八十二号江西会馆万寿宫内秘密开设了监察人员训练班，其任务就是为了加强对特务的秘密活动。不久，戴笠又批准成立视察人员训练班，其任务是对特务进行反贪污活动，班址设在距重庆松林坡戴公馆一百米处，戴笠称他们是特务中的特务。到抗战中、后期，因军统的贪赃枉法、违法乱纪活动愈演愈烈，加之戴笠自身也弄权作势，故眼睁眼闭，不了了之。所谓整肃，也成了整而不肃。做做样子罢了。

## 五　乱凑小黄埔，迎合“老蒋”

戴笠知道蒋介石是靠着黄埔军校发家的。他也想搞一个自己的“小黄埔”。这种马屁拍得很好。

1937年8月13日，沉睡在梦中的大上海忽然被一阵阵枪声惊醒，“八一三”战事爆发，日军大举侵华，中日战争进一步升级。

国民党军队执行片面抗线路线，节节败退。戴笠匆忙逃至武汉，指派原苏浙行动委员会武装特务干部训练班副主任余乐醒和谢力公，到湖南着手准备一个大规模的特务训练班。

1938年1月，余乐醒回到长沙，马上把长沙南门外天鹅塘旭鸣里四号融园一座大洋楼全部腾出，作为筹备处，日夜紧张地从事准备工作。

戴笠有意把特训班办成自己的“小黄埔”，很下了一番功夫，他本人虽不能亲自主持特训班的活动，却在班里设了一个主任办公室，遥遥控制。他亲自选定地点，把常德北面临澧县中学作为班址。

秋季的临澧青山秀水，绰约美丽。几辆汽车向临澧县城疾驶而来。

特工头号人物戴笠戴雨农来视察了！

余乐醒早一天晚上就知道了戴笠要视察的消息，连夜做了一番布置。他派出两个中队担任警戒任务，小小的临澧县城三步一哨，五步一岗，进入了紧张的气氛之中。

戴笠的车队刚驶到县城附近，余乐醒早已率领全体教职员和学生在道旁恭候多时。

“立正——”一声号音发出之后，全城四处响起了立正号音，交通道口武装学生立刻断绝了交通，临澧县城进入戒严状态。

余乐醒急忙跑到车旁，殷勤地打开车门：“戴主任，请。”

一个身材高大、长面孔的人走下车来。他那阔而厚的嘴紧闭着，显出一副深不可测的威严表情。

“欢迎戴主任来特训班视察！”余乐醒沉浸在他精心设计准备的热闹隆重气氛中，却忘了注意今天的主角戴笠的表情。他转过身来，“啪”地一挥手，戏剧性地吼道：“唱！”

全体教职员和学生都齐声高唱起来。

革命的青年，快准备，
智仁勇都健全！
掌握着现阶段的动脉，
站在大时代的前面！

贫贱不能移，威武不能屈，
维护我们领袖的安全，
保护国家领土和主权！
须应当，刚强沉着，
整齐严肃，刻苦耐劳，
齐心奋斗！
国家长城，民族先锋，
是我们！
革命的青年，快准备，
智仁勇都健全！

戴笠一看到街道两边黑压压的欢迎队伍，一听见那震耳欲聋的鞭炮声、鼓乐声，心顿时往下沉，气不打一处来。他看见乐醒带着十几个地方乡绅模样的人迎了上来，真想破口大骂。十多年来，他为了自身的安全和特务工作的需要，总是尽可能不在公开场合露面，想不到余乐醒竟如此不识时务，搞了这么多隆重的欢迎仪式，还邀请地方乡绅！

可是，当着地方乡绅的面，他不便发作，只好下车，勉强含笑地跟来人握手寒暄。可最后，他还是忍不住压低声音，愤愤地对余乐醒说："撤回去！快撤回去！"

上了汽车，戴笠沉着脸，一言不发。沿途他又看到，从城门口直到特训班所在地奎星楼县立中学的路上，不仅到处张贴着欢迎他的标语，而且身着灰色军装的特训班学员，三步一岗，五步一哨，警戒森严。

戴笠情不自禁地骂道："余乐醒在搞什么名堂！抗战期间还摆这种威风！"

余乐醒紧紧跟上，他有些莫明其妙："戴主任，请您给学生训话！”

戴笠猛地转过脸来，单手叉腰，厉声说道：“我有什么话好训？我不是军阀，我是特训班的主任！”

余乐醒没闹明白戴笠火从何来，他尴尬地直立着。

戴笠面向等候已久的教职员和学生，挥起右手，又急速地劈了下去：“是谁发命令全城戒严？我们革命同志，反对的就是这个军阀作风！今天我倒很是威风，但见校长，那还了得？我们校长最反对革命同志摆威风！”

说完，他意味深长地盯了余乐醒一眼：“可今天就有人让我摆威风，这是要把我置于何地呀？”

一道冷汗从余乐醒头上滚落下来。全场寂静无声。许多人都没见过戴笠，被他这个威风凛凛的形象镇住了。

戴笠向侍卫努努嘴：“带路，去班内视察！”

班里特务们早已经把教室收拾得整整齐齐，总队长陶一珊毕恭毕敬地肃立在门口，等待戴笠的到来。

戴笠上下打量了一下陶一珊：“陶总队长，喜不喜欢打牌呀？”

陶一珊立正答道：“一珊遵照规定，从不打牌！”

“是啊，是啊！”戴笠嘲讽地笑了：“总队长倒是以身作则的楷模。饭后来四圈，是卫生麻将嘛！”

陶一珊一下子呆了，他经常和教官在晚饭后打牌，还自我解嘲地说：“饭后打四圈，是卫生麻将。”没想到戴笠了解得如此清楚！

戴笠环顾四周：“谁叫金民杰？”

一个彪形大汉应声走出教官行列：“到！”

戴笠两眼仰视天花板：“你的功夫不错嘛！”

金民杰有些得意，他虚了一下：“不很好！愿意为主任表演。”说完他拉出一个小勤务兵：“金刚，咱俩表演一下。”

金刚惊恐地睁大了眼睛，金民杰迅速用手腕夹住金刚的咽喉，金刚立刻昏迷，软软地倒了下去。

金民杰扶起金刚，轻轻地在背上拍了一下，金刚缓缓地睁开双眼！

“好！”在场的特务齐声喝彩，连戴笠的侍从也忍不住热烈鼓掌。这手迅速制人昏迷而后救醒的绝活，的确精彩。

戴笠冷冷一笑：“果然好功夫！”他脸色一变，厉声责问：“严夔是不是你打死的?”

金民杰一时不知所措，他求助地望着陶一珊。陶一珊犹豫了一下，还是上前一步：“报告主任，严夔是病死的！”

“混蛋！你当我什么都不知道！严夔被金民杰毒打要害处，伤重致死。你作为总队长知情隐匿，还敢狡辩?”

戴笠劈头一个耳光，命令道：“把金杰民关起来，禁闭一周。陶一珊总队长撤职！”

看着陶一珊和金杰民被拖出去，在场的人都战战栗栗，大气不敢出。余乐醒十分清楚，戴笠这是杀鸡儆猴，冲他来的，这个班一直由余乐醒直接控制，戴笠很少过问。

余乐醒对特务工作做得很多，重要的课程如特工常识、化装、毒物、化学、通讯等，都是由他主讲。此外，他经常向学生做精神讲话，生活上又与学生打成一片，很受学生拥戴。

他就犯了戴笠的大忌。戴笠曾在一次汇报会上不满地说：“临澧特训班只有余乐醒，没有戴笠。”并提升陶一珊为副主任，取代余乐醒。但陶一珊对于特务工作并不熟悉，生活上花天酒地，不久就又被降为总队长。这次戴笠之行，恐怕是来者不善。

接着，戴笠立即召集特训班骨干训话：“你们把我当成什么人啦？为什么要这样大张旗鼓地欢迎我？我以前一再强调，要做无名英雄，不论到什么地方，除了自己的同志，尽量不要让外人知道。可是你们……”戴笠越说越气，把在场的人骂得各个蔫头耷脑，满面通红。

余乐醒更是坐立不安，心里十五个吊桶打水，上不是，下不是，他实在是想搞个盛大的欢迎仪式来博得戴笠的欢心，但是他也怕卖好不得乖。为了办这个特训班，戴笠颇费心机，那些学员都是从各地挖来的，由筹备处招收来的人并不多。由于戴笠忙，许多学生只知道余乐醒而不知道还有上司戴笠。可是戴笠把特训班的学生当成了宝贝，不容任何人插足。为此，他特意修了个为学生休息散步，嬉戏垂钓的长堤，命名为“雨农堤”。

这次，戴笠第一次来视察。他颇费苦心地安排了这一场欢迎场面，为的就是让戴笠的形象和影响能深入学员们的心中，免得戴笠派在特训班的亲信打小报告，说他有野心。可弄巧成拙，惹得戴笠发这么大的脾气。可是他哪里知道，他与戴笠的矛盾是很难避免的。在特训班工作的一些特务，他们已经向戴笠打过不少小报告，说他野心大，笼络学生。

戴笠到特训班冷眼旁观，只见学生一看到余乐醒，就都围过去跟他说说笑笑，而对自己只是客气地敬个礼或点头笑笑。他明显地感觉到，自己在学生心目中的地位远远不如余乐醒，便满肚子的不高兴。他当下就暗自决定，以这不适宜的欢迎场面为借口，撤销余乐醒的副主任职务，他要让学生们明白，在这个团体中，真正主宰他们命运的到底是谁。

第二年，特训班第一期学生毕业，戴笠第二次来到临醴。

老蒋对特训班第一期毕业生也非常重视，戴笠等人刚到临澧，就接到了老蒋发来的贺电及对该班的训词。

戴笠在毕业典礼上宣读了老蒋的训词，又大讲特讲了一番“秉承领袖意旨，体谅领袖苦心”的大道理，同时，把是年内沦陷区的潜伏特务们翦除汉奸的情况大大地炫耀了一番。因为该期毕业的学员，大部分将分赴各沦陷区进行情报收集或锄奸工作，戴笠想以此来勉励学员，让他们向那些“无名英雄”学习……

最后，戴笠把矛头对准了余乐醒。

“饭桶！你手下这帮人全是一群废物！王百刚今天在不在?”

余乐醒低头回答：“已经关起来了。”

“枪毙！枪毙！明天就执行，这种人，留他做什么!”

余乐醒心中一凉，他有些替王百刚冤枉。

原来，临澧特训班的课程非常之多。余乐醒还特意从狱中找一些惯偷，来传授偷盗知识，培养了一大批“鸡鸣狗盗”之徒。王百刚对这手偷盗绝活尤其感兴趣，还经常在班里做公开表演。但最后一次表演他得到的不是掌声和喝彩，而是一粒子弹！

当时，叶剑英在湖南南岳游击干部班讲授游击战术，戴笠知道国民党军队吃过中共游击战术的不少苦头，就命令王百刚去游干班学习游击战术，以将来对付中共。不想王百刚进入游干班不久就技痒难熬，不久就运作特务的“偷盗技术”窃了游干班一笔巨款，被人揭发出来，人赃俱获，使戴笠大丢脸面。命令余乐醒把王百刚长期关押。

而今天，王百刚则成了戴笠视察特训班的第一个祭品。余乐醒想到这里，不禁打了个寒噤。戴笠双目威严地扫视全场。“妈的！我们军统不养这些废物！全是废物!”

一个教官挺身而出：“戴主任训示得对，我们特训班是该整顿治理一番了！”

“唔？”戴笠有些惊异，他欣赏地看着这个教官：“你叫什么名字？”

“廖华平，政治教官！”廖华平响亮地答。

“好！你说说看，该怎样治理整顿？”戴笠饶有兴味地鼓励着。

廖华平得到戴笠的支持，信心更足，他着重抨击了教务处与总队，说他们强迫所有学生都要学会游泳，结果河南籍学生刘颖被淹死。余乐醒脸色苍白，默默听着对他的指责。

戴笠阴沉着脸听完廖华平的报告，手指点到了余乐醒的鼻尖上，破口大骂：“娘的，你不要干了！从今天起，副主任一职由教官吴良继任！”

戴笠第二次成功地解除了余乐醒的职务，树立了自己的权威，从此，临训班成了戴笠起家的本钱。

许多临训班出身的特务都在军统里担任了职务，惹得许多大特务牢骚不满：“现在真成了非礼（澧）勿用的时代了！”

但也没有办法，知道是戴笠干的，又不能到上面告去，有的只能忍气吞声。

# 第十一章　沾花惹草，可叹薄命红颜

戴笠是军统的特务头子，平时活在刀尖上，活在枪林弹雨中，难免地在女人身上发泄发泄，不知有多少女人红颜薄命，有被选中的，有朋友介绍的，戴笠可谓来者不拒，有愿做地下的新娘，也有光明正大的秘书……

## 一　想做戴笠的新娘

戴笠见女人便“爱”，他的“功德”使多少女人红颜薄命，命运最悲惨的莫过于周志英了。

周志英，1935年在杭州浙江省警官学校毕业后，留校担任事务员。由于她长得很有几分姿色，平时又爱收拾打扮，颇引人注目。

当时，戴笠在该校担任政治特派员，虽有赵龙文为校长，但戴笠实为该校之太上皇。

戴笠最关心官佐和学员们的生活，不仅经常到厨房察看吃些什么，卫生搞得怎样，而且有时还去大食堂吃上一餐，亲自品尝一番。

当然，这还是很不够的，要想真正把大家的生活搞好，关键的关键，还是要抓好对事务人员的教育工作。具体来说，就是要抓住事务员周志英，并且一定要把她抓到手。

因此，戴笠经常找事务员周志英谈话，研究工作，在研究党国工作之际，似乎还要研究研究男人女人生活。晚上研究这种事情是恰当的，也是最方便的。

这天晚饭后，戴笠照例又把周志英找去研究工作。他开始问道："周志英，你觉得生活怎么样?"

"托戴老板的洪福，生活的还比较可以。"周志英莫明其妙的回答道。

"今天咱们所研究的不是一般'性'的问题，一些问题过去都研究过了，今天我们只研究你和我的问题。比如你，你认为你现在生活怎样?"戴笠直接点明了谈话主题。

"我认为生活得很好呀!"周志英好像还真不明白所谓"生活"的真正的意义，所以仍然拘泥于一般情况下的生活问题。

"我所说的生活不是通常吃饭穿衣，而是人类的高级生活——精神生活，你不觉得苦吗?"戴笠像打追击战似的步步进逼。

周志英抬头看看戴笠，正好发现戴笠用异样的目光审视她，于是，她的脸一红，把头低了下去。

"回答我的问话呀？你已经是成年人了，应该懂得生活了。"戴笠又逼进一步。

这时，周志英已经完全明白了戴笠的意思。她正在思考问题——究竟应该怎样表态的问题。

一个青年女子，存在着羞怯心理，当然是难免的。但虚荣心往往会压倒一切。

她慢慢地抬起头来，发现戴笠用一种无法言喻的目光凝视着她。当她的目光接触到他的目光时，嘴唇动了一下，似乎想说什么，但却羞怯地一笑，又低下了头。

"你说呀——不要不好意思嘛"戴笠好像迫不及待。

这时的周志英，好像无话可说，又好像无事可做，两只手紧紧拉住自己的衣角，摆弄过来，又摆弄过去。

“你说嘛……”戴笠有点急不可耐了。

“那你呢……”周志英羞怯地一笑，轻轻地吐出了三个不寻常的字来。

“我的心理是很矛盾的，每当你出现在我的面前时，我就觉得精神特别愉快，但看不到你时，又觉得非常烦恼！你是不是也有同样的心理?”戴笠的双目注视着周志英那桃花般的脸蛋儿，含情脉脉。

周志英倾听着戴笠的剖白，心里觉得甜丝丝的。她抬起头来，看着戴笠那一双光亮的眼睛，嫣然一笑，立即又把头低下，接着说道：“我……不知道。”

女人的性格大多如此：凡是关于这种事情，只要心里愿意，总是含羞带笑而并不表态——其实这便是既含蓄而又最明确的表态。

戴笠是情场的老手，心里自然懂得女人的心理。“我不知道”的话语刚一落，便趁机移步向前，紧凑着周志英的身子，用手勾住她的脖子，伏下身来，把嘴凑将过去。

周志英非常顺从地仰起脸来，闭上双目，默契的配合着戴笠的每一个动作，两张嘴接触在一起，一阵“狂风骤雨”后“雨过天晴”，春心荡漾，难以控制。

戴笠把周志英抱在怀中，一对男女共同进入了“神仙般的妙境”。

有第一次就有第二次，戴笠和周志英之间关系更加密切了。在一起频繁的“研究生活”。

在一起“研究生活”的次数比之已往也更多了起来。在肮脏的肉体交易后面，周志英必然平步青云，红运高照，为了

“研究工作”，周志英被调到了戴笠的身边，当上了“秘书”。

自从周志英当上了“秘书”，双方“公私兼顾”，彼此都感到很方便。

戴笠与周志英之间的“公私兼顾”关系始终都很协调，彼此如胶似漆，打得火热。在这种情况下，周误以为戴是真心爱上了自己，于是便提出了进一步的要求。

一天晚上，当他们办完了双方共同需要的事情之后，周志英乘机说道：“咱们的关系已经继续了几年，我可以问你一个问题吗?”

“当然可以。”戴笠毫不犹豫地答道。

“你是不是真的爱我?”周志英开门见山地问道。

“这个问题你还用问吗，时间就是最有力的证明。”戴笠并不做正面回答。因为究竟是出自真心的相爱，还是为了临时的需要，他自己心里最明白。

周志英与戴笠朝夕相处，对于戴笠的为人，她当然是十分了解的。因此她并不相信时间能够证明什么问题。于是她说道：“时间也许能够证明别的什么问题，但并不一定能够证明爱情。因此，我需要你明白地说出来。”

“当然是真爱你，如果不爱你，我会把你调在我身边吗?如果不想你，我们会经常在一起干这事情吗?说心里话，我一时一刻也不能离开你，一旦离开了你，我就无法生活下去了。”

戴笠说这番话时，好像满口都是甜言蜜语。

“既然你是真爱我，咱们就应该好好商量一个问题。”周志英郑重其事地说道。

“可以，可以。”戴笠回答道。

“我们的关系不明不白，这样长期下去不是办法。我认为最好还是固定下来的好。”周志英流露出某种忧郁的神情。

“还有什么不明白的，你不明明白白是我的秘书嘛，这有什么不好。你说固定，怎么个固定法儿，你是想把秘书定为终身职业吗?”戴笠故意假装糊涂，乱扯一通。

“谈正经的，咱们就应该结婚。”周志英亮出了底牌。

“哎呀呀，我的小宝贝，你越长越糊涂了！我早已命令团体在抗战期间不准结婚，你也不是不知道。你想，不让他们结婚，我们就可以结婚吗?”戴笠仍然摆出一付正经的面孔。

“他们是他们，我们是我们。我们和他们并不一样。”周志英好像理直气壮。

“有什么不一样，既然是命令，大家都应该服从，我们更应该带头执行。”戴笠更显得冠冕堂皇。

“我们——特别是你，是有地位的人，我们的关系这样不明不白，万一肚子不争气，现了形，名声可是个大问题呀!”周志英用尽一切方法，想说服对方。

“我不是给你准备了避孕药吗?”戴笠想逃避正面问题。

“今后我不想用它了。”周志英断然说道。

“那是为什么?”戴笠感到很诧异。

“我不想偷偷摸摸的做夫妻，我想堂堂正正的做人，我想结婚，我想生儿育女。”周志英说这一番话时，委屈的连眼泪都要流出来了。

戴笠感到问题并不一般，万一被张扬出去，岂不是毁了自己的声誉，因此，他不愿意闹成僵局，只好敷衍一下，然后再慢慢想办法，于是搂住周志英回答道：“我的宝贝，你别着急，让我考虑一下，再明确的答复你吧！”

“亲爱的老板，我等待着咱们共同过那幸福美满的日子。”周志英得到了初步的满足。

从此以后，每逢和戴笠在一起过夜时，周志英便絮絮不休地要和戴笠唠叨结婚问题，使戴笠感到穷于应付。他要想办法了。

戴笠经过一番周密的部署之后，终于向周志英做了正式答复。

戴笠说道："我亲爱的小宝贝，现在我可以正式答复你所提出来的问题。经过认真的考虑我同意咱们的正式结婚……"

"哎呀！亲爱的老板，你现在更加亲爱可爱了！我早就想过，我相信迟早你都会同意的。"周志英一头扑进戴笠的怀里，接着便是一阵热烈的狂吻。

戴笠推开周志英，用双手扶着她的肩膀，四目对视着说道："但是，暂时还不能公开。为了遮掩部下的耳目，我们的婚礼只能秘密地举行。我已经给王秘书做了交代，你可以先找王秘书把你送到秘密公馆去，做一些必要的准备，到那时候我就来当新郎官儿。"

"亲爱的老板，我哪一天才能当上新娘子呢？"周志英迫不及待地追问新婚日期。

"过几天我们一见面，你不就是新娘子了吗？"戴笠亲切地回答道。

周志英听了戴笠温柔的话语，憧憬着洞房花烛夜的美好和幸福，高兴得不知所以，便一头扑到戴笠的怀里，又是一阵紧紧的拥抱和热烈的狂吻。

戴笠表演得逼真，痴情的周志英自然深信不疑。

1941 年 3 月 18 日，周志英兴高采烈地找到王秘书说："老板同我说，他都向你做了布置，要你送我去。是吗？"

"是呀！是呀！一切都准备好了。"王秘书喜笑颜开地回答道。

"是什么地方呀？"周志英急切地想知道，她将要在哪里度蜜月。

“是一个秘密的地方，暂时不能宣布。你就放心地去好了，保险错不了。”王秘书很神秘地回答道。

周志英满腹如蜜，一心向往着那美好的时光，也不再说什么。

王秘书立即吩咐两部小轿车，一部坐人，一部装载简单行装和必需品，一溜烟疾驰而去。

两部小轿车开到目的地，在一个偏僻公路旁的大门口停下。王秘书说一声：“到了，请下车吧！”

下得车来，周志英抬头往里一看，一行几个人出来迎接，为首的一人竟是周养浩。她感到很诧异！于是说道：“怎么到了这里？这不是息烽监狱吗？我们来这里干什么？”

王秘书接着说道：“老板不是交待过吗？为了掩部下的耳目，先在这里住几日，这当然是暂时性的嘛！”

周养浩插嘴道：“请到里面谈话。请到里面谈话。”

周志英虽然怀着满腹狐疑，也只好跟着大家一同进去。

在周志英到达的当日，由周养浩出面，备办酒席，优礼倍加，招待了一番。当然，这酒席与其说是招待周志英，勿宁说是招待王秘书一行的。

当天晚上，周养浩亲自把周志英领到一个单人房间。刚一进去，她便惊呆了：“啊，周主任，这就是给我准备的地方吗！?”

“是的—不不，”周养浩敷衍道：“当然，这只是暂时的，暂时的。”

“周主任，”周志英满心狐疑道：“这难道是老板的意思？”

“那当然，不过……”周养浩仍竭力敷衍道：“这是暂时的。”

“啊！”周志英激愤道：“原来他是叫我来上大学呀！”

“是的。”周养浩含蓄答道：“周同志心里明白就好——就是这么回事儿。好，时间不早了，你也该休息了。”

周养浩出得房门，“叭嗒！”一声，就把房门锁上了。

周志英一屁股坐在床上，两眼发痴，不知所措。从此以后，她的命运就和痛苦紧紧地联系在一起，白天，她用泪水打发日子，夜晚，也只能做做新娘梦而已。

## 二　女人也要秘密的

无意中戴笠发现了一个更漂亮更如意的女人，于是迫使已经订了婚的女人解除婚约，做自己的秘密夫人。

1943年的仲春季节，正是刚刚过罢农历的新春佳节，人人都沉浸在喜庆和欢乐的气氛之中。

当时正处在抗战后期，军统局利用抗战之名，大办各种特务训练班，大力扩充特务组织，到处都是一派人兴财旺的景象。戴笠回忆着他的艰苦创业史，展望着未来的美妙前景，感到无限欣慰。

今天，戴笠在重庆市罗家湾十九号军统局局本部召开了一个由军统所属各大区、站特务头子工作汇报会。在会上，他听取了各地区负责人有关工作进展情况的汇报，感到十分满意。同时，他又布置了如何进一步反共防共等重要措施。事业上的步步胜利，使得他的每一根神经都处于极度的兴奋之中。

当晚，戴笠驱车回到了曾家岩一百五十一号公馆。余淑衡看见戴笠进来，迈着轻盈的步伐，急忙走向前去拉住他的手，撒着娇说道：“我以为你今天又不回来了呢！”

戴笠伸手抚摸着余淑衡那白嫩、细腻的脸腮，亲昵地说道："有你这个如花似玉的美人在这里，我怎么能舍得不回来呢！"

"我算得了什么？在你戴老板周围，美人儿多的是！"因为余淑衡深知戴笠的为人，女人就是他的命，一天没有女人，他好像就要活不下去似的。最近一连几天没回来，肯定又去找了别的女人，所以余淑衡不软不硬地出了一股醋劲儿。

"淑衡，我是最爱你的！这不仅由于你生的漂亮，而且还有一肚子学问，能诗能文，加上你会说一口流利的英语，是一个难得的人才。所以无论爱情上或事业上，我是一时一刻也离不开你的！"戴笠表示只专注地爱着余淑衡一个人。

"你说的是真的吗？"余淑衡听了戴笠的表白，半肚子的醋水加上半肚子气，早已云消雾散了。

"那还有假！"戴笠说道："淑衡，我的心不是早已经掏给你了吗！要不，我的化名怎么会叫余龙呢！"

两人对视着，会心地一笑，紧紧地搂抱在一起。

余淑衡是什么人呢？

余淑衡是湖南人，国民党中央政治大学外语系的毕业生。早在学习期间，就是全校闻名的高才生。她不仅生的漂亮，而且才华出众，又能说一口十分流利的英语。因此，更为许多人所倾慕。

1938 年冬，戴笠在长沙，主持该班第一学期学生毕业典礼，路过常德时，特别邀请了他在黄铺军校第六期的同学、好友唐生明和他的夫人徐来，以及徐的女友张素贞一同前往，以壮行色，他向唐表示需要一个女秘书，恰好唐的夫人徐来有一个同学，便介绍给了戴笠，这个正是余淑衡。

余淑衡天生的十分标致，弯眉杏眼，端庄秀丽，赛过西施，虽不能沉鱼落雁但也能羞花闭月，载笠一见倾心，这位如花似玉，刚刚出水的芙蓉，便成了他的随从秘书。馋猫的嘴边当然放不住腥肉，这么漂亮的女秘书自然白天和夜晚都要工作了。在一个夜里，戴借着有紧急文件需要处理，把余淑衡骗进了曾家岩公馆。一朵鲜花就在这一夜被戴笠采摘了。

余淑衡的人品、长相、学识，都非常人所能比，戴笠感到采了这朵花还是非常满意的。一直想培植她成为自己的如意夫人。还特意把她送到军统局外语培训班专修英语，毕业后，当然仍回到戴的身边。

当然，戴笠已经知道，余淑衡早在家里就已经与其表哥周光订了婚，但为了达到长期霸占之目的，便以军统局人员在抗战期间不准结婚为由，强迫余淑衡和自己的表哥解除了婚约。从此，戴笠便把余淑衡据为己有，成了他形影不离的姘妇。这样一来，余淑衡便同时具有双重身份：白天，随从秘书，夜晚，秘密夫人，一身而二任焉。

戴笠自从得到了余淑衡，一切都感到心满意足，对余淑衡真是百依百从。余淑衡既然同表哥一刀两断，戴笠对她又是那样体贴倍加，她也就以心相许，把自己的终身托付给了戴笠。因此，他们之间的感情与日俱增，如胶似漆。

但是，这余淑衡还很年轻，有着强烈的进取心。为此，她曾几次提出要求：要到美国留学深造。但戴笠却是一百个不同意，惟恐这一位仙女般的美人儿从他手里飞掉。为此，他不但在余淑衡面前说尽了甜言蜜语，而且为了牢牢地拴住余淑衡的心，还特地从湖南老家把余的妈妈、妹妹和弟弟接到重庆，并且经常去看望未来的岳母，亲自问寒问暖，表示百般孝敬。为了表示至亲关系，遇有空袭警报时，还特许其未来的岳母一家人躲进他自己的专用防空洞里。诚可谓用心良苦。

戴笠对余淑衡虽然表面十分温和，但在内心深处却装着另一套为余淑衡所猜测不透的东西。

一天晚上，戴笠和余淑衡热烈地拥抱、狂吻了一阵之后，余淑衡从戴笠怀里挣脱出来，两人默默地对视着。

余淑衡好像有所发现似的，突然问道："雨农，今晚上我看你的神色好像有点不大正常呀？有什么不顺心的事吗？"

"事情倒是很顺利的，只是我心里不太乐意！"戴笠面带忧伤地说道。

"心里有什么不痛快？能够告诉我吗？"余淑衡的态度十分温柔体贴。

"当然，完全能够告诉你！"戴笠故作痛苦状说道："并且告你之后，你一定感到很高兴！可是，对于我来说，即如同挖了我身上的一块肉啊！"

余淑衡搂住戴笠的脖子，温存倍加地说道："咱不是一条心吗！凡是你痛心的事情，我也肯定高兴不起来！到底什么事情呀？你快说给我听嘛！"

戴笠慢慢地打开皮包，抽出一张纸片，递到余淑衡手里，满脸颓唐地说道："东西就在这里，你自己拿去看吧！"

"啊！出国护照！"余淑衡简直高兴得几乎要跳起来。

"我就知道你一定很高兴嘛！"戴笠故作不悦地说道。

"我的好老板呀！"余淑衡一头撞到戴笠的怀里，抑制不住内心的喜悦说道："我就知道早晚你都会同意的。"

"可是，你知道我是多么的爱你！"戴笠说道："我是一时一刻都离不开你的！你这一去留学就是几年，我可怎么生活呀！"戴笠说得悲切，表演逼真，差一点儿没滚下眼泪来。

"亲爱的！"余淑衡安慰道，"其实，我去美国留学，也完全是为你呀！今后我毕业回来，不是可以更好地协助你吗！这完全是件大好事，你应该高兴才对呀！”

“当然，从理智上说，完全应该这样做，可是，在感情上，怎么能够受得了呢！”戴笠一本正经地表示难以割舍，其实，在心里正在偷偷地乐。

“从咱们的事业着想，也从咱们的永久幸福着想，请你暂时克制一下，几年时间一晃就过去了，快得很！”余淑衡仍竭力劝慰着。

“话虽是这么说，可我总有点儿说不出来的担心！”戴笠故作姿态。

“你担心什么？”余淑衡有所不解。

“有朝一日，你喝了满肚子洋水回来，还会认我这个土包子吗？”戴笠有意用诙谐的语言，打破沉闷的空气。

“放心吧，我的大老板，我余淑衡不是那种人，决不会朝三暮四，绝对不会做出半点儿对不起你的事情！我倒是担心你哩！”余淑衡一面保证，一面又表示忧虑。

“你担心我什么？”戴笠一怔说道。

“我担心你什么？我知道你是夜夜都离不开女人的怪物，我走了以后，你又该乱找女人胡搞了！”余淑衡不知不觉又流露出几分气愤的情绪！

“淑衡，我的宝贝！”戴笠忙不迭地说道：“我敢向你起誓，除了你，任何女人我都不爱，我只爱你一个人。”他一面说话，一面解扣子，“如果你不信，我可以把心掏出来给你看！”

“我信！我信！”余淑衡说道：“我走了以后，我母亲和妹妹怎么办呢？”

“这你可以一百个放心！”戴笠说道：“你的母亲就是我的母亲，你的妹妹就是我的妹妹，家里的一切都有我，你就放心地走吧！”

三天之后的早晨，余淑衡满心欢喜，登上了飞往美国的飞机。

余淑衡怀着一腔赤诚的爱，准备学成归来做老板娘，可她哪里知道，这是戴笠精心筹划的一计啊！

## 三　为了兄弟忍痛割爱

戴笠和胡宗南的关系密切到何种程度谁也说不清，戴笠爱女人，却把自己看中的女人训练后交给胡宗南。

对于胡宗南，戴笠更是投之以桃报之以李。并亲自为胡宗南猎得一位才貌过人的女子。在戴笠死后，胡宗南为了报答死了的兄弟，和这位小姐结成夫妻。

1946年3月的金陵，到处弥漫着春天的气息，拂面不寒的杨柳风蕴含着一丝丝甜意，轻轻抚摸着日军在人们心灵上留下的累累伤痕，对于老百姓来说，日军的铁蹄毕竟已成为过去，这是令人欣慰的。

南京中山路三百五十七号军统南京办事处却笼罩在冬日的阴沉里。严肃的灵堂正中高悬着戴笠的遗像，四周挂满了挽联，在场的特务一想到主子已死，不禁觉得前途黯淡无光，悲上心头。

自从得知戴笠死讯后，整日失魂落魄的胡宗南今天一看到密友的遗像，禁不住泪水纵横，抚棺痛哭，在场的特务无不唏嘘不已。“祖逖舞鸡鸣，浩浩黄流，更谁奋击渡江楫？春风生野草，滔滔天下，如君足怯乱臣心。”如果走在黄泉路上的戴笠看到胡宗南的这副挽联，也该含笑九泉了。

胡宗南以一曲肝肠寸断的挽联伴戴笠而行，戴笠则以一件千疮百孔的毛衣呵护归西的老友：1962年胡宗南在台湾入殓时就穿着三十年前戴馈赠的毛衣，当年位居军长的胡宗南每次到南京寒酸地只穿灰军装，戴亲自为他选衣料，挑裁缝制作新装，并送给他一件毛衣。

时光流逝，抹不去历史的回忆，及他们之间的真诚交往和不为外人所知的秘密。

还是1930年的一天，戴笠漫步在西子湖畔，紧锁双眉思量着如何营救被误抓的族侄女戴学南，突然背后传来一声："戴春风！"

他转身望去，一个目光炯炯、短小结实的青年军官正望着自己，没错，是胡宗南，可是他怎么戴着上校军衔呢？

戴正在疑惑，胡宗南大步走过来，重重地拍了他的肩膀一下，说，"春风，你怎么连结拜兄弟都不认得了？"

"琴斋兄，真的是你？你什么时候去黄埔？怎么又当上了上校？……"戴笠一连串地发问，同时双手紧紧握着对方的手。

"我还倒要问你呢？"

"倒霉啊，我考了两次，才上了黄埔六期，还为这改了名字，我现在叫戴笠，字雨农！"

"嘿！咱俩可真是一对兄弟，我考黄埔一期时因为个子不到一米六被刷下来了，还是军校党代表廖仲恺先生给我写了张纸条，谈国民革命，急需大批人才，只要成绩好，身体健康，个子矮点是不应该不录取的。这纸条可真管用，这不，我现在已经是上校了。"

久别后的戴、胡情感深切，两人来到戴的住处，喝茶畅谈，戴笠将自己这几年的风风雨雨一古脑儿端给了胡宗南，并谈到了去溪口见蒋介石心中留下的遗憾。

"看来我比你幸运，刚入校不久，校长就找我谈话，我紧张得敬礼也不标准，两腿还打颤。校长笑着说：'胡宗南，我又不会吃了你，别紧张，你还是我的小老乡呢！'

胡宗南的一席话，引得戴笠大笑起来，他终于明白了胡平步青云的原因，从此他更加注重与这位结拜兄弟的交情了。

想起他们的结拜，戴、胡二人身心都情不自禁激动起来，两人握着双手，四只眼睛对望着，几乎异口同声地说道："苟富贵，勿相忘！"

确实也是这样，两人在事业上总是相互支持，互相扶持。

在胡宗南的帮助下，戴笠更走近了蒋介石一步。

1932年，戴笠被蒋介石任命为"复兴社"特务处处长，位居第一师师长的胡宗南也是蒋介石的十三太保之一，戴、胡两人的关系迅速发展，以至达到了不分彼此的程度。

"复兴社"成立之初，无钱营造新的房屋，胡宗南就把第一师的驻京办事处所在地借给戴笠使用，从此戴笠就成为南京鸡鹅巷五十三号的老板。胡宗南每次到南京，都住在戴的寓所内，还在他的寓所内宴请自己的亲朋好友。

胡宗南将这种作风一直带到了陪都重庆。一次，他由西安去重庆，碰巧赶上戴笠外出了，毛人凤就叫沈醉负责接待，并叮嘱说一定要把戴所有吃的、用的都拿出来；其实戴有时很小气，特别是吃的、用的东西，所以许多特务认为戴在宴请外国人和女人时，才把上好的东西拿出来。毛人凤看出沈醉有顾虑就说："对胡宗南，戴笠比自己的兄弟还要亲，尽管向外拿，一定要和戴笠一样招待。"于是，沈醉就拿着戴精心搜刮的特产大摆筵席，宴请胡家南。

1935年10月，张严佛由南京调到西安，戴笠就指示说："胡宗南先生在西北，重要的情报要抄一份给他，也可以随时找他帮忙。”

张严佛到了西北后，隔三差五就要到西安东仓门1号胡的住处去一次，汇报西北各方面的情况，如同在南京向戴笠请示一般，胡故作神秘，有时部下来访都拒不相见，而军统的人则随来随进，毫无阻拦。军统历来派在西安的负责人皆是如此。

保守秘密是特务的第二生命，特别是逮捕、暗杀这些与蒋介石的政治阴谋息息相关的绝密消息，更不必说了，但军统对胡宗南却是例外。

戴、胡两人凡遇到大事总在一起商量对策。戴一心想搞特务部队，苦于没有这方面的经验，就向胡请教；因对忠义救国军总指挥俞作柏不满，就起用了胡向他推荐的马志超，给予厚遇；嫌临澧特训班的女生少，胡就将他在长沙以中央军校七分校名义招收的六七十名女生送给了临训班；戴笠在“八·一三”淞沪抗战前与杜月笙组织别动队所用的短枪，还是胡宗南军械库的。

对于胡宗南，戴笠更是投桃报李。胡要建立自己的情报机构，戴就马不停蹄地给胡挑选无线电通讯技术人员，还为胡的情报机构配置了无线电台。胡宗南常叫自己的特务与军统西北区联系，交换情报，自己有的任务也叫军统特务代办。为了胡的安全，戴笠派自己最得意的学生唐西园担任胡的警卫组长，并经常叮嘱他们要与军统局西北特务密切联系，保证胡宗南的安全。

戴笠不但对胡本人关心备至，就连他的亲信也另眼相看，胡的亲信范汉杰、盛文等人可以在各地的戴公馆受到优厚礼遇。

胡宗南的关系网也要戴笠为他编织。戴笠经常把从国外买来的奢侈日用品送给重庆的权贵，替胡拉拢人事关系。逢年过节或权贵们过生日，像何应钦、钱大钧、林蔚等人，戴笠除了自己备一份礼物之外，还叫沈醉为胡宗南备一份礼。每次送礼前，戴还要叮嘱手下千万不要让自己的那份与胡的一样了，免得让别人看出破绽。并且用胡的名义送出的东西，价值往往略高于戴本人所送的那份。

送礼之后，戴笠再打个电报或用长途电话告诉胡宗南一声，送礼的钱都要戴自己掏腰包，胡从来都不归还，也不用军统费用支付，两人之间的秘密谁也说不清。

戴笠送给胡宗南的礼物恐怕连戴自己也搞不清有多少，但他至少记得一件，也是他最为得意的一件，那就是胡宗南的老婆叶霞娣。

天生丽质的叶霞娣有着一双迷人的眼睛，风姿绰约的举止使她在由杭州女中考入杭州警官学校后不久就被戴笠盯住了。

渐渐地，叶霞娣以一种女性特有的敏感发现，戴笠在众人面前总是冷峻严肃、令人生畏的；而当与她独处时，则是柔言细语，眉目传情。

当叶霞娣证实了戴就是特务处的当家人后，不由自主地想接近这位差不多可以当自己父亲的上司，冥冥之中，她觉得戴笠能改变她一生的命运。

叶霞娣的温顺痴情让戴更加器重她，警校特训班毕业后，把她安排到上海魏大铭主持的无线电通讯培训班工作，还许诺要送她到美国深造，曼哈顿的自由女神时常在叶霞娣梦中萦绕，梦中醒来，想想自己周围的那些漂亮女人，到底也摸不透这个深不可测的特务头子为什么会看中自己，她时而为自己庆幸，时而又为这种无端的殊遇担心，她怕有一天，突然有一阵风将自己吹入万丈深渊。

其实，戴笠是在为胡宗南张罗婚事。

叶霞娣还够不上戴笠择妻的条件。他一向喜欢年轻漂亮的女人，胡蝶才是他心目中的一座偶像。戴笠二十年代在上海还是一个小瘪三时，胡蝶已经在上海影坛崭露头角，三十年代初，当他重返上海建立特务活动基地时，胡蝶已经大红大紫，成为当时首屈一指的“电影皇后”。

当时的戴笠还只是一个上窜下跳的小特务，与胡蝶风马牛不相及，虽然常去影院看《啼笑姻缘》、《空谷幽兰》、《火烧红莲寺》这些胡蝶主演的影片，是个十足的“胡蝶迷”，但对胡蝶的美色只能望洋兴叹。

戴笠的信条是事业与女人决不能相提并论，事业是基础，有了它，金钱美女才会随之而来，决不能让女人妨碍事业。因此他虽然对自己的“黄脸婆”妻子兴趣全无，自己周围美女如云，却从不想休妻另娶，叶霞娣只是他逢场作戏的女学生之一，之后的优遇有源于胡宗南的一次来访。

那天，杭州警校特派员办公室内茶香弥漫，刚从甘肃天水驻地来杭州的胡宗南正和戴笠天南地北的聊天，他们不时爆发出一阵大笑。

叶霞娣正好从上海赶到杭州，上警校去看望戴笠。凝视着这熟悉的房门，叶霞娣仿佛看见了里面的戴笠，她推门而入，冲着戴笠充满爱意地说：“戴先生……”她还要说什么，突然发现了戴目光中有一丝阻止，转目一看，旁边沙发上还坐着一位佩着少将领花的军官，她马上调整了自己的情绪，落落大方地向那人躬腰，以示礼貌，叶霞娣当然还没意识到眼前这个人就是日后成为她丈夫的胡宗南。

“是霞娣啊！你怎么来了？父母都好吧？……”在胡宗南面前，戴笠以一种长者的身份对叶霞娣关怀备至，叶也乐意在外人面前接受上司的恩宠，她伶牙俐齿地一一回答，戴也不向她介绍胡宗南，就让她先去看看别的教官。

“那等会儿我再向戴先生汇报工作。”叶霞娣退出时又向胡宗南躬了腰。

当叶霞娣的背影已经消失时，她那窈窕的倩影还在胡宗南心头荡漾。

戴笠望着胡宗南那副失了魂似的神态哈哈大笑：“嘿！老兄，我要做月老啦，我这学生还不错吧？”

“唉，别打趣我了，我这岁数都能当父亲啦，哪能再动那份心思！”胡宗南不真不假地打哈哈。

“你要当真，这事我包了！”戴笠收住了笑容，认真起来。

胡宗南早年曾喜欢邻村的一个姑娘，但其父嫌女孩家贫，逼着他娶了别的姑娘。婚后的胡宗南自然觉得处处不如意，没多久就离家出走，到了湖州教书，让妻子在家孝敬父母。

婚后一年，胡宗南听到自己原来喜欢的姑娘已经出嫁了，就万念俱灰，对女人十分淡漠。戴笠多次劝他离婚再娶一个，他却坚持女人是祸水。终于有一天，他酒后向戴笠吐露了真言：

“以后，我要么不娶，要娶就娶一个师母那样的女人。”

可是找到像师母宋美龄那样的女人谈何容易？难得胡宗南这一次对叶霞娣那么感兴趣，戴笠心想这个月老我算是当定了。

对于胡宗南的婚事，戴没少操心。抗战时期，CC头子陈立夫曾想为胡宗南介绍孔祥熙的二千金孔令伟。胡宗南对于这样的大事，当然少不了同戴笠商量，戴说她品行不轨，作风浪漫。胡宗南又乔装一番去孔二小姐的寓所观察，果然像戴笠谈的那样，于是便以战时不宜谈婚事为由向陈立夫谢绝了这门婚事。

这次戴笠介绍，谁知胡宗南还是不领情，连连摇头说：“不行，这哪成？我南征北战，戎马一生，哪有功夫哄这么个娇小姐？”

“你放心，我保证三年后把她培养成才貌双全的姑娘，让她在事业上帮助你！”戴笠怕胡宗南嫌叶霞娣有貌无才，赶紧打包票说。

胡宗南不禁让戴笠这番话逗乐了：“雨农，不是老兄笑话你，这种事可不是你搞特工，不费吹灰之力，说别的我还相信，这事你可吹不得啊！”

戴笠没把胡宗南的笑话当回事，反而更认真地追问胡：“琴斋兄，别只知道笑，开个条件，我听听？”

“先给你说了，我的条件可高了，她要懂政治、经济、外国话，还要在生活上关心体贴我，在事业上帮我一臂之力，怎么样，知道我的条件了吧？”胡宗南想说出这些条件，让戴笠知难而退。

他虽然喜欢明眸皓齿的叶霞娣，但他并不能有把握这个女人在事业上会帮助他多少，如果不加考虑地闹离婚，会成为政敌攻击自己的把柄，何况蒋介石正提倡所谓的“新生活运动”，思想上稍一麻痹有可能带来整个前途的毁灭，他胡宗南可是老谋深算的，怎能马虎大意呢？

“好，君子一言，驷马难追，三年后你的喜酒我是喝定了。”戴笠端起桌上的茶杯，向胡说：“我以水代酒，先喝了。”

“那好，只要你给我送来符合我条件的人，我就结婚，我说到做到。”胡宗南漫不经心地说，他觉得戴也太当真了。

说者无心，听者有意。戴笠后来果真将叶送到美国留学，攻读政治经济。回国后，又介绍她到光华大学去当教授，以便让她取得“大学教授”的漂亮头衔，好让她日后在政治上帮助胡宗南。

戴觉得叶霞娣的“娣”字有点俗气，就给她改成了“翟”，这样读起来音相近，写出来却文雅得多。

抗战胜利后，戴笠专门为他们准备好了在南京的公馆，一切陈设都挑选上乘精品。没想到这房子后来还引发了一场纠纷。原来，这所房屋的地皮是军统头目之一刘健群的，国民党迁都回南京时，刘满以为连同地皮上汉奸盖的洋房都可收归己有，岂料半路杀出了戴笠，并且送给了胡宗南，刘自知惹不起这两人，就四处奔走，托人说情，戴笠因公务缠身也无暇顾及。等到戴笠死后，毛人凤才给胡另找了房子，把房屋归还了刘健群。

1947年3月，胡宗南攻占了延安，处于强弩之末的国民党政府为鼓舞军心，对此大作文章，授予胡宗南“河图勋章”，并晋升为陆军一级上将。胡宗南春风得意，当即在西安宣布要同叶霞翟正式结婚，结婚的理由之一就是纪念亡友戴笠。

## 四　与影后共舞

戴笠望着面前羊脂白玉般的女人，迫不及待地脱去了睡袍跃入暖暖的被窝里。

8月的香港，苍松翠柏蒙上了硝烟尘垢，房屋在炮火的洗礼中坍塌，在日寇的铁蹄之下，民不聊生。

曾闻名中国的童子军团献旗手杨惠敏及其夫赵乐天双双奉命护送难胞回内地。当时名震国际国内影坛的巨星胡蝶也在其中。

行前，胡蝶将所置的衣物、首饰、相册，国内外所获奖品，包括因主演《自由之花》而在意大利米兰国际电影节上所获奖品，以及用胡蝶头像作为商标的搪瓷制品共三十九件行李箱，托杨惠敏托运回国。

孰料，天有不测风云，在广东东江突遇海盗，三十九箱金银细软被洗劫一空。胡蝶大半生的积蓄不翼而飞。战乱之际谁又会理会这些海盗土匪呢？几经周折，胡蝶终于找到老友上海警备司令杨虎、“海上闻人”杜月笙，请求帮助。火急攻心，胡蝶滞留桂林，大病一场。

杨虎当时立即将此事告知军统老板戴笠。真是天上掉下大馅饼，戴笠喜出望外，胡蝶早已是戴笠心中的一盘天鹅肉。

明眸皓齿、仪态万方、清丽端庄、丰韵动人的胡蝶，以及她主演《啼笑姻缘》、《姊妹花》等影片内的一颦一笑，都使这个一人之下万人之上的军统老板垂涎三尺，魂牵梦绕。

“这事就包在老兄身上，一定不能委屈了咱们的大明星。”戴笠大包大揽地承担起了本不属于他的案子。

“那多谢老板美意了。”

“请你马上转告胡蝶夫妇，入渝的机票我会给她安排，望她放心养病，中国的电影事业缺她不可啊！”

一副侠肝义胆的神情。

杨虎领命而去，果然，一周内重庆军统机构就把机票办好，并且隆重地把胡蝶夫妇接到了特意腾出的重庆进中四路一百五十一号公馆。并免费向胡蝶夫妇提供了全套食宿用具、勤杂人员。落魄之时的胡蝶夫妇对此自是千恩万谢。

胡蝶虽然过上胜似从前的舒适生活，却对那三十九只细软箱念念不忘，食不下咽，睡不安眠。戴笠忙前忙后，又是安排厨师烹调可口饭菜，又是叮咛手下人员购买名贵中药，自己更是天天慰问，关怀备至，连胡蝶的丈夫潘有声都自愧不及。

但胡蝶本就不是什么伤风感冒、胃痛肝疾什么的，病根就是宠物失盗。戴笠自谙心病还须心药治之道。首先命湖南株洲军统将杨惠敏、赵乐天提审归案，其后又命人四处收罗金银细软，按胡蝶的失物清单一一购置，把可以买到的东西尽快买来。

“瑞华，鄙人才能疏浅，失物只先追回部分。案犯正在审理之中，万望海涵。”在胡蝶面前戴笠竟毕恭毕敬，斯文了许多。

“戴先生，我们夫妇在此落难之际，能得到您的热情关照，此恩此德，不知该如何报答。”憔悴的胡蝶显出一丝感激的冲动，脸上泛起一阵红晕。

“瑞华，千万别这么说。能为你效劳实是我三生有幸，我一直最喜欢看你演的电影：什么《啼笑姻缘》、《姊妹花》、《空谷幽兰》、《火烧红莲寺》、《自由之花》，从来一部不落。你的演技绝伦，什么角色你一演都能演活，因而只要是你的片我都百看不厌。你是我们中国特有的艺术之花，是我们中国的骄傲啊！”说到激动之处，他情不自禁地握住胡蝶的手。

“谢谢戴先生的夸奖，蒙戴先生厚爱意胡蝶，今后定当更加努力，上演更好的影片。”时下中国炙手可热、大权在握的戴笠能对自己如此关照，十七八岁就涉足影坛、大紫大红的一代影后能不谙风情之事。对戴笠的举措早已心领神会。况且再看到戴笠以追查名义购置的心爱之物，虽然不是原物，却胜过原物，更加春意盎然，双颊绯红、含情脉脉地望着戴笠，一颦一笑，再加上那一对又圆又深的小酒窝，樱桃小口，皓齿洁映，更显娇媚动人。胡蝶接着说道：“今生能结识戴先生这样的枭雄豪杰，当倍加珍惜自己的年华，以不虚此生。”话间竟流露出丝丝爱慕深情。

"瑞华，你该好好歇着啦。身体保重要紧，钱财乃身外之物，另外潘先生的工作我也会尽快落实的。"说毕，双手恋恋不舍地松开，深沉地看了胡蝶一眼，离开了一百五十一号公馆。

1944年春天，一百五十一号公馆前，一辆"雪佛莱"蓝色高级轿车徐徐驶来。胡蝶丈夫潘有声恭敬地从大老板戴笠戴雨农那里接过委任状。

"有声，男儿当志在四方，如今党国财政部广东区货运处的重任就靠你来担当了。"

"多谢戴老板的栽培，有声此去定当不负重任，以报答您的知遇之恩。"潘有声自然明白戴笠这次把他"发配"昆明的真实用意之所在。但慑于戴笠的淫威只能忍气吞声。

戴笠望着吉普车驶过后的一卷尘土，得意而笑。此时对心中的天鹅肉已胸有成竹，但有一事仍在脑海中萦绕。

戴公馆，萧瑟静谧，偶尔几只悲伤的乌鸦盘旋而起，尖厉的鸣叫声使人毛骨耸然。稽查处看守所更是一片萧索，虽已春分季节，这里仍然寒意袭人，阴郁的氛围使牛头马面来到这里或许都会为之颤栗。

全副镣铐的杨惠敏夫妇已面目全非，从渣滓洞带出后，沮丧而骇人地吸了一口久违的新鲜空气，忧郁的眼里已泪枯血干。

"胡蝶夫妇的财物究竟是如何被盗的，如实招来。"戴笠狰狞的面孔使杨惠敏吓得牙关打颤。

"在广东……东江……一伙强盗……上船……把船上所有的东西一抢而空……我们的东西……也遭抢了……"弱小的杨惠敏从来没有见过这样的阵势。

"我没问你强盗怎么抢劫，我是问你如何跟强盗勾结的。

财物何在?”地狱般的审讯室里可怕的声音久久回荡。

“没，我们没有，我真的不知道是怎么回事。”杨惠敏都急得咬破了嘴唇。

“小小一个女孩就如此不老实，见财起贼心时的勇气都哪里去了?”戴笠认准了要屈打成招，才能草了此案。

倔强的镇江小女以冲锋陷阵的大无畏勇气抵制了戴笠的诬陷，矢口否认与本案有关。

“胡蝶衣物被劫，杨惠敏涉嫌被捕”，《南京晚报》以两大热点人物刊登的新闻，一时轰动整个山城，整个重庆上下都搅得沸沸扬扬。谁知该报主任一时迷了心窍，不问受理此案的是何等人物，续出消息：杨惠敏被押在石灰看守所。

一向极爱面子的戴笠勃然大怒，叫来《南京晚报》社长张友鹤。

“张老板，贵报新闻捕捉挺灵敏的嘛?听说贵报文章在山城反映不凡啊!”戴笠踱着方步，满脸愠怒冷冷地说。

“哪里，哪里，蒙受戴老板关照，小报才有今日，不知戴老板今日叫小人来有什么吩咐?”张友鹤早已看出今天的气氛不太对劲。

“张老板可知该案由哪部受理。军统上下正为此案奔波，只缘案情复杂，尚无定论，贵报可是别有用意哦。难道张老板知道此案来龙去脉?”

“此事万望戴老板包涵，回去我一定查清，查明后很快给您答复。没有戴老板您吩咐，小报绝不敢再提此事。”张友鹤自此才知道手下在太岁头上动了土，摸摸脖子上的脑袋还在，赶紧道歉，只恨从娘胎出来糟蹋自己的话说的太少。

山城渣滓洞，腥臭潮湿，暗无天日。杨惠敏终日沉默寡言，偶尔仰天长叹，发出一阵只有在地狱才能听到的哀叹。长发遮面，伤痕累累，身体憔悴。真可谓“羊羔下狱，蝶藏金屋”。

中美合作所落成典礼，戴笠作为一等功勋，并身为合作所老板，急于扩大调整军统队伍，整日费尽心思。但仍不忘派人给胡蝶送去名特土产、鲜花水果、金银手饰等胡蝶喜爱之物。

戴笠榻前，刚除去兰州归来的风尘，就突然体温上升，浑身发冷，并伴有阵发性的咳嗽，而且是咳血。

诊断结果，肺结核。

病中，戴笠仍不忘魅力无穷的胡蝶，将他在中美合作所时收集到的一枚重1.1克拉、价值五千元的原胡蝶丢失的钻戒送给胡蝶。

胡蝶卧室，朦胧的壁灯光线漫过她曲线分明的身体，落在那一双由于惊喜而显得又圆又深的动人酒窝。她那双晶莹的大眼睛在这只钻戒上散发出无限光华。

“戴先生在吗?”戴公馆门前，胡蝶急切地询问着。

“戴先生有病在身，医生刚给他打过针，吃点药，刚刚睡下，不便打扰。”戴笠的随从劝阻道。

“啊，戴先生病了，多长时间了？什么病?”胡蝶关切地问道。一边说一边就要进去。

“我只进去看看戴先生，不吵醒他的，请你放行吧!”胡蝶细声细气怕惊动什么似地小声嘟哝着。

侍从贾金南长期服侍戴笠，从戴笠的作风以及和胡蝶的眉来眼去，自然明白两人的心思，也就只得放行。

胡蝶蹑手蹑脚走进了戴笠卧室。

卧室内光线柔和，墙上一张大匾“难得糊涂”以示主人心如明镜，一盆吊兰碧绿柔嫩，床前一个写字台上放一盏精致的台灯和一条金链美表，一张藤椅和一张古色古香的镂花硬木床，更是给室内平添了不少幽静。

床上，戴笠仰面而卧，脑门上放一花格毛巾，虽在病中仍是勇猛剽悍之气。

胡蝶走到床头前，戴笠微微睁开了双眼，待看清是自己梦寐以求的胡蝶之时，忙用左手支撑着，欠起身："瑞华，近来身体可好？"

"戴先生身体金贵，快躺下。"一边按住戴笠，重新把被安置好，一边激动地说："戴先生在病中都不忘关心胡蝶身体，这可怎么让我报答您的深情厚意呢？"

戴笠已不能自己，什么也说不出来。

"来，我给你换块凉的。"胡蝶刚一拿戴笠头上的毛巾，戴笠就一把抓住了胡蝶的手，"瑞华，不用忙了，我没事的。"胡蝶还是挣脱了，换上一块凉毛巾，轻轻地放在戴笠额头，并顺手拭了拭戴笠额头和面颊的温度。

"怎么烧成这样了，我给你倒点开水来。"戴笠还是摸着胡蝶纤嫩细腻的小手说，"瑞华，不用了，我不渴，只要有你在这里，我的病很快就会好的。"

虽都是有夫之妇和有妇之夫，虽都是两情依依，但胡蝶脸上还是泛起一丝不留意的绯红。

"咳，咳。"戴笠又突然剧烈地咳嗽起来，转过身子，松开了胡蝶的手去拿痰盂，但还是晚了一步，胡蝶早已拿起痰盂放在戴笠口边。随后拿出手帕，精心地擦拭着戴笠口角的痰痕，看看戴笠咳出的血痰，伤心地说："怎么会病成这样呢？"

"没事的，瑞华，即使现在让我咳一坛血，我也心甘情愿。"说毕搂住了胡蝶，两人的目光已完全融合在一起，胡蝶弯下腰深深地吻了戴笠一下。

在胡蝶体贴入微的照料之下，戴笠的病很快痊愈。两人开始出双入对，如胶似漆，携着朝霞，挽着落日在戴公馆内逍遥度日。

忽一日，戴笠忽又想起了息烽集中营中的周志英，而今自己身边又添娇女，想来她也死心了，便命人将周志英释放出营。

北碚温泉，身着整齐中山装的戴笠戴雨农和银袍裹身、淡妆可人的中国影后胡瑞华沿小溪缓缓而来，警卫紧随其后。

“雨农，好清爽。”胡蝶脱开挽着的双臂，捧起一汪清泉吴侬软语娇嗲嗲地喊道。

戴笠看着可爱的美人，沉浸在浪漫的诗情画意之中，突然眼前一花，泉水溅了一身，待看到撒娇后的胡蝶更有一番动人之处，不由忘情地哈哈大笑。

“好清爽，好清爽。”随声附和。

“雨农，去洗个温泉澡，身体会更舒服一些。”胡蝶细声软语地央求着。

“好好，你先去换衣服，我马上就去。”戴笠不由联想到唐明皇李隆基和贵妃杨玉环华清池温泉浴的千古传说……

“不嘛，一块去。”胡蝶像一个小孩似地娇嗔道。

“好，一块去。”戴笠和胡蝶在防空洞刚换好泳装就听洞外有嘈杂声。戴笠便先送胡蝶去游泳，然后返回。

“戴先生呢，让我去见戴先生。”一个艳丽妖冶的女人缠着警卫，“求你让我去见戴先生。”

“戴老板不在这里，请你马上回去，戴老板公务忙完后再说。”此时两名警卫使劲拦着发疯似的周志英，若此时惹怒了戴笠和胡蝶的兴致，谁能吃罪得起。

“我刚才看到戴先生来这里的，你就让我进去吧。”周志英一经释放满以为戴笠对她又回心转意，旧情重温呢。

"什么事，是谁敢在这里吵吵闹闹?"戴笠不耐烦地怒道。

"戴先生，我是志英啊，不是你叫我来的吗?"说着便扑向戴笠的怀抱，妩媚地说："你终于明白我的心了。"

"赶快回去，你跑到这里来干什么。若再影响我工作，马上再把你送回息烽。"戴笠恶狠狠地说。

"我一时也离不了你，你在这里，我回去心也搁不下啊。"周志英以为戴笠是在试探她。

"你怎么这么厚颜无耻，在息烽那么长时间，还没考虑清楚。"说着一把把周志英推倒在地上。

"戴先生，你不是说过要娶我吗?你怎么能言而无信。"周志英擦着分不清眼泪和化妆物品的脸，冲戴笠叫喊，然后又扑上去把戴笠紧紧抱住。

"滚!"戴笠连摔带踢，把周志英打翻在地，"把她带回息烽集中营。"戴笠一脸怒容向警卫吩咐。

"你不能这样，你说过要娶我，你要娶我………"周志英被警卫拖走后仍做着自己的军统女老板梦。

戴笠眺望息烽，总算这件事没让胡蝶知晓，长长舒了口气，返回北碚温泉。

"杨惠敏已把失盗案件上报到考试院院长那里去了。"戴笠刚见到胡蝶就想出奇招。"不过你不用担心，我会尽力周旋，但为你的安全考虑，只宜在乡下长住，以防意外。"戴笠吓唬胡蝶道。

"雨农，有你在我还怕什么。"泳后的胡蝶，粉面桃腮，曲线分明，一双玉臂勾住戴笠的脖子，娇滴滴地说。

戴笠再也按捺不住心中的激情，紧紧地抱住胡蝶，喘息间悠悠说："我给你修一座世外桃源，姑且叫喜寿花园。"

胡蝶娇喘微微，但这不正是自己梦寐以求的太后生活吗?

衣来伸手，饭来张口。营养太好，担心发胖，坏了一身好身段，便有白俄按摩师消食减肥；玩得过累，便由姨娘侍女捶腿松筋去劳解乏。如今唯一所缺就是一座优雅舒适的庄园别墅。

一辆 DS29 型雪铁龙轿车徜徉在山城的大小街道、城郊荒滩上，车座后侧仰卧着脸庞削瘦、精神健旺的戴笠。身着淡淡的长衫，脚踏乌黑锃亮的皮鞋，一手拿着喷满法国香水的手帕，另一只手搂着大腿压身的新欢胡蝶。

“看，这块如何?”戴笠指着眼前这块荒地对胡蝶说。

“唻，太荒凉了，这里哪能修什么寿喜花园，幽冥十八层地狱还差不多。”胡蝶满不乐意地说。

“开到杨家山。”

轿车飞驰而过，轿车里的人随着轿车一起一伏颠簸着。偶尔传出阵阵欢声浪语，抛给身旁艳羡的行人。

杨家山旁，戴笠搀着胡蝶下车，一身银妆素裹的旗袍，从摆叉开处直至脚跟，胡蝶踮着一双紫红色的高跟鞋，在这崎岖不平的小路上挪着寸步。

“我最喜欢这个地方，神仙洞一般。”胡蝶天真般高喊，双脚一跳，高跟鞋的鞋跟差点为之一折，但身子已失去了平衡。戴笠一把拢住她的纤腰，俯身趁势一吻。

“没事吧，宝贝，神仙洞里住神仙嘛。”戴笠看着新宠脸上激动的红云，眼中的脉脉柔情，终于舒了一口气。

“不过，现在如果汽车开到神仙洞还得爬大坡，咱们要是环绕神仙洞修一车道，岂不‘平安’归家吗?”胡蝶毕竟不是小家碧玉那么容易满足。

戴笠看看周围的地皮，已大部被军政要人所占据，面有难色。

“致电王陵基，就说是美国盟友准备修建招待所，请王陵基给拨点地皮。”戴笠还是下定决心。为了他心爱的宝贝不受委屈，谁都得让步。

四川最有实力的军阀恐怕除了王陵基数不到别人了，但是王陵基生性崇洋媚外，唯美国话俯首是听。

“要多少，尽管拨。”王陵基在电话中奴颜卑膝。

“一百多方差不多。”

但这块地皮仍不够。尔后又如法炮制，将和成银行吴晋航、大同银行萧振瀛一些军政要人的地皮全刮了过来。

房子总算竣工了。戴笠搀扶胡蝶下了车，边走边给她讲述着这所房屋的来之不易，总算换得胡蝶抿嘴一笑。

踏入庄园，各种奇花异卉、假山喷泉，映入眼帘，令人心旷神怡，爽心悦目。

“这里原是天然平地，后来特意花了一万五千块银元，请来能工巧匠，修建如此，再看看这里。”戴笠春风得意。

胡蝶紧紧偎在戴笠身上顺手看去，只见一光滑石块，上面呈立体形拼成两个吉祥大字：“喜”，“寿”，两边空隙处尽是名花异卉，各呈异彩。

胡蝶不胜欢颜，待进得居室，大红烫金贴字“神仙洞”跃然头上。心中惊喜，一下扑向戴笠怀抱，“亏你想得出。”神仙洞的完美无缺，把胡蝶胸中柔情蜜意全都融进了戴笠的怀抱。

至此，胡蝶每天陪戴笠在花园中散步，两人已如胶似漆，洞外特务一律不得近身。戴笠还别出心裁，特意从家乡江山县调来一位擅作面食和擅长烹调的女士，在神仙洞专门负责胡蝶的饮食。

神仙洞中，胡蝶身着刚从美国空运来的连衣裙，坦胸露臂，衣内肌肤隐约显露，跷着二郎腿靠在藤椅上，连衣裙下摆滑到了大腿根，煞是风流、娇艳。

戴笠喝着饭前必备的开胃酒，悠闲自在地躺在藤椅上。

静夜，落地钢窗的厚重窗帘后透出一丝淡淡的粉红色灯光。

戴笠和胡蝶共浴后，又用参汤嗽了口，精神十足。

躺在意大利驼毛沙发里，戴笠一边呷着白兰地，脚踩在松软的波斯地毯上，一边色迷迷地看着胡蝶在穿衣镜前摆弄那白皙滑嫩的身体上贴着的半透明玫瑰色睡衣。

"雨农，我给你煮咖啡去。"胡蝶系着睡衣的丝腰带，带着一股法国香水特有的浓香袅娜而来，一头黑油油的头发，飘然欲渡，宛如一丛亮云。

戴笠放下酒杯，一把搂住俯在沙发扶手上夹咖啡豆的胡蝶，放在怀中，一手在丰满的乳房上揉捏，嘴里喃喃地说："我……我要让所有的人都为咱们欢歌。"

"呒，不用，我只要你一个就行了。"胡蝶乖巧地用酥臂勾住戴笠的脖子，樱桃小口贴上去使劲吻着戴笠。

"去煮咖啡吧，宝贝。"戴笠大概吃不消胡蝶长时间压在身上的玉腿。

胡蝶扭着娇美的身段，在波斯毯上翩翩起舞。从壁橱里搬出玻璃咖啡壶，又拿出一长颈白 瓷景泰蓝瓶，倒出一粒粒巴西咖啡豆。

"尝尝，这是正宗的皇家咖啡。"胡蝶在咖啡里掺上淡奶、滴上两滴白兰地，再调上一匙鲜奶油，还加添点泰国盐，然后一双小手把咖啡捧到戴笠面前。

"宝贝，咖啡都能喝出这般花样，怪不得，原来一双又瘦又细的玉腿现在也丰满撩人了。"

戴笠只是欣赏着神仙洞中变幻多端的胡蝶，对咖啡并不太感兴趣。

壁上柔柔的灯光，泻在胡蝶玫瑰色的睡衣上，泻进四只手捧着咖啡里。

慢慢地，咖啡轻轻地放在茶几上，胡蝶已解开睡衣带，滑溜的玫瑰睡衣像咖啡般一泻到地。

戴笠望着面前一丝不挂、羊脂白玉般的胡蝶，急急脱去睡袍，甩到地毯上，紧紧抱起，跃入席梦思的鸭绒被窝里，“宝贝……”

真是牡丹花下死，做鬼也风流。

## 五　北平做鬼也风流

戴笠北平之行，白天进行特工活动，到了夜晚亦免不了宣泄一翻，这一夜真是有惊无险……

1942年3月14日，阴云密布，蒙蒙细雨交和着西北风。

北国的天空，被一层浓重的乌云笼罩着。眼下虽是初春季节，但是遇上了这样的鬼天气，除了寒流刺骨，却并无一点儿暖意。因此，它给人们凭添了一种郁闷、烦躁和不安的感觉。

北平——祖国历代的故都，她好像一位饱经风霜的老妇人，阅历了人间的春色和痛苦。在她的生活史上，几经沧桑，几度凌辱！过去，她曾经遭受过八国联军的浩劫，如今，她又呻吟在日本帝国主义的铁蹄蹂躏之下。命运如此多舛，怎不令人为之凄梦！

街道上行人寥寥，冷冷清清。一队队头戴钢盔，脚穿大皮靴的巡逻士兵，穿梭般地不时沿街而过，给人们的精神造成了一种恐怖的感觉。

生活在这种环境下的那些善良的人们，终日惶恐，谨小慎微，一言一行，如履薄冰！每到夜幕降临，熄灯就寝，便默默庆幸："今天，又算是平安地度过了！"

当然，也有不多的人，他们胆子大，不怕事，并且凭借着某种特殊身份和特殊关系，依然可以放荡不羁，过着灯红酒绿，花天酒地的夜生活。

大约晚上8点钟，有两个人，肩并着肩，臂擦着臂，在长安大街的人行道上，由西向东而去。这两个人都是中等身材，都着同一式样的服装。他们同穿棉絮裤褂，外罩一件灰长衫，头戴一顶灰礼帽，颈上围着一条深蓝色项巾，脚蹬一双黑色溜尖儿皮鞋。其中一个大约有四十五六岁的年纪，另一个人似乎有三十七八。从装束上看，他们好像是商人的模样。

他们从容不迫，不紧不慢地朝前走着，互相交谈着，还时不时地传出朗朗的笑声。

他们二人越过东单街口，走出不远，朝北拐弯儿，便是一条南北大街——米市大街。他们沿大街北去，本欲观赏一下都市的夜色，借以消磨时光，开心解闷。但是，路灯幽暗无光，商店关门闭户；行人可数，景况萧瑟，使人感到索然乏味。年纪较长的人停住了脚步说道：

"大街上无甚趣味，我看还不如找一个开心的去处呢！"

"太好了！我也正是这样想着！"年纪稍轻的人回答道，"但是，到什么地方去呢？"

当他们站在那里说话之间，那年纪较长的人发现，左侧有一条小街道，他抬头看见街口的墙壁上钉着一块小木牌儿，上面写着"花市口"。于是，他用手一指木牌儿说道："我们逛逛花市如何？"

"好极了！"年纪稍轻人看了一眼木牌儿，欣然附和道。

他们二人信步走到花市街，一边朝前走，一边左顾右盼地张望着。但这条小街道，不仅路灯稀少，光线昏暗，而且行人更少，更加满目萧条，比起大街来，更无什么值得观赏处。

他们正待却步，猛抬头，忽然发现前面不远处有一个红漆门楼，那门楼两边各悬挂着一只大宫灯，白底红字，鲜艳夺目！上面分明写着："月宫旅社"四个大字。他们二人顿觉精神为之一振。

于是，那年纪较长的人，兴致勃勃地说道："走，进去看看！"

"好！"年纪稍轻的人很爽快地回答道。

他们二人刚刚跨进门栏，立即有一名侍者走上前来，热情地迎候道："二位先生好！里面请！里面请！"

"好！""好！"两位客人随声答道。

"二位先生，要玩玩吧？"侍者带着满脸谄媚的笑容，点头哈腰，很客气地说道。

"好吧！"年纪较长者满不在乎地答道。

"贵客到，出来见客！"侍者一转脸，向里面大声吆喝道。

只听得"咚！""咚！""咚！"一串响声传到耳际。顺着响声望去，只见从楼梯上轻盈盈地飘下来十五六个花朵般年轻美貌的姑娘。她们下得楼来，"嘭啦"一下子一字儿排开，齐唰唰的一列横队，站在了两位客人面前。她们站好队，自动向右看齐，然后正面向前，两眼平视，妩媚的双目，有礼貌地凝视着两位客人。

两位客人面对着眼前这一排年方二八、花枝招展的妙龄姑娘，如同检阅官一样，从头至尾，逐个地看过去，又逐个地看过来。看了好一阵子，那位年纪稍长的客人，才用手指着一个姑娘开口说道："就是这一位！"

"好！恭喜！水仙姑娘接客！楼上 201 号房间！"侍者一面

大声宣唱姑娘的芳名，报出房间号数，一面头前上楼开门。

水仙姑娘前面带路，客人在后，紧跟着上楼进入房间。

那位年纪稍轻的客人，也指着一个姑娘说道："好！这一位！"

"好！恭喜！桂花姑娘接客！楼上203号房间！"另一名侍者如前面一样，唱了姑娘的芳名，报了房间号数，然后上楼开门。

桂花姑娘也带着自己的客人，上楼进入自己的房间。

楼上，201号房间内。

"哎呀，你真是漂亮人！确实不愧仙姑之称呀！"客人非常高兴地说道。

"好吧！时间也不早了，咱们就准备睡觉吧！"水仙姑娘一边说着话，一边就动手收拾床铺。

"咚！""咚！""咚！"恰好就在这个时候，突然响起了一阵敲门声。

"哪一位呀？"水仙姑娘问道。

"开门。水仙，是我呀！"敲门人说道。

"治平，是你呀！"水仙姑娘一听是她的老熟人，一边答话，一边走过去开门。

房门启处，叫作"治平"的人，抬腿就要进房间去。

这时，水仙姑娘一步抢出门外，把两臂横着一伸，挡住了去路，并连声说道："你先别进去！你先别进去！我有话给你说！"

"有什么话说？"治平不解地问道。

水仙姑娘伸手拉住治平的胳膊，走到栏杆边站住，然后伏在他的耳边小声说道："今晚上我有客人，请你原谅一下吧！"

"什么客人！不行！"治平一听有客，顿时火冒三丈！

“治平，我求求你，请你小声一点儿好不好！”水仙姑娘哀告着说。

“怕什么！我马上叫他滚！老子今晚非住在这里不可！”

“治平，我看这位客人是有身份的人，你可不能这样胡来，小心惹出是非来，给我们找麻烦。我求求你，就原谅我这一次吧！”水仙姑娘生怕闹出什么乱子，一味地赔情，并苦苦地哀求着。

“我管他什么身份不身份，这是老子常来常往的地方。我不来，别人可以在这里住宿，我来了，他就得给我滚蛋！”治平好像有恃无恐，说话间，他一把推开水仙姑娘，就气冲冲地朝房间闯去。他跨进房间，扯出手枪，气势汹汹地面向客人说道：“你……”

“不许动！”治平原打算用手枪迫着客人说：“你给我滚！”但“你”字刚刚出口，还没来得及说出后面的几个字，就听到一声突然怒吼，把他吓得浑身一颤，同时已经觉得一个硬邦邦的东西抵到了自己的腰上。

“举起手来！放老实点儿，不老实，老子就毙了你！”治平乖乖地举起了双手。背后那人一伸手，便把他的小“勃朗宁”拿了过来。

这突如其来的人和这突如其来的动作，把治平弄得晕头转向。他万万没有想到，在这个地方，他一贯都是骑在人家脖子上说话的人，今天竟然会处在这样一个异常狼狈的境地。因而不由自主地从额头上冒出了一层小汗珠儿。

“你……你是什么人？”治平带着颤音问道。

在水仙姑娘的隔壁，就是203号房间。203号房间的客人，虽然也是与201号房间的客人同来“玩”的，但他的主要任务并不是来玩，而是以玩为掩护，暗地里肩负着特别重要的使命。因此，在“玩”的整个儿过程中，他并没有忘记自己所肩负的特殊使命，更没有丝毫放松自己的警惕性。因此，哪怕外面有一丝异动，都逃不过他那灵敏的双耳和眼睛。

当他开始听到隔壁201号房间的敲门声时，就立即站起身来，悄手悄脚地走到自己房间的门边，侧耳倾听着，并时刻准备着。

当他听到外面谈话的人要往201号房间闯去时，他就立即开始动作。说时迟，那时快，他迅速拉开自己的房门，紧握手中枪，一个轻箭步，“嗖！”地一下，就窜到201号房间门口，再紧跨一步进得门去，以迅雷不及掩耳之势，便把枪口抵到了治平的腰上。

“我是什么人你管不着。现在应该是我来问你，你是干什么的?”持枪人严肃地说道。

“你来问我？嘿！嘿！笑话！”治平稳稳神儿，表现出一种非常傲慢的态度。

“徐锦成，好好给我教训教训他！”这个房间的客人，本来是准备上床睡觉的，恰在这个时候听到有人敲门，水仙姑娘出去开门之后，他又听到了门外面那一段不平常的谈话声，因此，不仅早就打消了睡意，而且憋了一肚子的窝囊气。曾几次想出去发脾气，但考虑在这个地方有所不便，于是，他只好暂时忍耐下去。但是，他经历了刚才那一幕惊险场面，想到了自己的安全问题，又亲眼看到了这位不速之客那一付傲慢无礼、目中无人的蛮横态度，他胸中的满腔怒火再也无法压抑。

“嘿，嘿。在北平的这个地方儿，有日本宪兵队，有华北联合自治政府，就凭你们两个，量你们也不能把我怎么样！”治平冷笑两声，依然是一付很傲慢的态度。

“我老实告诉你，”徐锦成摆弄着手枪，轻蔑地说道：“这是无声的，不管他什么队，什么政府，把你打发回老家之后，我们照样可以平安地走路！”

这一幕接一幕的惊险场面儿，可把水仙姑娘给吓坏了！她站在一旁，面色如土，浑身筛糠一般，战战兢兢地说道，“先……先生，求……求求您，可……可不能……”

“你过一边儿去！没有你的事儿！”徐锦成既温和而又严肃地说道。

趁着徐锦成和水仙姑娘说话的一刹那，治平“噌！”地一家伙，又从腰里拿出一支手枪来，但还没等他来得及施展动作时，徐锦成手疾眼快，迅速飞起一脚，不偏不倚，正好踢在治平的手腕上。只听得“咚！”地一声响，手枪落到了楼板上，并且恰好落在201号房间的客人面前。

这位客人弯腰拾起手枪，更加气愤难遏！他向前紧跨一步，抬起手来，“啪！”“啪！”就是两个耳光。同时不住地骂道：“你这个混帐王八蛋！我打你这个该死的东西！”

“老板，您请坐下休息！”徐锦成说道，“我一个人收拾他足够了！”

治平双手捂着火辣辣的脸皮，低垂着头，正在思考着如何对付之策，忽然听到“老板”二字，他心里“咯登！”一下，顿时紧张起来。

治平微微地抬起头，偷偷瞟了徐锦成一会儿，然后，又慢慢地把视线移向赏他两耳光的人。他越看心情越紧张，越看越害怕！他心里说：“不错，就是他。哎呀，我的妈呀！这一下可闯下了塌天的大祸！这可怎么得了呀！”想着想着，他浑身筛着糠，就像散了骨架，不由自主地“噗通”一声跪到了楼板上，并且有如捣蒜一样磕着响头哀求道：“老板饶命！老板饶命！”

“你少来这一套!”徐锦成说道:“你是干什么的? 老实说!”

“我……我……我……”由于过度的惶恐,治平“我”了老半天,到底没说出话来。

“啪!”“啪!”两记脆响的耳光,“你到底是说不说?”徐锦成怒气冲冲地说道。

“我……我说!”治平用手捂着滚烫的脸皮说道:“我……我是北平站的!”

“你胡说!我宰了你!”徐锦成怒斥道。

“不……不敢!我真是北平站的!”治平诚恳地回答道。

“你叫什么名字?”徐锦成厉声问道。

“我……我叫郑治平,不!不!不!郑治平是我的化名儿,我的真实姓名叫许振国。”

“我问你,你的代号儿?”

“我……我的代号儿是,地字第五号儿。”

“你是哪个班毕业的?”

“我……我是临训的。”

“你简直胡闹!也不打听打听是谁在这个地方,就朝这里瞎闯!”徐锦成经过盘问,确认他是自己人之后训斥道。

“是!是!是!我瞎了眼!一时没有认出来,请求老板宽恕我这一次吧!”郑治平再一次恳求。

他们所说的“老板”到底是谁呢?他正是军统特务头子戴笠。

戴笠一向把学生视为他的事业能够成功的一宝,所以只要是他的学生,任何不得了的事情都能得了。现在已经确认无误,郑治平不仅是他的部下,而且是他的学生,满腹的气愤顿时烟消云散。于是,他换了一种温和的口气说道:“这真是大水冲了龙王庙，一家人不识一家人啊！既然是这样，那就快点儿起来吧！”

“万祈老板恕罪！您不开恩，学生死也不敢起来！”郑治平惟恐得不到宽恕，因而又一次苦苦哀求。

“快起来吧！不愉快的一幕既然已经过去了，就全当什么事情也没有发生，以后不论在任何情况下，永远不要再提起此事就行了！”戴笠一面用诙谐的语言调解紧张的空气，一面又暗示他的学生要严守秘密，永远不要把这件争风吃醋的事情泄露出去。

听了戴笠的一番话，郑治平这才放下心来。他连连磕着头说道：“多谢老板恩典！您的训示，学生一定铭记在心底！”

郑治平站起身来之后，愣怔了好一会儿，好像再没有什么话好说。于是，他非常虔诚地说道：“今天惹老板生气了，并且打扰了您的休息，实在有罪！学生再一次祈求宽恕！现在告辞了！”

“好！你走吧！没有事儿！”戴笠非常轻松愉快地说。

郑治平刚刚走到门口儿，好像突然又想起了什么事情。立即停住脚步，然后回过头来说道：“水仙，这两位先生在你们这里的一切费用，全部由我负责，千万不要收他们的钱！”

“好的！你放心好了，决不收他们的一分钱！”水仙姑娘实心实意地说。

那么，“住局”的价格是多少呢，他们两人住一宿共需多少钱呢？当时头等是一百元，二等七十元，三等五十元。当然，这也是当时当地的价格，异时异地，也许并不会完全一致。

但是，另外还得加小费。小费是随心所欲，并没有一定的价格。不过，小费往往与正价差不多的，甚至还要超过。在这种地方玩儿，就是花钱摆阔气的场所，如果太少了，是会被人瞧不起的。

按照这种情况计算，每人四个盘子，一百二十元，住局一百元，就得二百二十元，两人就得四百四十元。这当然是正价。再加上小费，两人已近千元。

郑治平走了之后，“月宫旅社”又恢复了平静。201和203号房间里的客人，依然由姑娘陪伴着睡觉，好像什么事情也没发生。

戴笠身为国民党的最高特务首脑，工作特多特忙，他到北平来干什么？怎么还有闲功夫逛窑子、嫖妓女呢？

戴笠这次到北平来，是负有极其重要的政治使命。其一，要和大汉奸殷汝耕、王克敏等人见见面，共同商议如何与日本帝国主义妥协，如何共同反共、防共。通过协商，以便进一步携起手来，步调一致地完成共同的理想和“伟大事业”；其二，军统局在北平设有情报站，简称北平站。这个站本着戴笠的旨意，做了不少工作，特别是和“华北自治政府”、日本宪兵队等各敌伪机关协调得很好，在反共、防共方面做出了显著的“成绩”，戴笠感到很满意。但他唯恐部下工作不力，所以要亲眼看一看实际情况。基于上述两层关系，所以戴笠必须到北平“视察”。

但是，戴笠是一个极端好色之徒，在他的私生活中，不可一日无女人，如果一日无女人陪伴，无论如何也是睡不安稳的，因此，不管白天工作有多忙，晚上也得有女人陪着过夜。

这次到北平来因为是沦陷区，环境特殊，什么“女秘书”一类的人物不便同行，他就只好采取“临时措施”去逛窑子了。

# 第十二章　各显其能，恩恩怨怨何时了

以戴笠为首的特务们在与共产党人的斗争中，主要把力量放在搜集共产党的情报上，但仍然有不少共产党人士遭到暗杀。他打着“联共抗日”的旗号，到处乱举屠刀，为蒋介石立下了赫赫战功，地位骤升，许多高级将领多拜在戴笠门下，就连中共叛徒张国焘也不例外。反共更是使尽浑身解数，使多少革命者血染红岩……

## 一　“四一”大会，众魔获新生

“四一”大会的召开，让戴笠等好生得意。

1931年4月1日，为陆海空军总司令部调查室成立之日，这一天被定为军统成立纪念日。为了笼络麻醉特务人员的思想，每年4月1日都有隆重的纪念活动，称为“四一纪念先烈大会”。此项活动一连要搞三、四天。每年都是由戴笠亲自主持，蒋介石、贺耀祖等曾多次出席训话，为军统分子打气。所谓“先烈”，是指执行特务任务丧命“殉职”的和违犯“家法”被戴笠处死“殉法”的军统特务。用戴笠的话说，这些人就是“先烈”，而开大会纪念“先烈”，就是使后来者牢记“创业”

之不易，能得好自为之，切勿自误。

局本部负责总务的特务们，大约每年从3月上旬就开始奔走忙碌，为筹备布置“四一”大会采办各项应用物资，甚至动员军统海外站组协助筹措。秘书室和其他有关科室，则忙于拟稿发电，通知各直属单位，其中包括海外各站组的负责特务，限期回到重庆参加大会。参加大会的人选，有的是由各主管科室提名，经毛人凤或戴笠核准的，有的是由戴笠直接指定的。

此时，回重庆参加大会的人，照例须准备好至少两份礼物，一份献给“四一”大会，一份献给戴笠本人。礼物可以是各种各样的，但一般以高级贵重用品为多。

“四一”大会的活动内容共有两项：1. 祭“孝堂”；2. 开工作会议。当然是以后者为主。会场设在局本部大礼堂。全场正面中间悬挂蒋介石像，四面墙壁挂满了白布幔帐，和很多所谓“殉职”、“殉法”的特务们的照片，并点缀以花圈挽联，活像过去封建家庭里死了人布置的灵堂一样。

“祭礼”在4月1日上午举行，由戴笠亲临主祭，届时大小特务集合于会场之中。会场燃起大小数十对白蜡烛，焚上香，烟雾弥漫，令人窒息。祭礼开始，先奏哀乐，主祭人戴笠身穿四色孝衣，足登白色布鞋，哭丧着脸，亲自点燃设在正中间的最大一对蜡烛，再焚上香。上香时，他双手擎香，先弯腰行上三鞠躬大礼，然后将香插入香炉之中，继而双膝跪下，再行磕头礼，三个头磕毕起身。这时，左右忙将一只放有酒壶的盘子递给他。戴笠取了酒壶，虔诚地在“烈士”灵前一一敬酒。然后恭恭敬敬地地朗读祭文。他边读边流眼泪，读毕祭文，已泣不成声，继而便放声痛哭起来。

此时，众人随着号令亦行三鞠躬礼，并静默三分钟志哀。参加祭礼的特务，由于受了气氛的感染，亦多有泪容满面的。

出席祭礼的所谓“烈士”们的遗属，更是悲痛哀极，有的甚至哭喊嚎叫，乱成一团，非经戴笠或左右人等竭力劝慰不肯罢休。

中午全体特务人员会餐。

下午召开工作会议，仍由戴笠亲自主持。照例先由局本部各处、科、室等负责人员做工作汇报，并提出一些亟待解决的业务问题。接着，由各外勤单位和站的头头，也照样各来一套。汇报完毕，戴笠做总结发言，并对某些在汇报中提出来的问题做出决定和指示。总结发言讲起来长达三个小时，整个会议开下来大约需要六至七个小时。

晚上照例是聚餐和演戏。

大会开过之后，一般从外地来参加大会的单位负责人，一面与有关部门联系业务，准备返任；一面还得准备等候戴笠召见。因为谁也不知道他什么时候心血来潮要召见谁，所以每个特务人员都要有所准备。否则，召见的电话或条子一到，你人不在或无所准备，那就不好办了。

对大会献过礼的人，往往在召见时，还能得到戴笠亲笔条谕一纸，向会计室领取一笔特别费。

召开大会的目的，除如戴笠所说“是要增进同志情感，沟通内外隔膜，以利工作之推进”外，另一方面就是借以显示力量。他要让蒋介石看到这个团体的阵容和他的领导才能；同时也要让众多的特务人员看到，蒋介石对这个团体的重视与对他的信任。

1941 年 4 月 1 日，军统举行了成立十周年大庆活动。这是军统从建立、发展到走向顶峰的标志。

军统的“四一”庆祝活动始于 1931 年。这是重庆军统局扩大成立后的第二年，军统内外活动和形势趋于稳定。戴笠一方面为扩大影响，提高士气，另一方面，为定期了解沦陷区潜伏组织的活动情况，决定每年借庆祝“四一”大会之机，由全国各公秘单位的大特务军统人员参加会议，大会展览各地单位的特务工作成绩，检讨工作情况，讨论当前问题和今后办法，接受新的任务等等。

1940 年 4 月 1 日的纪念大会在重庆局本部大礼堂举行。上午举行“公祭”大会，礼堂内一切都是灵堂的布置，悼念所谓“殉难”、“殉职”、“殉法”的特务。戴笠的说法是：为“团体”战斗而牺牲的，统定之为殉难；因公积劳成疾不治而亡的称之为殉职；因违犯团体纪律而被处决的称之为殉法。

戴笠规定这三类人的照片都必须在灵堂里陈列出来，进行悼念，表面上是安慰死者，实际上是为了笼络人心，欺骗活人。戴笠向手下的大特务们吹嘘说：“最高明的杀人者，是要做到使被杀的人不叫痛，不叫屈，还要叫别人喊杀得好，杀得对！”这天，蒋介石亲自到会主持典礼。

自此以后，戴笠对军统内部的一些下属单位分别冠以“四一”二字，如“四一”图书馆、“四一”医院、“四一”农场等等，以示纪念。

1941 年的“四一”大会按例举行。这一天，军统各地组织的大特务、在重庆的外勤代表与局本部全体特工人员共一千余人出席大会。上午。在公祭历年死亡特务的典礼中，戴笠连读带哭地念着祭文，会场半数以上的特务都流下了眼泪。下午大会，因蒋介石没有出席会议，使特务们颇感失望。

1942 年 4 月 1 日的纪念日，在规模、形式、内容等方面都有别于以往的两次“四一”大会。为了展示军统的十年发展史，从 1942 年初开始，戴笠就指示成立筹备组，抽调各方面人员负责筹备“四一”大会庆祝活动。并向各外勤公秘单位发出筹备“四一”庆祝大会的通知：要求送展十年工作实绩资料，上报殉难、殉职、殉法人员名单及照片，查访死亡人员遗孀遗孤，总结汇报工作，选送庆祝大会对联及礼品等。重庆、息烽等特工训练班还要排练演出节目。各外勤单位及特工训练班同时因地制宜地开展小型多样的庆祝活动。

为了准备“四一”期间的千人大会餐，总务部门的特务动足了脑筋。菜谱是戴笠亲自审核敲定的。有红烧猪肉、加油豆腐、红烧牛肉、辣椒炒酱肉丁等，这在当时物资极端匮乏的重庆，已是奢侈豪华的了。

考虑到重庆的初春，天气尚寒，数百桌菜摆下来，早已由热变冷。戴笠指令每个桌上必须摆上一只火锅，好让特务们吃得舒舒服服，这也是戴笠的细心处。可是要准备如此大量的火锅，则苦了总务科的特务，他们只得四处出动。凭借特务的特权，向重庆各大小餐馆去“强借”，弄得许多小餐馆就此不能营业。

至于餐具餐桌等，由于一时数量相差很多，特务们或借或买，直搞得重庆许多商业饮食行业乌烟瘴气，店主们避之犹恐不及。

对“四一”大会，从程序、内容、时间地点、全场布置、出席人员名单、进出路线等等，戴笠一一亲自过问。甚至连参加会议人员的服装、发型等这些小地方，他都规定得十分详细。并再三严厉警告，谁敢违反这项规定，将以团体纪律给予严厉制裁。

当时军统局尚没有一座能容纳数千人的大礼堂，露天开会又怕临时下雨，戴笠灵机一动，又指示筹备组要用红、白、蓝三色临时搭成一座大帐棚。抗战时期，大后方的纺织品价格相当昂贵，要全部购买布匹，又是一笔巨额支出，且使用一次后再无用处。于是特务们又是一个“借”字，布店老板们对此叫苦不迭。

对“四一”大会的警卫工作，戴笠更是抓得很紧。戴笠于1942年3月25日从外地视察回渝，发现负责“四一”大会警卫工作的特务总队总队长杨清植工作失职，当即下令将杨扣押起来，指令由沈醉接任警卫组长职。此举无疑给大小特务们一个警告，自此谁也不敢稍有懈怠。

3月31日，戴笠亲自组织“四一”大会的预演活动，对每个细节、每个程序都仔细推敲，指出问题。有一些布置设置，只要稍不如意，马上命令推倒重办，浪费再大也在所不惜，其豪华奢侈程度令人难以置信。

为庆祝“四一”，戴笠还指示司法科于3月下旬派出大批法官，到军统所有集中营进行清理工作。通过审讯与结案工作，拟定出该关、该杀或该放的人员名单。一时间，杀的、关的、放的，闹得各个集中营，内部空气十分紧张。

1942年4月1日，准备了二个多月的军统成立十周年纪念庆祝大会开幕。上午照例是公祭活动。这一天上午9时，戴笠把蒋介石接到会场与数千名特务见面，蒋并以简短讲话进行训勉，对早期“十人团”成员一个个握手赠金，以表嘉勉。会场里陈列了“殉难”、“殉职”、“殉法”者的照片，三种人加起来共五百多人。蒋介石在戴笠的引导下一个个地看过去，然后向死难者家属代表表示慰问，发给大笔的奖金和抚恤金。

下午举行纪念庆典大会。戴笠把军统“十人团”成员一个个恭请上主席台。他们是：军委会委员长侍从室六组组长唐纵，忠义救国军总指挥周伟龙，军统局训练科科长郑锡麟，陕西耀县专区专员、中央军校西安七分校教育长梁干乔，黄埔军校毕业生调查处处长黄雍，军统息烽特训班副主任、战地动员委员会委员兼主任秘书徐亮，国民政府交通部西南运输处警卫稽查组长、军委会水陆交通统一检查处副处长张炎元，水陆交通统一检查处业务组长胡天秋，财政部缉私署副署长马策，以及戴笠共十人。

会议开始后，先由军统局挂名局长贺耀组到会讲话。大会的主讲人仍是戴笠。他精神极为亢奋地大谈团体十年艰苦奋斗的历程以及在种种困境中挣扎而有今天的“光荣传统”。戴笠特以会场主席台前面两侧的一副对联进行解释发挥。上联是“从四条巷到罗家湾，组织虽有前后精神还是一个”，下联是“改特务处为军统局，同志遍布中外忠奸决不两全。”这副对联是军统东南办事处主任毛万里派秘书姜朝龙代表东南办事处到重庆赴会带来的。戴笠看后十分欣赏，便大肆引用。

上联“四条巷”即指南京鸡鹅巷，为嵌入“四一”两字，戴笠将原联中的鸡鹅巷改为“四条巷”。戴笠还将原联中的“组织虽有不同”改为“组织虽有前后”，“敌我决不两全”改为“忠奸决不两全”。戴笠在会上解释时说，从特务处到军统局，组织没有什么不同，仅有先后而已，因此改为“前后”，同时“敌我”也不够含蓄，故改为“忠奸”。戴笠认为此联写“四一”大会，嵌入四一两字，对仗工整，寓意深邃，高度概括了军统十年发展的历史，故作为大会的主联，予以张贴解说。

戴笠在四一大会上大声疾呼，要特务介绍干部进来工作，因团体发展太快。干部越来越缺，戴笠提出任用干部原则是没有马骑牛，没有牛骑羊。下午的演说，戴笠似乎不能尽兴，于当日晚开始游艺节目前，又有一番长长的训示。在4月5日的军统工作会议开幕与纪念周合并举行的仪式上，再次讲演达四小时，标榜他始终抱定“不招摇、不怕苦、不偷懒”九个字去奋斗，终于有今日的成功。

“四一”大会的一项重要活动是安排游艺、文体、戏剧活动，这些活动大都安排在晚间进行，几乎都是通宵。4月1日晚上开始的演剧，直到次日清晨5点才散场。午夜时分，许多特务想要溜号，被戴笠下令将剧场大门关上，结果特务们叫苦连天。4月2日晚三百桌大会餐，创军统历史纪录。

按照惯例，每次吃饭之前，都要先喝三杯酒。戴笠走到扩音器前，端着一杯斟满的酒，叫所有的人起立，高声说道：“第一杯酒，祝领袖身体健康，大家干杯！”接着又斟上第二杯酒，喊道：“第二杯酒，祝所有的同志们身体健康，干杯！”两杯酒饮完后，他便坐下。这时，大会主持人赶紧斟上第三杯酒，大声说道：“第三杯酒，祝戴先生身体健康，干杯！”这样，戴便满意地笑了。随后，数千名特务随着戴笠一声“开动”，在盼望已久的欢呼声中，一个个大嚼起来。排场极大，秩序极为混乱。

“四一”大会期间，出乎许多特务意料之外的一个举动，是戴笠同意与会者参观他在曾家岩戴公馆等处的起居之所。其陈设豪华令见多识广的特务们叹为观止。有一位会议代表低声感叹：“这些都是民脂民膏啊！”此话为戴笠所获悉，但破例没有追究。

“四一”大会期间，蒋介石于4月4日和4月12日，分两次召见军统在1941年度考核最优人员和考绩最优军官以及军统局干部代表。蒋召见仅二十分钟，以“今年应该比去年更好”作为对特务们的奖励嘉勉，便扬长而去。

“四一”十周年大会，充分展示了军统的实力，但也暴露了戴笠的野心。也就是从这次大会开始，蒋介石对戴笠迅速膨胀的实力存有戒心，这大概是戴笠当初没有意料到的。

## 二　“忠义救国军”，掠财抢权

戴笠举起协助抗战的义旗，成立了武装别动总队，其实是无恶不作的“土匪”，国民党掠财的机构。

1937年，日寇铁蹄踏入了中国华北华东，举国上下，热血沸腾，抗日热潮一时席卷华夏大地。

戴笠也鱼目混珠，举起协助抗战的义旗，成立了武装别动总队。但是所谓的别动队不过是军统特务和上海滩青帮流氓杜月笙所收罗的乌合之众，策共反共、捞取钱财的工具。

1942年戴笠又成立了“忠义救国军”，冠以忠义大帽，以示好男儿战死疆场方显报国之志，打出救国旗号，实际无恶不作，祸国殃民。

“美方建议炸毁钱塘江大桥，以接应美国盟军登陆。”忠义救国军总部致电戴笠。

戴笠在公馆内双眉紧锁，踱来踱去，双鬓的青筋暴出。“炸还是不炸呢”钱塘江大桥那雄伟壮观的景象萦绕在戴笠头脑之中。

炸吧，困难重重，日军苦心经营修复的这座现代化大桥，三步一哨五步一岗。大桥两端日伪检查戒备森严，桥上桥下明碉暗堡不计其数，探照灯鳞次栉比，整座大桥灯火通明，一个飞鸟过去都历历在目。怎么炸呢？

不炸吧，美国盟军马上就要登陆，担负起“拯救中国”的大任。不炸此桥，日伪军队会源源不断输送而来，使美国军队和担当“救国”大任的忠义救国军腹背受敌，只有招架之功，绝无还手能力，军统前途一片茫然。

戴笠一时陷入极度的矛盾之中。

苦思冥想良久，终没有什么锦囊妙计，最后还是硬着头皮致电忠义救国军二纵队团长周荣：

"日军侵华，给我全国上下带来重重灾难，美国盟军安排登陆，为尽早结束战争，挽救中华命运而做此义举。为使登陆顺利，才决定炸毁钱塘江大桥，今美方人员中途有难处，但我们不能看着吾国有救而放弃这一良机。打倒日本军阀，雪耻救国，乃是我辈份内之事，故应排除万难，完成大业。希望你能操以不成功则成仁的决心，定当完成这一神圣使命。"

残云卷阳，大雪纷飞，皑皑白雪给伟岸的钱塘江大桥银装素裹，片片白雪融化在呜咽的钱塘江水之中。

周荣组织忠义救国军二十个骨干特务行动。大木船上一千磅 TNT 烈性炸药和雷管整装待发，虽然气温零下几度，但特务似还是浑身冷汗直冒。谁都说不准一声轰鸣后是成功还是成仁。

夜幕徐徐降临，鳞次栉比的探照灯被雪花裹得严严实实，全身心地投入了大自然的怀抱中去。

日伪检查署里的顽寇眺望雪中盛景，心中一片茫然，钱塘江周围雾霭纷呈，几步之遥都分辨不清，对于已插在心脏上的刺刀，丝毫没有觉察。

"轰"的一声，震天的巨响夹杂着声声撕肝裂肺的惨叫声，钱塘江大桥——这一中国桥梁之父茅以升的呕心沥血之杰作瘫痪在滚滚的钱塘江水之中。

"美国人办不到的事，我们硬是办到了，全军无一人伤亡。看来救国还须救国军。"周荣致电戴笠激动请赏。

浙江淳安西庙，忠义救国军总部大院。一幢雄浑肃穆、庄严伟岸的大庙，青砖绿瓦，雕梁画栋。古庙四周青松翠柏，花木扶疏。假山环绕，泉水喷涌而出，一片世外桃源的幽美景观。

江山戴笠戴雨农、上海闻人杜月笙正紧锣密鼓、调兵遣将，准备带领忠义救国军迎接盟军登陆，轰轰烈烈干一番拯救苍生的伟业。但事不凑巧，斯大林和罗斯福终没有把这个机会留给戴笠。

"苏联出军东北，全歼日本关东军。美军伺机报复，广岛、长崎连投两枚原子弹。日本天皇业已俯首称臣，宣布投降。"戴笠和杜月笙接到此电悲喜交加。

但"英雄"终有用武之地。忠义救国军改旗移师，立即掉头策共反共，扮演起内战丑角。

戴笠立即致电冈村：

"在我军尚未接管前，京沪杭等重要城市之日军，如纵容中共进入或将武器交与中共，中国政府将视彼为第一战犯，依法惩治。反之，我政府将予以优待，并使其安全返国。"

戴笠俨然一副国民党大总统的口吻致此电文，不愧为蒋介石肚里的蛔虫，只待蒋介石一声令下，便冲锋陷阵，似乎他的忠义救国军还能成为挽救蒋家王朝的御林军。

忠义救国军终究是国民党的一支鱼龙混杂的杂牌军，其使命就是东插一筷，西插一勺。

颇具野心、反覆无常的国民党小卒吴绍澍曾在忠义救国军任职。可日军一投降，正是捞取胜利果实的大好时机。上海市副市长这一戴笠早已窥见的肥缺被其独存。戴笠饮恨而退。况吴绍澍又原是陈立夫部属，戴陈早有间隙。对这个过河小卒，戴笠一直耿耿于怀。

1945 年，戴笠的莫逆之交杜月笙离开忠义救国军返回上海，准备打扫战场，重振昔日虎威。

“打倒恶势力”，“打倒杜月笙”，“打倒上海恶势力代表杜月笙”。

杜月笙原来带了一帮门徒包了一节车厢，通知上海各界军政要人以及关门弟子、徒子徒孙，操办一次隆重的庆典招待会，扬昔日之威，奠后日之基。没想到吴绍澍这个从前的学生竟迎头浇了一盆冰水。心里的滋味，恐怕只有他才能感受到。

杜月笙灰溜溜地跑到把兄弟顾嘉堂家中，闭门思过、谢绝客访。然而杜月笙在上海曾苦心经营几十年，上至达官显贵，小到贩夫走卒都有割不断的牵联，其势力根深蒂固，其关系盘根错节，仅杜月笙那些成群妻妾及其姘头、儿女也够吴绍澍对付的。

吴绍澍也是釜底抽薪，竟私托门人把他在杜月笙处的门生帖偷出，以使杜月笙的师徒之说空口无凭。

杜月笙雪上加霜，自然还是求援无孔不入的特务头子戴笠。戴笠一听是收拾吴绍澍，喜出望外。这块肉中刺终于在今日有借口挑掉了。

戴笠立即派特务爪牙调查吴绍澍的劣迹，寻找把柄，将吴绍澍致于死地。

军统特工陈质平在跳舞会中勾搭上了上海巨富邵式军的小老婆。两人整天在陈质平家中寻欢做乐。一次邵妾满眼怨艾，发疯地狂吻陈质平，而后埋怨说要不是吴绍澍占了她在爱华路的豪华住宅，也不至于今天这样小打小闹。

陈质平一听到吴绍澍便来了精神，翻身搂住邵氏，云雨之中听得邵氏介绍：吴绍澍曾私放邵式军出逃，但强占邵式军宅邸为上海市特别执行委员会办公场所，并私吞邵式军家产，一箱已失去价值的日本债券和老头票，三箱装满金条、珠宝和美元的财产。

陈质平连夜禀告戴笠，戴笠听后真是喜从天降。“让你小子再作威作福，今天就让你死无葬身之地。”

戴连夜派陈质平、毛森带领忠义救国军包围了爱华路上海市特别执行委员会。四个保险箱摆在眼前，三个箱中已空无一物，只是那个不值钱的日本债券箱仍完整无缺，人证物证收集齐全，万事俱备，东风已借，只等华容道上捉拿曹操了。

戴笠老奸巨滑，致电蒋介石后，拒吴绍澍于门外。吴纪澍成天就像热锅上的蚂蚁，只有飞往重庆托人求救于蒋介石了。然而戴笠早已通知沪市各航空公司，拒售机票给吴绍澍，逍遥不可一世的吴绍澍只有坐以待毙，成了戴笠的一碟小菜。

忠义救国军反共也使不上大力气，戴笠便转而把它作为发家致富的特务组织、又成立了经济委员会，专管征集、征购、调配、储运等事项，实际上是一个经营走私、征税等款的经济掠夺机构。被人称为“忠义祸国军”。

## 三　宣侠父陈尸井底

联共抗日只是一个口号，宣侠父乃又一牺牲品。

是什么人杀他，为什么要杀他，他早已心知肚明，但不知厄运这么快就降临了。

西安事变，国民党迫于舆论的压力，再次与中共合作，中国抗日民族统一战线建立了。

古城西安，国共两党频繁往来。西安是靠近延安的最大的城市，亦是国民党控制的军事重地。蒋介石亲派得力干将蒋鼎文坐镇西安。

中国共产党的八路军西安办事处主任一职，关系到八路军的存亡兴衰，十分重要。毛泽东思考再三，指定了一个名字：宣侠父。

1937 年 10 月，宣侠父将军赴西安就职。

宣侠父，浙江诸暨人，黄埔一期的学生，早年加入共产党，长期利用与国民党上层人事的特殊关系，从事统战工作，手段巧妙。1937 年调到西安任国民革命军第十八集团军少将参议，活动广泛。是周恩来总理的得力助手。

南京鸡鹅巷五十三号，戴笠仔细看着面前的电报稿，面色阴沉。电报上赫然一行大字：

“中共委宣侠父充任第十八集团军驻西安办事处主任，克日就职，张严佛。”

屋里空气十分沉闷，戴笠烦躁地解开领扣，长吁一口气。他对宣侠父并不熟悉，但已从黄埔同学口中知道了不少情况。中共的确知人善任，宣侠父无疑是最理想的人选。

戴笠抽出一份卷宗，找到有关宣侠父的资料。

“宣侠父，浙江诸暨人，黄埔一期毕业．早年加入中国共产党。长期利用其与我党上层人士的特殊关系，从事统战，手段巧妙，尤为我应妥善处置，严加注意者。1937 年调西安，任国民革命军第十八集团军少将参议，活动广泛，策动东北军哗变之迹象极为明显，是八路军驻西安办事处最能应付复杂情况、独挡一面之共党顽固分子，是周恩来的得力助手。宜严密监视。”

戴笠拿起毛笔，在“宜严密监视”五个字下面粗粗地划了一道。他“啪”地扔下笔，拿起电话。

“给我找张严佛！”

话筒里传来“嗡嗡”的低沉男音：“我是张严佛。”

戴笠一边拨动着桌子上的卷宗，一边下命令：“宣侠父至西安后，立即对其全天候流动、固定双重监视，其言行动态随时报告我。”说完“咔哒”挂上电话！

西安，军统局西北区区长兼西安行营第四科科长张严佛苦笑地看着手里的话筒，一脸无奈：“戴老板这脾气！”

作为军统局里最重要的一个区——西北区的区长，张严佛的日子并不好过，张严佛一直跟随邓文仪，不是戴笠的嫡系；在军统局里颇显孤立，戴笠从不向张严佛交待重要任务，但碍于邓文仪的面子，不得不应付，才把西北区交给张严佛。西安事变后，邓文仪失宠遭贬，张严佛在军统局更不得意。

西北区里军统特务最多，戴笠秉承蒋介石的主意，主要把力量放在搞共产党的情报上。但张严佛的权力最小，仅能在行营范围里调动特务，可谓“政令不出都门”。且上面有行营主任蒋鼎文，是蒋介石的心腹，更是开罪不得．张严佛一方面应付戴笠的指令，一方面又不能给蒋鼎文留下僭越的印象，真是左右为难。

张严佛放下电话，立即去拜谒蒋鼎文，监视堂堂少将参议，如果将蒋鼎文蒙在鼓里，他岂能甘休？

蒋鼎文的办公室设在西安新城大楼，当年蒋介石在西安时曾在这里住过，建筑非常豪华。有几个荷枪实弹的卫兵在门前守卫着。

几个小商贩不停地在门前吆喝着，一眼便能看出他们的行迹有些可疑。张严佛认出他们都是自己派来的特工，心里不禁暗骂道：“狗日的，全都是饭桶，扮个小贩都扮不像，哪里有小商贩整天在行营门口贼溜溜乱转的？老娘孩子岂不喝西北风了！”

蒋鼎文的行营主任办公室在大楼向阳的位置，光线明亮。张严佛刚进房门，就见客厅沙发上坐着一个壮实高大、脸带紫赤色的大汉，正与蒋鼎文争执着什么。张严佛不禁有些诧异：西安城里竟然有人敢对蒋鼎文这样讲话，怎么这人我以前从未见过？在蒋鼎文的示意下，他轻轻退出办公室，在外面等候。

过了一会儿，那个红脸大汉告辞出门，蒋鼎文把张严佛召进屋。他取下军帽，烦躁地抓挠着头发，漫不经心地问："张科长有什么见教？"

张严佛苦笑着一摊手："刚才戴先生来电话，让我派人盯着宣侠父。我来请示蒋主任，有没有什么不方便？"

蒋鼎文轻蔑地笑了，说："这个老戴！整天就知道派几个笨蛋盯人，还当人家不知道。已经有几个共党人士向我说过，盯人也派个精明的，别整天穿个蓝大褂，让人一眼就瞧出来。咦，你刚才说什么？"蒋鼎文似乎一下子才反应过来："你说要盯谁？宣侠父？刚才那不就是宣侠父吗？"

张严佛吃了一惊，有些惭愧："他就是宣侠父？我以前没见过。"

蒋鼎文摇摇头："他和我是小同乡，也是诸暨人。早年在黄埔的时候，我在他们一期当过队长，所以他和我有师生关系。"

张严佛点头唯喏，不置可否。

蒋鼎文长叹一声："一开战端，不知有多少同行反目，师生成仇！宣侠父是个老共产党，八路军派他到西安来和我接头。他经常找我交涉，要求补给八路军武器、军用品、现款，要这要那，纠缠不清。"

张严佛说："我刚才进来时就很奇怪，怎么还有人敢和蒋主任争执！"

蒋鼎文大感头疼："我们对八路军什么都不能给，但口头上又不能说不给，实在难以对付。我非常讨厌，头都被他闹痛了。”

张严佛颇有些同情：“共党派他来，自有共党的道理。”

蒋鼎文笑了，他郑重地说：“张科长，由这件事可见共产党不简单。宣侠父精明狡猾，你们派人跟踪，一定得多加小心。”

张严佛回到住处，立刻指示西安警察第一分局长李翰廷在八路军办事处门口加设了一个警察派出所，作为固定监视哨，专门观察宣侠父的行踪。他告诉李翰廷和派出所长，一定要对每个特务切实交待，对宣侠父的身材面貌特征一定要认得清清楚楚，不得发生错讹，对宣侠父的一举一动都要记录，决不可轻易放过，也不能认错了人。

李翰廷轻松地说：“张区长，你放心，我们盯人也不是一次两次了，对宣侠父，我多派几个人就是了。”

张严佛严肃地说：“不能掉以轻心！这一次我严格规定，对宣侠父和八路军办事处任何人，只是以穿警察衣服的公开身份，在指定的范围内，做固定的监视，不化装，不离开派出所岗位，不做流动侦察和跟踪。对宣侠父和任何人的监视，必须绝对秘密，不得向任何人泄漏，否则以泄漏秘密论罪。”

李翰廷伸了伸舌头，对派出所所长做个鬼脸：“宣侠父是人是神？我们还得费这么大功夫？”

张严佛一脸严肃地看了一眼：“如果出现任何差错，我拎你的脑袋去见戴老板。”

李翰廷被训斥得默不做声。张严佛见语气过激后又安慰性的说：“李局长，不是兄弟苛刻，宣侠父事关重大，他人非常精明，若跟踪的事被他发现，传出去，对校长和戴老板都不好交待呀！对固定监视宣侠父的主要要求是：切实掌握其办事处的居住和行动，如有迁移或离开西安的迹象，立即报告；警察不和其他特务做正面联系，不准便衣特务到派出所去，违令者严惩不贷！”

李翰廷听上司为自己开脱，高兴得一个立正笔直笔直的道：“卑职一定照办！”

张严佛点了点头，说：“还有，你再派几个比较精干的人，专门对宣侠父轮番跟踪，流动侦察，严密监视宣侠父的行踪。首要的是确保行动保密，勿使对方发觉；一旦被发现，立即放弃监视，向主任汇报！”

从1937年冬起，宣侠父在西安的一举一动就全部置于特务的监视之下．戴笠听了张严佛的措施，十分满意。1938年5月，张严佛因功受赏，升任武昌军统局代理主任秘书！跟踪监视宣侠父的任务由徐一觉负责。

徐一觉萧规曹随，利用张严佛制订的措施，很快就根据西北区的情报写了一份报告。报告称“宣侠父勾结张（学良）杨（虎城）旧部反对中央，煽动学潮，利用黄埔同学关系散布共产主义毒素，公开谴责中央，诽谤委员长”。

报告送到武昌，戴笠如获至宝，连夜亲笔抄出送给蒋介石。

蒋介石闻之大怒，立即招来戴笠。

“雨农，你看宣侠父的事应该如何处理?”蒋介石阴沉着脸：“他是我的学生，却反对起我来了，在学校那会儿他就中了共产党的毒！现在中毒越来越深了！”

戴笠立正答道：“是。宣侠父是浙江人的败类，是国民的耻辱，依学生之见，应将他逐出西安。”

蒋介石沉默片刻，愤然地把手一挥：“这不是你戴笠的一贯做风，我的意思是对他要秘密制裁，决不能让他再坑害党国了。”

戴笠故意显得有些为难："西安行营主任蒋鼎文不大好说话。"

蒋介石皱了皱眉头："我明天给他写个手令，你派人处理。"

蒋鼎文接到蒋介石的手谕："将宣侠父秘密制裁。"他久久无语。尽管他对军统局的特务说起宣侠父满腹怒火，但实际上他对这个学生兼老乡极为欣赏。宣侠父很有政治头脑，颇有儒将风度。而现在，自己就要亲手签字，暗杀宣侠父了！

蒋鼎文沉思片刻拿起笔，觉得千钧沉重，作为军人，曾经杀过许多人，但都没有像今天这么为难。他有些于心不忍：本是同根生，相煎何太急。缓缓的写下如同割自己心头之肉的手令，仰天长叹一声："各为其主啊！"

徐一觉接过手令，认真地轻声读了一遍："派第四科科长徐一觉将宣侠父秘密制裁具报。"

他抬起头，审慎地说："恐怕还得蒋主任配合一下。"

"什么，难道还要我亲自去杀他？"蒋鼎文愤怒地跳起来。

徐一觉说："并不是要蒋主任动手。但宣侠父的行踪不易掌握，还得请蒋主任于夜间十一时谎称有事把宣侠父喊过去，让他滞留到凌晨一时左右，我派人在外面动手。"

"不行！这事我决不能做。"蒋鼎文坚决地说。

徐一觉笑了一下，神情有些诡秘："蒋主任．这是总裁亲自交办的事，你若不帮忙，恐怕对蒋主任和戴老板都不好交待。"

蒋鼎文一时无言可答。坦率地说，他对戴笠这个六期生很瞧不起，更瞧不起这帮军统特务。但宦海多年，他深知戴笠在蒋介石面前的份量。如果稍有不慎，很可能失去蒋介石的信任。

最后，他咬了咬牙："好吧！"内心十分痛苦。

夜间11点，宣侠父正在八路军办事处处理公文。今天延安发来密电，称蒋介石已对宣侠父忌讳甚深，很可能会在最近采取手段，让宣侠父赶快离开西安。

宣侠父身在西安，何尝不知其中的危险，但工作未完结，他不忍马上离开。

他不知道，死亡的阴影已一步步向他逼近！

蒋公馆后门，一辆汽车停在黑暗的阴影里。徐一觉、李翰廷坐在汽车上，焦急地等待着宣侠父的出现。

夜，黑沉沉的，天冷得想把人都冻死，一轮残月哭丧着脸，歪歪曲曲的挂在空中。蒋公馆附近像死一般的沉寂。

凌晨1时，宣侠父从蒋公馆匆匆走出。殊不知这每一步都在走向死亡。徐一觉轻轻挥了挥手，特务李良俊、张志兴悄悄地跟了上去，突地将宣侠父架上汽车，用棉花塞住口。李翰廷、徐一觉同时下手抓住宣侠父的咽喉，套上绳索，两边拉紧，宣侠父怒目圆睁，终于停止了呼吸。

徐一觉擦了一把冷汗，长吁一口气："妈的，干活这么多次，从来没有今天这么紧张过。"

李翰廷伸手摸了摸宣侠父的呼吸："还算顺利。开车，到下马陵去！"

下马陵是西安城最偏僻的地方，白天都没人来这里。徐一觉早已命令几个人在这里放哨警戒。汽车一到，立刻把宣侠父的尸体从汽车上抬下来。徐一觉伸手在宣侠父身上搜出一块金质怀表和一条黄金表链，他放在嘴里咬了下，试了试成色，随手装进自己的口袋，然后把宣侠父的尸体投进枯井。

一代英雄宣侠父，陈尸井底。

今天的一缕英魂，昨日的万里长城！不久延安共产党就知道了宣侠父的死讯！八路军办事处向蒋介石正式提出抗议。蒋鼎文慌了手脚，连忙命令张严佛把宣侠父的尸体迁移。

但纸毕竟包不住火，1938 年 11 月，在共产党的质问下，蒋介石不得不回答："宣侠父是我的学生，不听我的话，我让人把他杀了！"

## 四　网罗要人，如意算盘尽落空

戴笠西安救驾有功，地位骤升，许多高级将领多拜在戴笠门下，就连中共叛徒张国焘也不例外。

1938 年春，富丽堂皇的戴公馆里，高朋满座，笑语喧哗。主人戴笠满面春光，在门口欢迎来宾，几个美丽妖艳的姑娘打扮得花枝招展，蝴蝶般在达官贵人中穿梭，给盛大的晚宴平添了许多生气。

华灯初上的时候，来宾终于全部坐定，唯有主座和上首的座位还空着。今天是哪个大人物来赴宴？主人怎么还不出来？许多女宾已经焦急地开始窃窃私语。

忽然，鼓乐齐鸣。主人戴笠脸上荡漾着笑意，谦恭地迎来了一个文质彬彬的中年人走向首座。中年人面皮白净，有一种显而易见的书卷气，只是目光略微暗淡，稍显颓丧。他谦逊了一番，慨然坐下。

他是谁？来宾都惊讶地互相询问着。自从"西安事变"以来，戴笠因冒险入西安保驾，深受蒋介石青睐，因而身份地位逐渐增长，许多高级将领也不得不拜在戴的门下，极少有人能得到戴如此重视。而今天，这个从未见过的中年人又是哪一位达官贵人？

知情者早已认出，他就是中共叛徒，不久前投靠蒋介石的张国焘！

果然，戴笠拱了拱手，向大家介绍道："今天，中央委员，参政会参议员，军统、中统设计委员张国焘先生光临敝舍，大家前来作陪，雨农十分荣幸。"

张国焘站起身来，得体地点了点头："戴主任太客气了。从今天起，国焘就是戴主任的部属了，以后工作中还望多多关照。"说完微笑着坐下。

戴雨农举起杯："张先生弃暗投明，是一件大喜事。以后雨农还需张先生在工作中多多扶持。来，为我们精诚团结干杯！"

张国焘苦笑了一下，哪里就是弃暗投明了？他掩盖着心中的伤感，举起了杯："干杯！"仅仅在半年前，还是冰炭不容的冤家对头！

1938年，清明节。张国焘趁祭祀中华民族祖先轩辕黄帝"黄陵"的机会，逃离延安，投奔蒋介石。对此蒋介石十分高兴。张国焘曾是中共要人，手里不仅掌握中共的许多机密，而且对共产党的组织方法，与内部工作手段极为熟悉，蒋介石认为，张国焘的投靠，是对延安的一个沉重打击。

国民党五届五中全会后，戴笠企图在反共方面做出成绩，可依靠原有的军统特务和情报手段已经难以取得成效，他需要另辟蹊径，可惜束手无策。正在此时，蒋介石指令戴笠为张国焘安排具体工作，这对正感山穷水尽的军统来说，无疑是一根救命稻草！

张国焘走马上任，担任专门为他成立的"特种政治问题研究室"主任，副主任由党政处中共科科长郭子明担任。

戴笠亲自参加了张国焘的就职仪式，就职仪式上云集了军统、中统的上层特务，温文尔雅而又倦怠不堪的张国焘，深知自己名声不佳，默默站在一隅。其他许多国民党特务处出身的“老军统”互相招呼让座，对张国焘视而不见。

“寄人篱下，不得不如此耳。”张国焘有些悲哀。他似乎和这里的环境不太协调，而属于另外一个世界。今天的主角应是他这个堂堂的研究室主任，然而，好像一出大戏里大家都忘了主角，他只好默默地坐在那里，感受着冷落的滋味。

忽然戴笠走了进来。他一眼看见张国焘，连忙赶上前去，拱手致贺：“张主任今日荣升，恭喜恭喜。”

张国焘肚里暗骂一句：妈的，什么荣升？当年我率大军在川藏何等威武，今天却成了你这个当年的上海滩小瘪三的下属。时也势也，他强打笑脸，举手还了一礼：“哪里哪里，还仰仗戴先生。”

戴笠看了看张国焘的满脸苦笑，注意到张国焘的尴尬境遇。他望了望仍然自顾说笑的特务们，拉着张国焘走向主席台。多年从事反共的戴笠，精明地意识到，像张国焘这种曾有权势的原中共干部，最注重的是面子，决不能让他感觉到自己是二等特务。他轻轻拍了两下手，全场立刻安静下来。

“先生们，女士们，今天我们来到这里，祝贺张先生的‘特种政治问题研究室’成立，我们希望‘特种政治问题研究室’能成为我们策反的中心！”

待掌声平息，戴笠把大家的注意力引向张国焘：“大家对张先生可能不太熟悉。以前，我们大家多年是冤家对头，而现在，张先生为识时务之俊杰，和我们站到了一起. 张先生曾是北京大学的高材生，精通俄文、英文，学识渊博，造诣很深。委座对他也很尊重。”

戴笠的口气变得严厉起来：“在军统局里，张先生要物给物，要钱给钱，要人给人，诸位都应全力支持张先生的工作。有谁对张先生不尊重，那就别怪我不客气!”说完威严地巡视全场。

仪式结束后，张国焘回到自己的寓所。他脱下外套，静静地坐在椅子上思索。

天渐渐暗了下来，张国焘懒得去开灯。今天就职仪式上的冷落滋味给他留下了很深刻的印象。他想起幼时读《三国演义》印象最深的就是于禁被曹丕羞死。今后会有人把自己今天的情形画上去吗?他不愿再想下去，起身打开台灯，准备研究一下特研室的机构设置。

“张主任，刚才军统局送来一份调查表，请您填写之后交回去。”侍卫递来一张表格。

张国焘接过表格，仔细翻看了一下。这是军统局人事室印制的“内外勤人员调查表”，凡军统局特务都需填写。张国焘随手把表格扔在一边，勃然大怒：“戴笠把我也当作军统局一名特务了!”张国焘虽然参加军统活动，但仍然是国民党中央委员、国民参政会参政员、军委会中将，他不屑做一名军统的在册特务!

“张主任，我看您还是填写吧!”侍卫小心翼翼地拣起表格，放在张国焘面前：“免得贻人口舌。”

张国焘沉默了。他知道，自己这个堂堂中将在戴笠眼中，尚不及有些大特务的地位。凡做大事切不可用意气。他忍怒在表格上工整地写上自己的名字：张国焘。

戴笠自从军统局里添了一名特殊特务张国焘以来，信心大增。他经常拜访张国焘，听取他的建议。张国焘深知自己一旦进入军统就再难抽身，也竭尽心力为戴笠效命。但事不能遂人愿，他的计划大都以失败而告终。

张国焘对戴笠建议，举办特种政治工作人员训练班。

戴笠对这个建议十分欣赏："张先生洞察先机，目光如炬呀！我早有此意。"

张国焘侃侃而谈，唾沫星子满天飞道："开展反共活动，不但要有专门之机构，还必须有专门的人才，戴先生治下极严，军统局人才济济。但未必适合做此项工作，需专门培养。"

戴笠立即按照计划筹办，班址设在磁器口童家桥洗布塘，主任由戴笠自兼，副主任则由张国焘担任，学生由人事室和训练科从军统其他训练班受训或已"毕业"的优秀分子中挑选。每个学员都经过张国焘亲自谈话，考核严格之程度，为其他军统训练班所不能比拟的。

但张国焘失望的是参加训练班的学员都是经军统特务介绍加入，目的都是为了混日子吃饭，因此知识之低，道德之差令张国焘叹气不止，大大出乎意料。第一期招收了四百名学员，结业典礼时，戴笠率局本部有关高级特务参加，并与学员们聚餐送行。戴笠最初希望通过这批特务的活动，能对中共组织的破坏产生连锁反应，至少能建立一个军统延安站。但实施的结果让他大失所望，许多特种政工人员进入延安后，不仅没能拉出人来，自己倒是有去无回。第二期毕业的学生无法再按原计划派遣，只好去兵工署警卫稽查处担任"防共"工作。

戴笠尽管很失望，但对张国焘仍然重用，希望从他身上再找出一些反共妙药灵丹。张国焘一计不成，又生一计。他对戴笠建议说："鄙人误陷泥沼，沦为共党，对共产党颇为了解。共党之存在，自有其社会基础，是消灭不了的，只能让他成为中国之第二大党。"

戴笠也有同感，但颇不甘心："共党从十几人之小团体到今日的气候，自有社会原因，但瓦解它尚有办法可想。我想请张先生给军统训练班开两门课，‘马列主义之批判与中共问题’，再给张先生搞一个‘国际问题研究所’，请张先生主持。”

张国焘心中高兴，但脸上不动声色，丝毫没显出受宠若惊的表情。他继续说：“我们军统在国统区采取盯梢、逮捕、逼供等强硬手段，只能使少数共党分子感化，但许多共党中毒既深，只能从政治上争取，联络他们。”

戴笠眯起眼睛，颇感兴趣：“愿闻其详。”

张国焘说：“发现共产党员，不必让他们写自首书，登报脱离，不愿说出同党姓名，亦不必勉强，只须让他们填写一份‘来归人员调查表’，即可视为来归了。”

“来归？新奇。如何解释？”戴笠好奇地问。

“意为原为国民党之公民，后来误入共产党，现在又回来了。”

“妙计。”戴笠大为欣赏：“张先生不愧为中国有手腕有眼光之政治家。”

于是，他很快开始推行这项工作。为配合“来归”活动，戴笠批准在华北、华中、西北等地成立特种政治工作人员联络站。

张国焘为了配合特联站、策反站活动，写了一份有关中共内部及边区情况的交待材料，呈蒋介石、何应钦审查，并秘密印发给大特务们传阅。

但戴笠对这份报告并不满意，认为虽对中共上层提供情况较多，而对军统实际工作帮助不大。加之“来归”活动几天成效不大，除原张国焘的个别心腹“来归”外，中共高级军政人员无一“来归”，与戴笠当初之期望相距甚远。

“张先生的锦囊妙计看来不过尔尔。”戴笠失望之余，恼羞成怒，对张国焘冷嘲热讽：“中共对张先生的冷淡也不无道理。”

张国焘白净的脸孔涨得通红，但又无话可说。两年来呕心沥血，了无成效，复有何言？

他思忖一会儿说：“我们是否可以组织国民党中知名人士公开访问陈独秀，作为宣传之手段？”

戴笠若有所悟：“唔？这倒是个办法。让我想想。”

当天晚上，戴笠来到胡宗南公馆。两人一向视为知己，无话不谈。胡宗南听完戴笠对访问陈独秀的看法，不屑地说：“这是张国焘的脱身之计。他也是玩不出什么花样了，搬出共产党的开山老祖来，既可以挟此自重身份，又可以搪塞我们。”

“我也想到了这一点，但何不将计就计？我们二人做一次私人访问？”戴笠道：“我已经把此事向校长请示，过几天我们去拜访一下。”

胡宗南对拜访陈独秀也有意为之，他问：“张国焘是否去？他去可不大合适。”

戴笠笑了：“他本还不愿去哪！”

四川江津白沙镇，一个偏僻的大村庄。几家小小的店铺支撑着这个偏远小镇的繁荣。

一天，码头上忽然来了两个人，他们拎着茅台酒和水果，径直向陈独秀隐居的住处走去。

他们就是国民党三十四集团军总司令胡宗南和军事调查统计局副局长戴笠。

两人来到一幢破旧的房屋前。胡宗南感慨地说：“世事真不可论。当年我们未考黄埔做一青年学生时，陈独秀何其威武荣耀，而今竟然如此落魄！”

“此翁在清末声名卓著，令人振聋发聩，我们不能怠慢了。”

门“吱呀”开了，一个须发斑白，面容憔悴的老人打开门。他上下打量了一下胡、戴二人，眼中闪过一丝疑惑：“二位是……”

胡宗南上前深鞠一躬：“学生南中虎、李岱求见陈独秀先生。”

老人轻轻然而坚决地摇了摇头：“我身体欠佳，不见外人。”说完“砰”地关上了门。

胡宗南与戴笠相视苦笑：“老家伙六十多岁了，还这么硬的脾气!”

戴笠说：“当初我就说以假名求见，他肯定会拒而不见，不如你我公开身份。”

胡宗南点点头：“我再试试。”他又轻轻地敲了敲门。

老人重又打开门。见仍是他们两个，皱眉不耐烦地说：“我说过不见，就是不见!”

“学生的真实身份是第三十四集团军总司令胡琴斋宗南，这位是军统局副局长江山戴笠戴雨农。本想以化名求见，望先生勿怪。”

陈独秀点了点头：“进来吧。两位将军突然造访，所为何事?”

胡宗南恭敬地答道：“久仰陈老大名，未曾有缘拜见，今专程与雨农来聆听陈老指教!”

陈独秀倨傲地问：“是不是蒋先生关照你们来的?”

胡宗南笑了一下，心想，果然不出蒋委员长所料。临行蒋介石就预先安排，若陈独秀问及此事，就说是他关照胡戴看望陈老先生。

因此，胡宗南答道：“是蒋委员长特派学生两人来造访，不胜冒昧。”

陈独秀点了点头，字斟句酌地说："独秀此次寓居江津，是逃难入川，虽国事萦怀，却并不参与政治，更不曾有任何政治活动。但天下兴亡，匹夫有责，独秀岂敢独善其身。只不知二位将军来意如何？"

胡宗南正要回答，忽然，门外走进一个人来，戴着高度近视眼镜。他一眼瞅见胡宗南，"呀"地叫了声："是胡宗南吗？"

胡宗南看见来人，立刻站了起来，毕恭毕敬地问好："高老师好，学生胡宗南来拜访陈老，不想竟遇到高先生，真是幸运。"

来人正是当年黄埔的著名政治教官高语罕。他连忙斟茶倒水，替陈独秀招待客人，一边问道："胡司令来有何见教？"

胡宗南拿起事先准备好的剪报，双手递给陈独秀："陈老曾受人攻击一事，天下人不平则鸣。傅汝霖、段锡朋诸先生，是陈老的学生，忘年之交的朋友。诸先生为陈老在《大公报》上辩护的启事，乃国人之公论，民心之所向。"

陈独秀又翻看一下剪报，说道："列名为我辩护者，乃国内知名人士。有国民党的，有非国民党的，有以教育家而闻名的。我原打算向法院起诉，因见代鸣不平的公启，作罢了。先生等对我的关怀，深致谢意。"

戴笠一言不发，只在旁边飞快地记录着。胡宗南又说："学生愚昧无知，今天特来请教陈老对国事的看法。值兹二战爆发，德军席卷欧陆，波罗的海四国乃苏俄前卫边沿，被德军闪电一击，不一周而尽失，眼看苏俄处于极不利之局。国内国共问题，由分而合，由合而斗，大战当前，如国策不能贯彻，前途定堪隐忧。为今之计，陈老意下如何？"

陈独秀站起身来，在窄小的室内踱了一圈，似乎又回到了当年北大讲台上。他慷慨论道："本人孤陋寡闻，也不愿公开发表言论，致引喋喋不休之争。务请两君对今日晤谈，切勿见之报刊，此乃唯一的要求。言及世界局势，大不利于苏联，殊出意料，斯大林强权政治，初败于希墨的极权政治，苏联好比烂冬瓜，前途将不可收拾，苏败，则延安决无前途，此大势所趋，非人力所能改变。请转告蒋先生好自为之。”

说到这里，他猛地收住话头：“语罕，送客！”

戴笠从江津返回，把陈独秀的谈话记录呈送蒋介石。蒋介石浏览了一下，面露欣喜：“陈独秀见解精深，眼光远大。”

陈独秀这张牌又没打好，张国焘的日子更加难过。戴笠半年也不接见一次。偶尔见面，也总是脸色冷峻，口吻讽刺地训斥，甚至拍案大骂：“你张国焘是厕所里的石头，又臭又硬！”

军统局总务处长沈醉是戴笠的手下爱将，一次半开玩笑地问戴笠：

“老板何以对张国焘如此先恭而后倨也？”

戴笠长叹一声：“校长对张国焘来投靠，以为是对延安的致命打击，交我运用。几年来大失所望。我如何向校长交待？以后取消他的特权！”

张国焘也自知处境，常常哀叹，以他这种叛徒的身份，在国民党内难以有出路。他不再像刚进入军统那样冷傲。常注意和大特务们搞好关系。可惜太晚了一点。

一次，张国焘去要车外出，车场内明明停着几辆汽车，可人家答曰没车。一个特务更是恶作剧，派了一辆人力三轮给张国焘。张国焘养尊处优也不是一天两天，岂肯忍受这样的恶作剧？然而无可奈何。

张国焘在国民党内度过了惨淡的几年，在国民党内当了几年无政可参的参政员，又在中统内当了几年无计可设的对共斗争设计委员，终于被中统军统先后踢出，凄凄惶惶逃往加拿大过寓公生涯！

戴笠企图使军统反共斗争起死回生的最后一根救命稻草，被战争洪流冲得粉碎。

## 五　血染红岩，实在毒辣

戴笠虽心狠手辣，但对于国共两党很有影响的罗世文、车耀先也不敢立即杀害。

1940年4月的一个深夜，漆黑的天空中没有一丝月光，偶尔传来的几声狗吠，给夜平添了几分恐怖。

《新华日报》社里悄无声息，人们都沉睡在梦中。

“哐哐哐”，门外突然响起强烈而连续的打门声。睡在门房的工友老王睁开惺忪的睡眼：“喂！哪一个?”

“电报局送电报的，快开门哪！”

“噢，”老王一下子从睡意中清醒过来：“是罗先生的电报吗?”他跳下床，打开门。

“不许动！”黑洞洞的枪口顶住了老王的胸口；“动就杀了你。”

一个戴礼帽的中年人走上前去，掏出证件：“我们是宪兵二团的，我是团副周作桢，前来逮捕共党分子罗世文。”

老王心头一紧，正要呼叫，宪兵张贤明立刻捂住了老王的嘴巴，郑历冰抄起一根胳膊粗的铁棍，迎头打下。老王的身子软软地倒了下去。

“上楼！”周作桢一挥手，宪兵们蹑手蹑脚地走上来，猛地撞开门：“不许动！”

罗世文正在灯下审看次日的小样，看见这么多持枪特务闯进屋来，他似乎并不惊讶，只是迅速地把一个纸条塞进嘴里咽下肚去。然后镇静地说："诸位有何贵干?"

周作桢警惕地上下打量着罗世文。他没想到，鼎鼎有名的中共四川省委书记罗世文，并不是他想象中的满面虬髯，膀大腰圆，而是清瘦白净的面孔，一副高度近视眼镜更给人留下文弱书生的印象。

周作桢努努嘴："搜！重点检查书报。"

罗世文镇静地看着特务们把书信扔得七零八落，乱成一团，他早就预料到会有这一天到来。

"走吧!"周作桢狞笑一声："不过要委屈一下罗先生了。"

罗世文轻蔑地一笑，昂然伸出双手："请吧!"

郑历冰用黑布蒙上罗世文的双眼，又用捕绳捆住双手，押到楼下。

楼下已经围着一群听到动静的工友，看见罗世文被押下来，都关切地叫道："罗先生……"

"大家不必担心。"罗世文眼睛被蒙，看不见眼前的景物，他只能靠声音判断出，这些都是熟悉他、热爱他的工友，为他送行来了。

周作桢抬起枪，对准罗世文的额头："请放明白点。请你们别出声，否则对罗先生不利!"

罗世文脑袋用力一摆："把你的破枪拿开!"他对工友们微笑了一下，毅然向门外走去!

同日晚上，中苏文化协会理事长车耀先于少城公园附近的"努力餐"饭馆被捕!

逮捕罗世文、车耀先是蓄谋已久的。

1940年3月初，国民党对成都及其附近地区强行征购粮食，一些劣绅趁机囤积，导致了一起人为的粮荒。无隔日存粮的贫苦百姓，为买粮而奔走。终于在3月中旬爆发了“春荒暴动”和“抢米风潮”。国民党借镇压“抢米风潮”的机会，嫁祸共产党，加紧对共产党人的搜捕。

1940年4月初，成都市警察局督察长谈荣章、川康绥靖公署稽查处长刘崇朴，向军统川康区区长张严佛报告：罗世文，四川威远人，中共四川省委书记，十八集团军驻成都代表，《新华日报》成都营业分处负责人，现潜伏成都；车耀先，中苏文化协会理事长，由西安潜来成都，在少城公园附近饭馆潜伏。

罗、车可都是共党的大人物！张严佛如获至宝，即密电重庆戴笠，请示准予秘密逮捕，戴笠立即将蒋介石批准秘密逮捕参与“春荒暴动”的一干人的命令，转张严佛认真执行，逮捕讯办。

罗世文被逮捕的当天就受到刑讯。邓文仪率两名便衣来到关押处。

“罗先生，既然敢于做事，就应敢于承担责任。好汉做事好汉当嘛。”邓文仪和言悦色地说：“抢米风潮之事，罗先生难道一点不知道?”

罗世文默不做声。经过一夜的折磨，他憔悴了许多，但目光仍然坚定、沉稳。

“罗先生的大名，在四川很是响亮。蒋委员长对罗先生也很欣赏，为何罗先生尚自痴迷不悟，自甘堕入共产党的泥沼?”

罗世文胸中冒出怒火，慷慨陈词：“蒋介石叛变革命，对共产党欠下了血债。如今国难当头，蒋介石不思抗日. 只一味打内战，致使生灵涂炭，何谓我入共产党是自甘堕入泥沼？倒是邓先生跟随蒋介石多年，对国民党之前途，不应不做考虑。”

邓文仪哑口无言，拂袖而去。

次日，戴笠到达成都。他召来张严佛："如今川西局势动荡，谣言很多。罗、车二人关在成都恐怕不便，我明天飞返重庆，你找几个得力的人把他们随机押到重庆。"

次日，天色阴沉，下起了霏霏细雨。成都太平寺空军机场，一架银白色军用飞机停在那里。

几辆汽车飞驶而来。戴笠率先走下汽车，登上飞机，谈荣章、刘崇朴把罗世文、车耀先押下车来。

罗世文戴着脚镣手铐，他紧紧握了握车耀先的双手："老车，我们又战斗到一起了！"

车耀先秀气的面孔上露出笑容："老罗，又见到你了！"

罗世文深情地说："还记得我38年时的那首诗吗？"

"记得，我还能背诵出来，"车耀先一字一句地吟哦着：

"从来烈士不贪生，许党为民万事轻。

百战身经尝考验，廿年冰蘖励忠贞。"

罗世文轻轻喃道："烈士从来不贪生……老车，考验我们的时候到了！"

刘崇朴走过来，粗暴地推搡着罗世文："走吧！这不是吟诗的时候，飞机准备起飞了！"

罗世文与车耀先相视一笑，同又转过头来，深情地望了一眼细雨中美丽的成都，深深地呼吸了一口这新鲜而自由的空气，并肩走向飞机。

从此，罗世文、车耀先开始了在望龙门、息烽与中美技术合作所白公馆看守所里整八年的羁押生涯。

在狱中，面对敌人的酷刑，罗世文、车耀先坚贞不屈，与敌人展开了不屈不挠的斗争。戴笠及军统局秘书徐业道，对罗、车二人连续审讯，用诱骗、逼供、刑讯等种种方法，企图

"虚罪坐实"，迫其叛变革命，出卖组织，但一无所获。罗世文尖锐地指出："成都抢米风湖，系人为灾荒，是反动派搜刮政策所致。"

戴笠无可奈何，但罗世文、车耀先都是在国共两党很有影响的人物，他不敢立即杀害，只得上报蒋介石，予以长期羁押。

1946年，日本投降以后，国共两党再次谈判。谈判期间，周恩来多次向国民党抗议，要求释放政治犯，并点名要求释放罗世文、车耀先。8月，蒋介石批准毛人凤、郑介民，对罗世文、车耀先予以秘密制裁。

毛人凤指使军统重庆办事处主任张严佛，对罗世文、车耀先予以处决！并将尸体灭迹，摄影具报。接到密电后，张严佛就召集军统办事处秘书丁敏之、司法组长郭文翰、保管组长侯祯祥、警卫组长庞世科等四人，策划杀害办法。

8月的重庆，正是酷暑难当的天气。树上的知了发出单调的鸣叫声。罗世文、车耀先坐在牢房里，倾听着蝉鸣。蝉也是自由的。日本人投降了，他们已经看到了自由的曙光！

"哐当"一声，牢门打开了。白公馆看守所所长杨进兴走了进来："恭喜二位，上峰有令，要把二位解押南京。"

"滚出去！"罗世文最讨厌杨进兴。他不仅心狠手毒，而且阻险狡诈，是白公馆里有名的刽子手。

车耀先明白杨进兴说的"解押南京"意味着什么。他凄然对罗世文一笑："老罗，我们最后的时刻到了。"

罗世文面色平静，他找出暗藏在牢房地板缝里的铅笔与纸片，写下了给党组织的最后一封信：

"据说将押往南京，也许凶多吉少！决心面对一切困难，高扬我们的旗帜！

老宋处尚留有一万元，望兄等分用。

心绪尚宁，望你们保重，奋斗！”

他把铅笔与信重又藏好，对车耀先说：“老车，我们各写一首诗吧！

车耀先沉思片刻，捡起一小块石头，在墙壁上快速刻划：《自誓》

幼年仗剑怀佛心，
放下屠刀求真神；
读破新旧约千遍，
宗教不过欺愚民。

投身元元无限中，
方晓世界可大同；
怒涛洗净千年迹，
江山从此属万众。

不劳而食最可耻，
活己无能焉活人；
欲树真理先辟伪，
辟伪方显理有真。

喜见东方瑞气升，
不问收获问耕耘；
愿以我血献厚土，
换得神州永太平！

“好诗啊！”罗世文赞道：“耀先同志，真是倚马可诗。”

“老罗，你也写一首。”车耀先素知罗世文博览群书，学识渊博。

“好吧！”罗世文略加思索，也在墙上刻下一首诗：

## 望　春

故国山河壮，群情尽望春；
“英雄”夸统一，后笑是何人？

“对，笑到最后的一定是我们共产党人！”车耀先坚定地说。

“我们今天坦然面对死亡，最后失败的，一定是他们！”罗世文怒指等在门外的杨进兴。

庞世科把罗世文、车耀先带到歌乐山松林坡戴笠原住所下面的坪场，那里已经准备好木柴和汽油。

四周静悄悄的，只有几个便衣武装特务在晃动着，进行严密警戒。

杨进兴狞笑一声：“罗先生，再见了！”与庞世科分别把绳索套在罗世文、车耀先的脖子上，同时用力拉紧，罗世文、车耀先被活活勒死了！

丁敏之给罗、车二位烈士的尸体各拍了一张单身照片，侯祯祥浇上汽油，架起了木柴！

烈火熊熊地燃烧起来，火光照射着四周特务们狰狞的面孔，也映红了歌乐山下松林坡这片大地！

车、罗二烈士殉难时的照片送到保密局，毛人凤盯着照片笑了！

人生自古谁无死，留取丹心照汗青。

## 六 反共间谍战白热化

戴笠反共几乎到恐怖的地步，动足一切念头，使尽了浑身解数，但最终还是……

抗战期间，重庆成为国民党的陪都，亦是国统区的政治、经济文化中心。戴笠几乎调动了军统在重庆的全部力量与中共进行斗争，来保证反共基地的建设。

由于西安事变，国民党不得不在表面上承认共产党的合法身份，迫于舆论的压力，戴笠在反共手法上也有所变换。

首先，戴笠为了加强反共、防共活动的隐蔽性，注意尽量缩小或撤销公开的反共组织建制，以示维护国共合作的诚意。但在私下，戴笠向重庆局本部所属大大小小五十多个内部组织指示，任何一个军统组织机构都不准放弃对中共的斗争，反共防共是每个特种工作人员的首要任务。

军统局重庆特区是抗战时期最庞大的军统外勤组织之一，主管重庆市和川东数十个县的特务工作。戴笠在与历任区长上任谈话时都反复交代，要把对中共的工作作为特区工作重点中的重点，特别是中共办事处与《新华日报》所在地的西郊区特工组，更受到戴笠的关注。不断从人力、物力上进行充实加强。

戴笠交待的监控对象除中共办事处、八路军驻重庆办事处、《新华日报》社等中共组织机构及工作人员以外，还有宋庆龄、史良、沈钧儒、张澜等民主爱国人士。

当时因为特务们监视宋庆龄的活动过于嚣张、露骨，惹恼了宋美龄。为此事，宋美龄曾在电话中很严厉地交代宋子文说："你关照他们（戴笠）一下，不准在阿姐那里胡来，如果我听到有什么的话，我是决不答应的。"戴笠接到宋子文的电话，感到很为难，但思来想去，觉得闹出乱子来，校长还是拗不过夫人，因而对监视宋庆龄的活动有所顾忌，并交代特务们注意策略，不得粗鲁胡来。

军事委员会办公厅特殊邮电检查处是由戴笠掌握用来反共防共的最重要的军统公开机关之一。该处的工作就是对中共在重庆的办事机关和领导人的信件书刊往来及电话检查，对寄往外地的《新华日报》进行扣压。国民党政府各机关西迁重庆后，戴笠为了防范中共派人打入这些机关，经报蒋批准同意，以蒋的名义密令各院、部、会选调一批忠实可靠人员交特检处进行反间训练，以便增加军统反共的耳目。

兵工署历来是戴笠注视的一个重要部门，戴笠慑于该署署长俞大维是蒋介石的心腹亲信，不敢与之争风。国民党五届五中全会以后，戴笠趁机利用反共防共这个题目大做文章，引起蒋的重视。蒋当面向俞大维交代，成立兵工署警卫稽查处，交给戴笠掌握。戴笠专门选派对付中共有经验的老特务张师主持该处工作。

戴笠反共，有时甚至谨慎到恐惧的地步。他日夜担心重庆发生由中共组织的游行示威或暴动，一时没有力量进行应变或镇压，于是在重庆卫戍总司令部稽查处下成立一个名为侦察大队的组织，先后从各地挑选了二百多名武装特务，终日一边进行训练，一边整装待发，随时准备应付突发情况。除此以外，戴笠还注意在饮食业、医疗卫生界、新闻界、文化界、交通运输业等各方面建立秘密据点，派遣特工人员，开展防共、反共活动。

戴笠在重庆时期开展反共防共活动的另一个手法是广泛动

用高级通讯员和情报员。戴笠深知一般军统特务的文化、职业和道德层次很低，无真才实学，这些人往往成事不足，败事有余。当时有两件事发生后使戴笠对这个问题尤为警惕。

一件事是关于兵工署警卫稽查处的特务陈昌熙密报某工厂高级职员是共产党嫌疑的事件。因戴笠反共立功心切，对此事未经核实就批准将这名高级职员扣留，结果引起俞大维的愤怒，告状告到蒋介石那里，蒋要戴查实具报。戴笠因提不出有力的证据，难以向蒋交差，一怒之下将陈昌熙枪决，以取得俞大维的谅解。这件事使戴笠丢尽了脸。

另一件事是负责监视中共办事处的军统重庆特区西郊组的外勤特务向军统局请求领取枪支，以便对付中共人员。戴笠听说后大骂这些特务不能很好地隐蔽自己的身份，惟恐别人不知道自己是军统人员，完全失掉了做秘密工作的意义。这两件事使戴笠认识到与中共进行斗争，必须着力在建立高级通讯员和情报员上下功夫。

戴笠运用的高级通讯或情报人员大都具有较高的社会地位、职业和文化层次。其中既有来自党派团体的知名人士，也有来自政府各部、会的高级职员，还有一些来自经济、金融、新闻、文化、旧军队、帮会、宗教等各界人物。特别是一些以第三者或中间面目出现的政党、团体和知名人士，更是戴笠网罗的对象。戴笠认为这些人往往也是中共争取的对象，因而更容易与中共组织接近。

对这些高级通讯员和情报员，戴笠不但在金钱上舍得给予补助，而且在职业、交通、人事关系等方面尽量给予便利。但是，有些通讯或情报人员拿了戴笠的钱，往往用一些道听途说的资料“加工”一下报给戴笠。戴笠吃亏多了，以后得到那些人的情报后，总要交给军统相关部门进行复核印证。也有不少人长期拿了钱却做不出情报，戴笠虽然在私下里发一通牢骚："有些人拿了我的钱却不给我们做事，有的人不要我们一点好处却异常卖力的帮助我们。"但是，还是照发津贴。他认为，要钓大鱼，必须先放长线，一旦钓到一条大鱼，则一切都补回来了。

戴笠在重庆开展反共防共活动的另一个手法是仿效西安特种汇报的办法，积极建议和推行甲种、乙种汇报机构。

甲种汇报每次都在重庆中山四路蒋的住处进行。蒋介石亲自主持，出席者都是蒋介石身边的高级谋士或军政大员。汇报内容主要是共产党活动情况、重大反共案件的处理以及如何深入反共防共等等。

乙种汇报虽然也在蒋介石的官邸举行，但主持人则换成侍从室第六组组长唐纵，出席者是军统、中统情报组长、国际问题研究所所长、外交部秘书、军令部第二厅处长等。表面上是研究日伪军的动态，实际上也是商议对八路军、新四军及人民武装在前线和敌后建立根据地的活动和对策。

甲、乙两种汇报之外，还有一个"中央党政军联席会报"机构，参加汇报的成员有中央组织部、军令部、军统局、中统局、宪兵司令部等单位，由何应钦以中央执委和参谋总长的身份主持，汇报内容亦是开展反共防共活动。

戴笠对以上三个汇报都极为重视，每逢甲种汇报，必亲自参加，并认真准备汇报材料，以博取蒋的信任和重视。对乙种汇报和中央党政军联席汇报，戴笠也指示出席者积极参加，利用汇报机构努力与中共进行斗争。

戴笠在重庆时期最感头痛的是关于阻止《新华日报》的发行问题。当时，国民党对新闻舆论控制极严，唯有《新华日报》不受其制约，敢于报道事实真相，这使《新华日报》销路大增，以致风靡重庆、行销全国。

为此，甲种乙种汇报及中央党政军联席汇报都曾讨论过这个问题，蒋介石当面指示戴笠、徐恩曾要想出对付《新华日报》的办法，戴笠指示特务们先后用殴打报童、从报童手中强抢报纸销毁、通过邮检扣压、收买报贩把头邓发清、策动流氓阿飞到《新华日报》门市部捣乱等手段，均未能奏效。气得戴笠经常把负责这项活动的重庆稽查处处长陶一珊找去痛骂一顿。

为了把重庆布置成反共防共的大本营，戴笠几乎是动足了一切念头，使尽了浑身解数。尽管如此，他的防共反共一直没有取得什么效果。

## 七 转移张杨，严加管制

戴笠西撤重庆，张学良和杨虎城亦被秘密转移到西部，但管制一如既往。

1938年春间，张学良被幽禁在郴州苏仙岭时，戴笠在汉口闻讯郴州街上发现了张学良的旧部，立即下令刘乙光将张学良移解郴州的邻县永兴县。一个月后，戴笠再次电令刘乙光将张学良移解湘西凤凰山。

其时，戴笠正在湘西筹办临训班，临澧距沅陵只有二百公里左右，距幽禁杨虎城的益阳只有一百多公里。这样，戴笠可以借在汉口、临澧之间来回走动的机会，对沅陵、益阳两地进行控制。

在张学良启程向沅陵行进途中，戴笠给军统沅陵办事处主任晏武发电，要他对沅陵凤凰山上的凤凰寺进行修缮，并选三十个精干的便衣特务随时听用，加强对凤凰山的警戒工作。

凤凰山位于沅水东南岸，与沅陵城隔水相望，从沅陵城观望，一如展翅欲飞的凤凰。山顶古庙凤凰寺建于明万历年间，寺旁古木参天，浓荫蔽日，清静幽雅。

张学良到达凤凰山后，戴笠专程到沅陵视察，对张学良住地的安全进行布置和检查，并成立军统沅陵邮电检查所，专事检查张学良的来往信件。另派从上海撤退出来在沅陵待命的大特务黄家持为沅陵警备司令部稽查处处长，协助刘乙光对张学良进行监视。戴笠还给张学良送了一些食品，住了2天，因武汉战事紧张，就匆匆返回汉口向蒋介石复命。

1938年秋冬间，武汉沦陷，日军乘胜进击，逼近长沙和湘西，沅陵吃紧。戴笠此时正在临澧主持临训班第一期的毕业典礼，同时筹划将临训班二期西迁湖南黔阳续办的事宜。

经多方派人踏勘寻找，最后决定把张学良、杨虎城双双西迁贵州中部。那里群山密布，悬崖峭壁，川黔铁路横贯全境，既便于做好警戒监视工作，又便于戴笠来往视察检查。

戴笠为张学良选择的幽禁地是贵州修文县的阳明洞。这里是明代兵部主事、理学家王阳明读书讲学之所，距修文县城约3华里，环境幽静，是贵州名胜古迹之一。洞旁有数间房屋用作张学良“读书思过”、“修身养性”之所。张学良晚年研究明史，可能渊源于此吧。

为杨虎城选择的地方，开始在贵州息烽县阳朗坝白鹤观，后因戴笠看到这里距公路太近，不符合绝对安全的要求，就亲自选定在距息烽县城十多里的玄天洞。洞内高三十多米，空间很大，仅有一个洞口可供出入。看守人员只要守住这个洞口，便是万夫莫开了，加之上山的道路又很偏僻隐蔽，真正是一个绝好的天然监狱。当时洞内有所道士观，戴笠当即命李家杰派特务把道士赶走，将杨虎城从阳朗坝移解过来。

修文与息烽两县相邻，阳明洞与玄天洞之间仅隔十多公里的一条山路。发动西安事变的张、杨两位将军虽双双被囚禁在此，历经数年，但谁也没有想到对方关押在自己身旁咫尺之地。

戴笠考虑到贵州将是长期囚禁张、杨的地方，故张、杨到贵州不久，戴笠就到修文、息烽进行视察部署，对加强看守张、杨的工作做了进一步的指示，把蒋介石关于“严加管束”的指令充分具体化，形成控制囚禁张、杨的五道封锁线。

第一道封锁线是戴笠亲自选派的刘乙光、李家杰两个特务队。戴笠规定第一道封锁线的任务是实施二十四小时连续不断的监视。白天负责内围警戒的任务，以三十米左右的距离做半径围绕住房进行流动，到了晚间则收缩到寝室和门口。戴笠还规定夜间用竹梆打更的办法传递信息。

夜幕降临后，特务们约定时间，由第一个岗位先敲几下，第二个便接着敲。如此循环往复，只要一个不响，带班的特务骨干马上去检查。因此，每到夜间，梆梆之声响彻高山深谷，令特务们毛骨悚然，丝毫不敢懈怠。

戴笠规定杨虎城白天可以到室外和洞口走动走动，夜间便不许出屋一步。杨根据这个禁律，一天中最为兴奋的时刻是在白天到洞口去眺望息烽公路上的汽车，以解终年离群索居的孤独和寂寞。

张学良白天的活动范围可以稍大一些，但到了黄昏一样不许出屋门一步，戴笠还从电讯处专门拨了一部电台交给刘乙光，由刘乙光及时向戴笠汇报看守张学良的情况，以防不测。

第二道封锁线是分别配属特务队的一连武装宪兵。戴笠规定他们的外围警戒线，白天可以达数百米，以控制较大的范围，任务是禁止行人和老百姓接近山洞。晚间则收缩到内围特务白天布岗的地方。

戴笠还要求在通往阳明洞和玄天洞附近的道路上设置暗岗，以监视可疑的行人。并规定看守玄天洞的宪兵必须分双层布岗，一层设在玄天洞所在的山上，一层设在后山高地，通过火力控制后山和玄天洞口。

在外层宪兵和内层特务之间，戴笠规定只允许特务队长和宪兵连长接触，宪兵与特务之间不准交往，以达到双线控制，互相牵制的目的。至于监视张、杨的特务和宪兵之间，更是严格禁止互通信息，不准有任何横向联系。

第三道封锁线是阳明洞、玄天洞所在县、乡的行政及保警系统。戴笠先后保荐军统特务邓匡元、徐羽仪、陈国祯任息烽县长，派看守张学良特务队的骨干特务邱秀虎任修文县保警大队副，代大队长负实际责任。后来，戴笠发现兼任大队长的修文县长胡立五与中统有关系，与军统若即若离。经报蒋介石同意，保荐军统特务王崇武任修文县长。这些特务上任后，第一件大事就是利用所任公开职务的便利，调动行政保警力量，配合刘乙光、李家杰等人做好看守张、杨的工作。

不久，戴笠认为不仅要控制息烽、修文两县的行政保警力量，而且要进一步加强对贵州全省军警力量的控制。于是调邱秀虎为贵州省会警察局侦缉大队长，到贵阳搞公开侦缉工作。修文县保警大队副则由军统特务熊仲青接任。结果，邱秀虎在贵阳的寓所，成为修文县看守张学良特务组织的联络办事处。

为了增强对突发事件的应变力量，戴笠报请蒋下手令，任命国民党第九十四军军长傅仲芳兼任贵州保安处长，掌握全部地方武装，傅仲芳按蒋、戴的交代，亲自到修文、息烽视察，了解和询问看守张、杨的情况，拟订应变措施，以防不测。

第四道封锁线是由军委会特务团组成。张、杨分别移解修文、息烽后，戴笠担心消息泄漏出去，张、杨旧部会联合营救，就请示蒋介石同意，调军委会特务第四团加强对张、杨大外围的看守任务。团长张止戈按戴笠的指示，把团部设在息烽县城，修文则派徐启龙的一个营驻守。

尽管如此，戴笠还是不能放心。又进一步增调军委会特务第二团驻息烽专事监视玄天洞，增调军委会特务第八团驻修文专事监视阳明洞。特务团均按戴笠的要求，在张、杨住地的外围建碉堡、设岗哨，在交通要道设置关卡，盘查行人，把阳明洞、玄天洞围得铁桶一般。

第五道封锁线是由军统特务控制修文、息烽两县的邮电通讯及当地的情报治安和联络部门。张学良到修文后，戴笠规定寄出函电都要经过刘乙光和驻修文邮检特务的检查方可发出。外面寄给张、杨的函电，除蒋介石、宋美龄的函电不准检查外，其他任何大员的函电都必须扣压检查。至于报刊书籍中涉及到张、杨消息的，则一律扣压不送，进行销毁处理。凡发现有可疑人给张、杨寄送函电的，则必须派特务对寄送人进行秘密调查，重要情况须立即向戴笠呈报处理。

除了五道封锁线之外，戴笠还对刘乙光、李家杰分别单独传达蒋介石的密令，如一旦发生意外，来不及应变，则由刘、李对张学良、杨虎城及副官、保姆等人下杀手，统统打死，绝不能让他们被活着救走。

1939 年 2 月下旬，戴笠到贵阳办事完毕后，在返回重庆途中顺便拐到阳明洞去看望张学良。

戴见到张后，第一句就说："雨农代表委员长问副司令好。"

张苦笑回答说："委员长日理万机，还记得我这个被囚之人，谢谢！”

戴和张海阔天空地闲聊了一会儿，因事急着要走。

张在送戴时，对戴说：“我想及时知道外界的情况，能不能给我送台收音机来？”

戴沉思良久，才答非所问地说：“可以多选些唱片和书刊送来。”张知此事已不可为，也就不再言语，心情忧郁地返回卧室。

张、杨在修文、息烽，因交通也还方便，戴笠每年都要抽出一两次时间到阳明洞、玄天洞看看张、杨。其中，看张的次数和时间要多些，毕竟他俩的关系要密切一些。

有一段时间，张心情烦躁，经常发脾气，甚至流露出一种悲观绝望的情绪。每遇这种情况，戴笠总要备一些礼品，抽时间到修文来看看张。如抽不出时间，则写一封信，派总务处长沈醉或其他大特务带上礼品代表他去看张。如果还不能使张的情绪安静下来，戴则请示蒋介石批准，派东北籍参政员莫德惠，由军统人事室主任李肖白陪同，一起去看看张。每次用两三天时间陪张谈谈外面的情况，缓解张的情绪。

每当此时，李肖白总是寸步不离，以防他们私下达成什么默契。李完成任务后，照例把张、莫谈话的内容向戴笠详细汇报。而杨虎城是得不到这些待遇的。

戴笠每次去看望张、杨，表面上了解张、杨有什么困难和要求，实际上是检查对张、杨的看守情况。因此，戴每次在修文和息烽停留，都要听取特务队长、宪兵连长的工作汇报，然后再个别找特务与宪兵了解情况，进行核实，以防特务队长或宪兵连长对他欺骗，使得特务和宪兵们对看守工作十分谨慎严密，丝毫不敢大意。

# 第十三章　河内之行，汉奸“老大”溜了

身为国民党副总裁的汪精卫成了卖国的汉奸，戴笠奉命暗杀汪，结果三次计划三次流产，到底是什么原因呢？汪精卫最终还是溜掉了，蒋介石大为恼火，痛责戴笠失职。戴笠一面封锁消息，一面发出一道道电报密令：“克日来港，电话×××××联络。”

## 一　汉奸“老大”出场了

汪精卫堪称中国的汉奸老大，既投敌叛国，又与老蒋多少有点关系。

汪精卫为什么会叛国投敌呢？老蒋和汪精卫吵得面红耳赤时，汪精卫愤然出逃开始了他的投敌叛国的汉奸生活。

正当武汉“反资敌大爆破”的爆炸声此起彼伏、震耳欲聋之际，重庆上清寺汪公馆内，却正在进行着一场投敌叛国的阴谋活动。

身为国民党副总裁的汪精卫和他那肥胖而泼悍的老婆陈璧君，正屏声静气地听着一个头上长了肉瘤的家伙在说着什么。只见那人目光狡黠、神情诡秘地压低声音说道：“……几个月来，我和高先生先后跟日本松本重治、犬养健等接触了五次。他们的意思是，‘和平运动’非请汪先生出来领导不可。我们

的同志和周佛海先生，我估计西南的地方势力，过去和我们关系亲密的军方实力派人物，都愿集合在你汪先生的旗帜下，为‘和平运动’尽力……”

此人乃代理国民党中央宣传部长周佛海所主持的艺文研究会香港分会的一个负责人——梅思平。他早年毕业于北京大学，任过江宁县“模范”县长。南京失陷后，他丢了这顶乌纱帽，便开始投向主和派周佛海的怀抱，极力为所谓“和平运动”而奔忙。他话中提到“高先生”，指的是外交部亚洲司司长高宗武。

“……日本人的意思是希望汪先生能出面成立一个反蒋反共反战的新政权，这样和平会有希望。所以特意让我来征求一下汪先生的意见……”梅思平望了一眼坐在旁边的周佛海，接着说道。

保养得红光满面的汪精卫，静静地听完梅思平的话后，稍稍沉思片刻，便慢条斯理地说道：“如今武汉也沦陷了，这样节节败退地打下去，总不是办法。而且中共借抗战之机，正在扩充实力，其志不在小。即使抗战能够获胜，战后的内乱同样不可避免。国家的未来命运，更不可知。所以，为了国家，我确实很想出面挑起‘和平运动’的担子。怕只怕日本外交政策反覆无常，我等进退两难啊！”

“当然！这个问题我们也早已考虑到了。只要汪先生同意出山，我们就派代表去上海与日方正式商定，签订了条约，再采取行动。汪先生，你看如何?”一直沉默不语的周佛海，这时插嘴道。

陈璧君见汪精卫紧皱双眉，一副犹豫不决的样子。便迫不及待地说：“只要日本御前会议同意由汪先生出来领导‘和平运动’，汪先生是愿意出来的。”说完，又推推身旁的汪精卫，

“你倒是说句话呀!”

汪精卫依然很谨慎地说：“我还是前两天对德国海通社记者讲的那句话，‘……必须视日本和平提议之内容为断耳。如果不妨碍中国之生存与独立，则或可为讨论之基础，否则决无谈判之余地’，也只有接着打下去了。”

“你呀!”陈璧君不满地瞪了汪精卫一眼，愤愤地说：“你难道还看不出来？自从日本提出不以蒋介石作为谈判对手以后，蒋介石抗战到底的调子就越唱越高。他如今是骑虎难下，只得长年累月地拖。现在大家守在重庆，也只是在为蒋介石一人殉葬……”

汪精卫还是不置可否。第一次游说没有达到目的，但周佛海、梅思平和陈璧君，都摸透了汪精卫的心思，看出他早就想脱离老蒋另起炉灶进行“和平运动”了，只不过担心搞不好，会身败名裂，得不偿失。

之后，周佛海等接连几次去找汪精卫，向他保证，云南、四川、广东一直受老蒋排挤的实力派人物，只要他一出山，树起旗帜，就会出来支持他的新政权，劝他不要顾虑太多。陈璧君的态度也很积极，一再怂恿汪精卫答应此事。汪精卫在他们的一再怂恿下，终于答应让梅思平和在香港的高宗武为他的代表，去上海跟日本人谈判。条件是他要在日本人统治之外的中国某地，成立一个新的反蒋、反共、反战的国民政府，拥有自己的军队。如果日方允诺这一条件，便可进一步商定行动的具体条件和步骤。10月底，梅思平带着汪精卫的条件，离开重庆去了香港。这是汪精卫投敌卖国的第一步。

原来，早在“七·七事变”爆发之后，汪精卫就处心积虑地想走这一步。只不过当时他手中没有实权，军政大权全掌握在老蒋一人之手，他左右不了时局，只能接二连三地给老蒋写信或面谈，让老蒋放弃抗战的主张。而老蒋的内心深处，也并不想与日本人抗争到底，但他迫于全国军民的抗战激情，不敢贸然提出和谈。由于淞沪抗战，中国方面以空间赢得了时间，粉碎了日本政府三个月内打败中国的“速战速决”阴谋，日方自知与中国长期作战于己不利，于是请求德国驻华大使陶德曼出面调停。当时，日方提出的条件有七点：承认伪“满洲国”，内蒙独立；缔结中日防共协定；扩大《何梅协定》，划华北为驻兵区域；中日经济合作，减低日货进口税；根绝反日运动等。

当时，老蒋自然不敢接受这一放弃国土、丧失主权的停战条件。他提出的停战条件是恢复到“七·七事变”前的状况，也就是说，承认伪“满洲国”，把东三省让给日本人。可是随着战事的发展，华北地区的太原、石家庄、德州相继失陷，江南方面则是日军在杭州湾登陆，南京危在旦夕。老蒋为保首都同意以日方提出的七条为基础进行和谈。孰知日本人得寸进尺，又提出了在日占区建立伪政权，要求中方赔偿日方侵华战争的经济损失等四条无理要求。老蒋意识到，若答应日本的这些屈辱条件，他和国民政府都将被全国军民所唾弃，而坚决抗战的共产党，将取代国民党在全国人民心目中的地位，因此拒绝了这些条款。陶德曼的调停也至此中止。恼羞成怒的日本首相近卫文磨发表声明：不以国民政府蒋介石为谈判对手。加之日本人在南京实行了惨无人道的大屠杀，全国上下群情激愤，这就进一步坚定了老蒋抗战的决心。

可是，在国民政府撤退到武汉之际，早年留学日本的代理宣传部长周佛海，便与曾留学日本九州帝国大学的外交部亚洲司司长高宗武密商道：“陶德曼的调停失败了，我们不能不设法找出沟通日本人心意的途径啊！无论如何，不能不考虑走出汉口，与日本方面取得联系……”他二人暗中策划了许多方案，最后决定让高宗武以搜集日本情报为理由，在香港成立一个所谓的“国际问题研究会”和一个“艺文研究会”，由高宗武做主任，并往返于香港、汉口之间，暗中与日本人接触，寻求所谓“和平”途径。他们这一行动，当时也得到了老蒋的默许，因为尽管他口头上高喊抗战，但内心深处仍希望战争早日结束，只要日本方面提出的条件能够接受，他是随时都准备和谈的。

高宗武多次在香港与日本陆军特务影佐祯昭、今井武夫、犬养健等接触，并擅自秘密地去了一趟日本，其结果是日本方面仍不愿以老蒋作为谈判对手。因为他们知道，老蒋所谓的“能够接受的条件”，还是不愿丧失东三省以外的中国领土，也不愿赔款。可是，日本占领了武汉、广州之后，以国力、财力而言，其军队均无法再打下去，很希望中国方面能屈服投降。所以日方决定，在老蒋不肯接受他们的条件而屈服投降的情况下，抬出一向主张和谈的汪精卫，企图建立一个反蒋、反共、反战的新政权。高宗武也曾将日本方面的企图转告周佛海，让他再转呈汪精卫和蒋介石。老蒋对此非常生气，高宗武吓得称病躲在香港，让梅思平做他的代表，继续与日本人接触，往返于香港、重庆之间，执行日本方面的计划，这才有了海思平、周佛海在上清寺汪公馆力劝汪精卫出山的丑剧。

就在长沙大火，全城烧成一片废墟之际，梅思平和高宗武作为汪精卫的代表潜到了上海，与日本人在上海虹口公园东侧一处被日本人称作“重光堂”的公馆内，进行了两天两夜的密谈。双方达成了所谓的《重光密约》，其内容主要是由汪精卫出面，在沦陷区以外的中国某地，成立一个反蒋、反共、反战的新政权。具体步骤则是由日本首相近卫再发表一个对中国的招降声明，汪精卫则设法脱离蒋介石控制的区域，到香港或河内等国外某地，通电响应声明，提出他的停战投降主张。也就是说，待汪精卫正式明确地与老蒋的国民政府脱离关系后，汪、日双方再具体商谈实现“和平”的步骤。梅思平带着密约，再次回到重庆，转呈汪精卫。于是汪逆一行，决定于12月8日飞往昆明，转道河内。

汪精卫等与日本人的频繁接触，被孔祥熙觉察，即电告在桂林巡视的老蒋。老蒋为了摸清汪精卫与日本人勾结的程度，便让他的幕僚长官陈布雷，于12月7日赶回重庆去见汪，他自己亦于次日赶到重庆，亲自对汪进行试探。汪精卫见老蒋匆匆回渝，误以为事情败露，便不敢轻举妄动，对蒋、陈二人的试探、询问，支支吾吾，不做正面答覆，这自然更加重了老蒋的疑虑。为了打消汪精卫亲自出马搞“和平运动”的妄想，老蒋特意在12月13日的国民党纪念调集会上，明确表明了要坚决抗战到底的决心。在场的汪精卫认为他这是对自己提倡的“和平运动”的挖苦，非常恼火。两天后，当他与老蒋同桌吃饭时，便忍不住指责老蒋道：“……致使国家民族濒于灭亡，这是国民党的责任。我等应迅速联袂辞职，以谢天下。”

老蒋也毫不客气地答道：“我们如果辞职，到底由谁来负政治责任?”两人你一言，我一语，争得面红耳赤。论心计，汪敌不过蒋；论口才，蒋却不是汪的对手。争到最后，老蒋生气地拂袖而去，把汪精卫一人晾在那里。汪精卫回到公馆，忍不住恨恨地对陈璧君说：“重庆是无论如何也不能待下去了!”

几天之后，汪精卫得知，老蒋将于12月18日召集年轻的中央委员训话。这种会议他不用出席，正是溜走的大好时机。于是，他让交通部的亲信给他预留几张去昆明的机票。就在老蒋振振有辞地给中委们训话之际，汪精卫、陈璧君等一行，乘机离开了重庆，抵达昆明，此后，又在云南省主席龙云的帮助下，乘机飞往河内，开始了他投敌卖国的汉奸生活。

## 二 河内刺汪，险险得手

汪叛逃河内，戴笠领命刺汪，香港之行揭开了异域追杀的序幕。

1938年冬，汪精卫背离重庆，叛逃河内，发表了臭名昭著的“艳电”，公开投降卖国，步入汉奸生涯。消息传开，举国上下，忠义之士，扼腕愤慨，正直国民，无不切齿。

蒋介石大为恼火，痛责戴笠失职，致使汪逆脱离重庆。当即下令封锁消息，谎称汪精卫告假去河内治疗，并派王宠惠、陈布雷等前往河内劝其回国，以全国民政府之“隆誉”。

同时密令戴笠即赴香港，设法威胁汪精卫在港的追随者，并严密监视汪逆一行。

戴笠领命奔赴香港，从此揭开了异域追杀汪精卫的序幕。

“嘀嘀，嘀嘀嘀……”

电波飞过万里关山。戴笠到达香港后，第一件事就是给天津站站长陈恭澍发了一份电报密令：“克日来港，电话×××××联络。”

同时又命上海区区长王天木速到香港，与之当面密商，然后派人在上海尽快干掉一两个汉奸，杀一儆百。

电话铃响起的时候，戴笠正在半山区的公寓内踱着方步。

“喂，是戴主任吗？”

“我是。”

“戴主任，我是陈恭澍……”

“哦，是恭澍兄，”戴笠喜得“啪”地一拍桌子：“你来真是太好了，晚上马上到我这来，我住在……”

陈恭澍傍晚的时候来到铜锣湾公寓，推开门就看见了戴笠。

戴笠快步上前握住陈恭澍的手，让进屋内，然后二人默默相对一会儿，陈恭澍看见戴笠眉峰紧锁，忧心忡忡，但又不敢先行发问。

戴笠将抽了一半的香烟在烟灰缸中一拧，突如其来地来了一句：“我们一起去，该办的手续，香港区他们正在办，你和王鲁翘联系就可以了。”

陈恭澍只凭电报上的几个字来到香港，又听了这么一句不明不白的话，顿时如坠五里云雾，可正当他要问的时候，戴笠竟说有要紧事须马上处理，转身到另一个房间里去了。

“这算什么？”陈恭澍满肚皮的不舒服。

特工王嘛！自然有其特别的地方。

这时王鲁翘走了过来，拉着陈恭澍的手寒暄道：“恭澍兄，好久不见了。”

“鲁翘兄风采更胜从前啊。”

“哪里哪里！”

“对了，鲁翘兄，刚才戴老板说和他一起去，你知道到什么地方去吗？”

“到河内去，这几天正在办签证，订机票，大概明后天就可以走了，我也跟你们一块去。”

闲聊了一阵，陈恭澍起身告辞。

王鲁翘忙道：“恭澍兄，我送你回去吧。”

夜幕悄悄降临，陈恭澍独立窗前，暗自揣度：此行既去河内，那定与汪精卫叛逃有关无疑。抬眼望了一眼渐显的星空，想起远在天津的家，不由得一声长叹。这是作为一个杀手的无奈。

动身去河内之前，陈恭澍证实了他的猜度，戴笠面色凝重，郑重其事地对陈恭澍交代道：“这次制裁汪精卫的行动，委座极为重视，一切行动计划，必须事先报经委座批准，才能执行，绝对不准擅自行动。”

陈恭澍马上啪地一个立正：“是，恭澍明白！”

戴笠拍了拍他的肩膀，面露微笑，意示嘉许，又接着道：“其他事项，我们到达河内之后再另行安排。”

随后，戴笠即以何永年的化名，领了出国护照，带着陈恭澍与王鲁翘两名得力的“职业杀手”飞往河内。飞机上，戴笠凝眸沉思下一步的计划。

1月的河内依旧春暖花开，蕴藏着无穷春色，然而又有谁知道在这个冬天，这座城市正孕育着一场震惊世界的大暗杀呢？

戴笠一行三人，一下飞机就看见了迎面过来的方炳西。他是戴笠十多天前派遣过来的，已按戴笠的指示做好了相应的布置。

戴笠想不到方炳西竟在这十几天时间里居然弄到一部半新的福特轿车，钻进去笑问方炳西：“哪弄的这么一辆破车？”

方炳西也笑答道：“买的二手货，别看破，机件可是蛮好，再说以后出入还得靠这辆破车来开路呢。”

正如方炳西所说，在那以后的行动中，这辆车的确帮了他们不少的忙。

方炳西引三人来到预先租好的房子，共两层，卧室、客厅、饭厅、厨房、厕所一应俱全。这里便成了这次“河内工作”的指挥部，一系列的暗杀计划方案都是在这里酝酿、诞生的。当晚，戴笠、方炳西驱车来到许公馆。

许念曾，祖籍江苏，虽不是闽粤人，但在当地华侨中广受尊敬，甚至于许多大大小小的琐事也非找他不可，再者许先生不仅和法国驻在河内的官员颇有交往，而且与法国籍的警察总监尤为熟悉，且不时举行酒会或舞会以增进感情。

这样的一个人，地位一定很特殊，否则也不会有那么多的社会关系，这一点，方炳西是最了解的。方炳西是国民政府驻河内领事馆的秘书，而许念曾则是总领事。

而戴笠要在河内开展工作，正需要有这样的一个人协助，他所具有的那些社会关系也正是戴笠一伙所要借重的。

第二天的中午，戴笠走出许公馆的大门，由方炳西驾车驰回“指挥所”。一路上面带胜利的笑容，原来还为许念曾不肯帮忙担忧，现在想来，担忧都是多余的，试想想谁不愿升官发财呢？许念曾也是个人，也一样抵不住高官厚禄的诱惑。试问普天下淡泊名利的有几人？

许念曾被拉拢过来了，了却了戴笠对“河内行动”的一桩大心事。晚上戴笠兴致很高，当下招呼方炳西、王鲁翘和陈恭澍四人一同去广东小馆子里吃饭。

席间戴笠招呼道：“若不是这次行动，我们几个人聚在一起不容易，来干了这杯，我先干为敬。”说罢一饮而尽。

其他三人附和道：“干，干。”但显然都没多大的兴致，均想，你戴老板是胸有成竹了，我们却心里连个底都没有。

饭后，戴笠嘱咐陈、王二人回去等他，便与方炳西登上了三轮车，消失在路口。

陈恭澍对王鲁翘开玩笑道：“顺便熟悉熟悉地形。”

说罢二人相对哈哈大笑。

戴笠返回“指挥所”时夜已很深。

陈、方、王三人被集合在楼下大厅里，静待戴老板交代任务。

戴笠从汪逆背离重庆到“艳电”发表大概地对三人交代了一下，然而对于汪在离渝之前就与日本人勾结的情况，却只字不提。

三人均是第一次参加涉及这么高层次的工作，又怎敢掉以轻心，都全神贯注倾听戴笠的讲话。

戴笠从椅子上站起来，郑重地说：“我们这一次到河内来，就是为了这件事！目前，汪逆仍在不断的与日本方面保持接触。最近这两天，我虽然和此地的几个关系人碰过面，也多少了解到一些实际情况，可是总觉得还不够充分。希望大家共同努力，务求发挥我们的工作效能，以不负上峰对我们的期待。”

说完将目光转向朝北的窗子。因为那个方向有期待着他们的上峰，默默地注视了好一会儿才慢慢转过脸来，特意盯了陈恭澍一眼，才又开口道：“这是一次非常难得的机会，你们要好好地掌握。也应该做出表现，否则，我们将死无葬身之地！”

陈恭澍知道戴笠这句话是对他说的，是对他在平津工作不力的责备和告诫，不由得低下头，不敢与戴笠目光相对。

戴笠把目光从陈恭澍面上收回，接着又道：“希望大家能体会到这次任务的特殊性和严重性，这不是一件普普通通的工作，假如我们处置失当，将会惹出麻烦，甚至产生相反效果，你们可要特别小心谨慎。”

似乎还没有说完，沉吟了一下，没有立即接下去，却转身打开了一瓶酒。陈恭澍与王鲁翘从抽屉中拿出四个酒杯，戴笠给四个人把酒斟上，道：“大家先喝一杯，提一提精神。”

戴笠端着酒杯，“嗯”了一声，一转话锋，做出了具体的决定：“我今天上午 7 点半的飞机，就要赶回重庆，这里的事，由恭澍兄负责处理。我在短期内是否能够回来，此刻还不一定，希望炳西兄和鲁翘尽心尽力地协助恭澍兄。”

“在任务方面，我现在可以决定的两点：第一、严密监视汪逆的行动；第二、要多方注意汪派分子的活动。此外，我回到重庆之后，当会随时有电报来。电台和服务人员，日内即可赶到，马上就通报。我们经常保持联络。”

戴笠向陈恭澍投以期望的目光，道：“恭澍兄，希望能集中全副精神主持这件工作，有关一般事务，可由炳西兄去办，无须分心；鲁翘的工作，看将来情况需要，由你来分派。我很了解实际中的困难，等我回去之后，会立即抽调得力同志，火速前来协助，一切放心好了。”

戴笠站起身来，环顾了大家一下道：“就这样吧，大家也都累了，先休息休息吧。”

戴笠招手唤住陈恭澍道：“恭澍兄，你到我房间里来一下。”显得有事要同他单独谈。

其实陈恭澍也有许多话要同他谈。一进室内，陈恭澍便问道：“戴先生，对汪的工作，除了刚才所指示的那两点外，是否还需要做进一步或是应变的准备?”

戴笠用询问的目光看着他，但却没开口。

于是陈恭澍又追问了一句：“是不是把天津的王文他们调来?”问话逐渐向“家”边儿靠拢了。

戴笠略作思考，答道：“发电报、候船期、办手续，耽搁太多，无法控制时间，我看不必了。等我回去之后，我会做适当的人事调排。”

陈恭澍终于忍不住问了句：“此地的工作告一段落后，我是否还回天津去?”

殊不料他的戴老板却把脸一板，瞪着他道：“你结婚为什么不照规定报告团体许可?”

陈恭澍碰了个钉子，便再不敢吭气。

戴笠也看出他不大自然，又展颜一笑，拍了拍他的肩膀道：“你尽管放心好了，我会做安排的，等这事一了，保证会给你一个满意的答复的。”

恩威兼施，正是一种有效的领导手段。

“这几天接触到一位对我们大有帮助的人，他的地位非常特殊，我已经和他约妥，指定唯我亲自和他联络，不能交由第三者去找他。最主要的是他可以提供高级情报，同时也可以供给我们行动线索。”

掏出一张名片递在陈恭澍手中，陈恭澍看了一眼问道：“这就是那个人?”

戴笠未置可否道：“你只要拿这张名片去找他，他一定会接见你，你和他商洽一切就行了。以后如何联系，你们自行约定就是，还有，请你留意，他不是我们的工作同志，对他要有礼貌，也要保持分寸。”

又对陈叮咛了一番，最后一句是：“千万不可轻举妄动。”

朝阳初起的时候，戴笠已登上了飞机，但并没有如他所说的返回重庆，则是去了香港。因为香港还有一人等着他去见。

这个人就是王天木。

戴笠到达香港的时候，王天木已在等他。戴笠一见面便毫不客气地责备道：“天木兄，你当年在天津杀张敬尧的英雄气概哪里去了？到上海好几个月了，竟没做出一点成绩!”

王天木气愤地摇头道：“雨农，你那个赵理君处处跟我作对，叫我怎么开展工作。”

原来，赵理君因刺杀史量才、杨杏佛有“功”，又于最近暗杀了唐绍仪，深得戴老板赏识，以为周伟龙一走，上海区长已非他莫属，谁知却被王天木横插一杆给撬了去，便怀恨在心，暗中作梗，不予配合。

戴笠见他满脸不高兴，便放缓语气说："赵理君年轻，可能有不周之处。天木兄可是团体的老同志了，总不能因为他不懂事儿就不开展工作吧。"

接着话题一转："汪精卫出走河内，发表艳电，我想这些事儿你也清楚，你现在的任务就是尽快杀两个大汉奸，以儆效尤。"

王天木一听，立即面带笑容地道："雨农，放心吧，我已经安排好了。一听你要见我，我就知道是这方面的事。来之前，我已派人着手这方面的工作了。"

"行，真有你的！"戴笠高兴了，拍拍王天木的肩接着问："你找的人是谁？可靠吗？"

"完全可靠，他叫刘戈青，很讲信义，答应的事情一定会尽力去完成的。"

"刘戈青？对。是个好青年。"

可是王天木坚决要求戴笠把赵理君调走。

戴笠无奈，只得让步道："好，等刘戈青干掉一个大汉奸之后，我便调你回北平当特派员，但这之前你得好好呆在上海。"

王天木拍胸脯担保道："你放心，不出一个月，就会有结果！"

刘戈青果不负王天木所望。除夕之夜，伪维新政府的外交部长陈箓横尸沪西愚园路寓所。戴笠得到消息，重赏刘戈青。

除奸慑逆工作的顺利进展，使戴笠的心思又转向河内的工作。当即向河内发电，重申许念曾在这次行动中的重要性："事无巨细，均可酌情与之磋商，任何工作要求，亦无妨咨请办理。”

这位许念曾到底有多大神通，值得戴笠如此倚重与信任？

## 三　刺杀也要探探路

凡事都要有所准备，何况要杀人？

戴笠电令在河内的陈恭澍等人，做好必要的准备，不动则已，一动则必须成功。于是一场刺探汪行踪的战线又拉开了。

陈恭澍凭着戴笠给他的那张名片，敲开了许公馆的大门。

许念曾五短身材，体形粗壮，架着一副深度近视镜，虽说是一个堂堂的总领事，却是平易近人，一点官架子都没有，谁看到都不会将之与特务、暗杀联系起来，而干这种事岂不是正需要这种人？

许念曾笑着把陈恭澍迎进客厅，陈恭澍自我介绍道：“小弟陈恭澍，戴先生临行前，交代小弟来拜会许先生，还望许先生日后多多照顾。”

许念曾倒也坦率：“你们人生地不熟到此处来，必然会遇到许多不方便，我当然愿意协助，不过也只限于幕后而已。”他说“你们”而不说“我们”显然是想表明立场：他并非其中一员，只是从旁相助而已，“万一传言出去说是有我参加在内，那就糟了，所以要请你们谅解这一点才好。总之我做得到的一定做，还请放心。”

“小弟这里先行谢过。”

“到了这里就是自己人，不必客气。以后有什么情况，我会打电话给你的，你有什么事也尽管打电话找我。”

“许先生，有些事情不是在电话里能谈清的，我看，还是麻烦许先生找一个中间联络人，行事也方便，以免产生闲言，于先生有损名誉。”

许念曾低头略一思考，点头道：“嗯，这样也好，这件事儿就交给我来办，到时我会介绍你们认识的。”

因此，这次行动又多了一个曾庆英。曾先生是个老实人，做联系工作是再好不过了。

“这是替许先生办事，也是为国家效劳。”这就是老实人的话。

陈恭澍与曾先生是在许公馆的牌桌上认识的。许夫人无儿无女，又没亲戚朋友可以走动，而陈恭澍与王鲁翘为享用许夫人亲手烧的北方菜，经常光顾许公馆；曾先生则是许先生的手下兼座中常客，饭后的牌桌自然少不了这几个人，而许念曾则避走书房。

这是一个阴沉的午后，许公馆的牌桌上，陈恭澍的兴致正浓，打趣地问许夫人：“许先生讨厌玩牌?”

许夫人一撇嘴儿道：“他才不呢，他是不好意思坐下来，如果有一天他不干这个了，他也许比你们更起劲。”

陈恭澍、王鲁翘、曾庆英三人哈哈大笑道：“什么时候有机会，一定要领教领教许先生的牌技。”

玩得正高兴，门口突然闯进一个人，叫了一声：“曾先生。”看见陈、王二人在座，便把话咽了回去，扫了一下陈、王二人，又用探寻的目光瞧着曾庆英。

曾庆英忙站起来，拉着来人的手问道：“春风，什么事?这儿都是自己人，但说无妨。”然后介绍道：“这位是王先生，这位是陈先生，这位是我的朋友魏春风。”

双方行过见面礼，许夫人便知趣地道：“你们谈，我先回房去了。”

曾庆英问：“春风，有什么情况吗?”

魏春风道：“我发现汪精卫的人订了一张去昆明的机票。”

曾庆英一脸疑惑道：“去昆明？就一张?”

“好像是。”

曾庆英看了一眼陈恭澍道：“你们看该怎么办?”

陈恭澍沉吟了一下道：“什么时候的飞机?”

“明晨7时。”

陈恭澍一拍桌子道：“那好，咱们今天晚上夜探高朗街。还请魏兄指引。”

“没问题。”

是夜，繁星密布，朔风低吼，“如此星辰如此夜”，正是行动的好时候。

王鲁翘在室内踱着步，看看外面的天气，道：“是时候了吧?”

陈恭澍看了看表道：“差不多了，开始行动，春风，鲁翘，你们两个进去看看动静，我和炳西开车在外面接应。”

四人穿戴停当，驾车直奔高朗街二十七号。

春风、王鲁翘一袭黑衣，乘昏黑夜色，逾墙翻进花园，在魏春风的指引下，摸到寓所楼下。

魏春风手指二楼朝街的一间对鲁翘小声道：“那一间可能就是汪的卧室兼会客室。”

鲁翘道：“你帮我一把，我爬上去看看。”

魏春风扶墙蹲下，王鲁翘向周围看了看，见没有什么动静，低声道：“一会儿你到墙那边等我。”说完踩着魏春风肩膀攀上二楼窗外阳台。

王鲁翘透过窗帘的缝隙向里望去。屋内亮着灯，但却没人，屋内一张大床，一排沙发，倒是起居会客之处。

王鲁翘方欲伸手开窗，但听得门声一响，两个人说着话推门进屋。王鲁翘急忙将身一弯，贴着窗侧，倾听室内谈话，他只听得二人之一正是汪精卫，另一个人却不认识。

只听汪精卫嘱咐那人道："此去昆明，关系重大，这封信一定要亲手交到龙云手中。"随即打开抽屉拿出一封信送到那人手中。

又接下来道："时候也不早了，你先回去歇息吧，明天还要赶飞机呢。"

那人道："汪先生，我先告辞了。"

王鲁翘乘汪精卫出门送客之际溜下阳台，来到墙下与魏春风会合，二人依旧翻墙而出，陈恭澍、方炳西正于后街巷口接应，见二人返回，忙问："怎么样？"

王鲁翘把方才的情形大略说了一遍，然后道："咱们盯住那个人，把那封信截下来。"

果然不久，那个人从高朗街二十七号的大门走了出来，叫了一辆三轮车，穿街而去。

王鲁翘道："你们先回去，把他交给我好了。"

陈恭澍道："你一个行吗？"

王鲁翘自信地道："没问题。"也叫了一辆三轮车，对车夫道："跟上他。"向前面一指。陈恭澍等人回到"指挥所"，静候王鲁翘归来。将近午夜，才见王鲁翘匆匆而回。

陈恭澍问道："搞到了？"

王鲁翘不当一回事地道："搞下了。"说着从怀里掏出一封密函，递给陈恭澍。

陈恭澍打开密函，看了一遍，原来是汪精卫煽动云南省主席龙云脱离国民政府，拥护其在西南成立伪政权的密函。

信中写道："……日本对弟，往来折冲，亦比较容易有效。

此弟三个月前不敢求之先生，而今日始求之先生，未知先生能有以应之否？……如先生予以肯定，则弟决然前往；如先生予以滞定，则弟亦不能不谋他去。盖日本以一再迁延，已有迫不及待之势……”其投敌叛国之心昭然若揭。

陈恭澍当下电告戴笠此事，并设法把信送至戴笠手中。

戴笠获此信后，立即密令陈恭澍等做好行动准备，又分别派人从国内秘密携带枪枝、弹药及板斧、匕首等武器，潜赴河内。

同时又将此信面呈老蒋，只等一声令下，开始行动。

河内方面接到“准备行动”命令的时候，增援的人员也已分批到达。

继陈恭澍等之后，首批到达河内的是岑家焯和余乐醒。

岑家焯，军校三期老大哥，广东人，沉默稳重，指挥若定。

余乐醒，湖南人，曾留学法国，化学博士。戴笠电示陈恭澍，指派其为这次行动的“参谋长”和“技术顾问”。

岑、余二人另居别处，建立了“河内行动”的第二个据点。

接下来的一批是余鉴声、张逢义和唐英杰。

余鉴生，杭州警校出身。张逢义，山东人，军校七期毕业生，性情倔强，有勇有谋。唐英杰，四川人，身材矮小，其貌不扬，然而却能开碑裂石，飞檐走壁，确有一番真功夫。

紧接着，陈邦国、陈步云结伴而至。

几人均同陈恭澍等住在一起，几个大男人同住，未引起当局注意亦堪称怪事。可能是许念曾暗中通融之功吧。

就在安顿好来援众人之后一两天，方炳西突然告诉陈恭澍说有一位曹先生要见他相告机密大事。陈恭澍问炳西道：“他到底是什么人?"

炳西道:"是戴先生派来的。"

"有没有指示?"

炳西双手一摊，摇了摇头。

"有什么证件?"

"他是这么说，你们见了面，自然就会明白了。"

"既如此，我就会一会这个曹先生，你陪我一起去。"

曹师昂和他的法国妻子接待了陈恭澍，向他转达了戴笠的指示。

就在曹师昂出发的前夕，戴笠设宴饯行，席间口头指示道:"先与方炳西同志取得联系，再由方同志代约负责人陈恭澍兄和你见面，此后有关工作问题，你们自行研讨就是了，如果你有意见，最好打电报，他们一定会转给我，如有需要，也请你随时提出。"宴罢道别之际，戴笠拉着手交代说:"有一包东西，里面是两支手枪和一盒子弹，请你带到河内亲手交给陈恭澍兄，可千万不能有半点差错。"

听完曹师昂的转述，陈恭澍问道:"戴先生还有别的指示吗?"

曹师昂怔了一下，欲言又止:"没有什么。"

接着从抽屉里取出一个皮包，放在桌上，指着皮包道:"老兄一定知道这是法国属地，他们为了提防越南人民的反抗运动，对于持有或使用武器的，不管是谁，一律判以重刑，我和她为了这包东西，一路上提心吊胆，今天总算可以交差了。"

说着打开皮包，里边赫然是两支美国造左轮手枪，另外还有一小盒子弹。

陈恭澍抓起手枪在手里掂了掂，点了点头，道谢道:"有劳曹先生了。"

现在人也全了，武器也有了，就只等上峰一道命令了。

另外，不久接到上级电告，叫河内方面到海防去接洽三支驳壳枪。

对方是一位稽小姐，从香港带来三支驳壳枪，附有数十粒子弹，交给来人后，神龙见首不见尾，再不现身。

人手、武器俱备，只待上峰交待命令。

就在这个时候，戴笠又有电报来，大意是：“据报，汪某即将离越赴港转日，是否有此迹象，速即查报，并希妥为布置为盼。”

这一命令使陈恭澍、余乐醒等十分为难，因为他们实在缺少汪精卫方面的内线人员。

正当他们在为查复汪某行止而茫无头绪之际，戴笠又来电报催询联络许念曾的事。

“对了，我们为什么不去问一问许先生。”陈恭澍大喜过望，拍桌而起。

陈恭澍连忙去找许念曾，当面请求查明此事端倪。

许念曾答得很干脆：“这很容易，我去问问他们就行了。”

如此轻描淡写，不是开玩笑吧，陈恭澍想。

果真不是开玩笑，下午，陈恭澍就得了回音。

许念曾报告：“汪先生的确是有离开河内的意思，因为他已经向当地主管方面有所说明，不过截止目前为止，汪本人尚未做出任何决定，也就是说想走，可是没有决定什么时候走。至于准备到哪里去，据透露，是先到西贡再搭轮船转赴法国。是否去香港或日本，他们并无所知。”这些话也正是戴笠所要的答案。

陈恭澍刚要向许念曾请教某些问题时，许念曾却反问陈恭澍：“汪先生的动向，你们应该很清楚才对，而且他和中央经常有联络，最近党政各方面也曾前后派过好几次人来，你们都不知道?”

陈恭澍道：“我个人的确不知道，戴先生之所以查询这些问题，想必一定有他的用意，照我的看法很明显是在查证汪某是否真有离开河内的意思，若果是有，当然更需要知道他准备到什么地方去，这都是实话，毫无虚伪，以后像这样的情形还多得是，请许先生谅解才好。”陈恭澍对许念曾的情报来源大感兴趣，好奇心促使他不得不以相当委婉的措辞求许念曾逐一解答。

原来，许念曾所说的“他们”指的都是他的一些外国朋友，也就是提供情报资料，解答汪精卫动向的那帮人。

陈恭澍不由得由衷地佩服他们的戴老板选人的眼光，竟能找到许念曾总领事这么一个神通广大的人物做他们行动的“内线人”。

陈恭澍一伙自到河内以后，首先结识了许念曾，又通过许念曾认识了曾庆英、魏春风、魏春风的女友阮小姐以及阮小姐当警察的哥哥。这一系列的人事关系都源于许念曾，并且这些人在行动中都予以了极大的帮助。

所以，许念曾是必不可少的。

## 四 毒杀汪精卫

杀一般人都不容易，何况杀汪精卫这样的人。

大小特务都是身怀绝技的专事暗杀行动的人员。为了实施这次暗杀他们曾研究过在食物中放毒，在洗漱间放置毒药等方法，但一一都胎死腹中。

清晨，阳光透过翠绿的纱窗，映在陈恭澍的脸上，他正在焦虑的想着如何才能刺杀成功，完成重任，烟头已经遍地都是了，手上仍然夹着一根刚点燃的烟。

对面坐着余乐醒、王鲁翘和岑家焯。

陈恭澍猛吸了几口烟，把烟头扔在地上重重的踩了一脚后又用脚捻了捻，重重的吐出最后一口烟雾，终于开口道：“如今，我们已准备就绪，上面也有指示，让我们有所行动，依我看来，我们执行制裁的手段，不外这么两种：一是使用‘有声武器’，也就是直接用枪击杀；二是使用‘无声武器’，也就是说用板斧等格杀或者是用毒药毙。今天让几位来，就是商议一下我们该如何采取行动。”

余乐醒道：“我主张用毒攻。”

王鲁翘抢着道：“我看还不如真枪实弹地干，杀也要杀个痛快。”

余乐醒不以为然地看了王鲁翘一眼道：“不管用什么方法，我们都应该有个同样的计划，我们不能逞匹夫之勇，为图个痛快利落，而打草惊蛇，贻误时机。”

王鲁翘不屑地道：“就算用毒，也不能保证万无一失，一旦失利，还不是照样打草惊蛇。”

余乐醒道：“难道你怀疑毒药的药性吗?”

王鲁翘不无肯定地哼了一声。

余乐醒拿出专家的架子也哼了一声道：“我也不想浪费时间去跟一个外行解释问题。”

王鲁翘又道：“就算你的毒药能毒死一头大象，还得看你怎么才能把药塞进它的嘴里。”

余乐醒反问道：“我不信你每天不吃饭?”

陈恭澍截下二人的话头道：“你们先别争，具体采用哪一种方法，我们还要依实际情况而定，用毒失败也有过前例，但以狙击的方法也不是每次都能成功。二者互有长短，但只运用得当，都一样能发挥效力。”

余乐醒道：“用毒攻我想也是戴老板的意思，我来之前，戴老板就一再嘱咐我要帮你们做好这件事儿，现在药品也运来了，我想我们不妨试一试。”

其实其他人又哪会想到戴笠派化学博士余乐醒来的目的。

陈恭澍无声地点了点头。

王鲁翘见余乐醒搬出戴笠坐镇，也不好明言反对，但心里仍不以为然，道：“就是用药，也得想法把药送到他嘴里去呀。”

陈恭澍道：“鲁翘兄说得有道理，这就要看我们有没有这个机会，能不能制造这个机会，乐醒兄，依你看呢？”

余乐醒“嗯”了一声，搔了搔头，显然这方面他是个外行。

几人中只有岑家焯始终一言不发，不置可否，散会后陈恭澍征求他的意见。

岑家焯摇头道：“我看恐怕是白费心机，因为如果不能得到汪家的内应，是很难做到好的，可是要想从汪的家属仆从中找到一个合适的人，那又几乎是不可能的事。你看呢？”

陈恭澍苦笑着摇摇头，叹了一口气转身回房，心想，哼，热中此道的人是不到黄河心不死啊。

许念曾对这件事怎么想呢？

“我看这样做最好，不论结果成败，顶多只能引起一些猜测，绝不致惹出太多麻烦。”

陈恭澍坦白道：“现在只是机会问题。”

许念曾自告奋勇道：“我会替你们寻找机会的，你们先做好一切准备。”

许念曾的反应对这个计划的实施起了推波助澜的作用。余乐醒也干得兴致盎然。

余乐醒为坚定陈恭澍的信心总不厌其详地说明研制成功的药品。说话时一脸郑重。陈恭澍也耐心地听他道：“已经实验过多次，性能和效果都非常的好，只要能够使对方吸收，可以保证万无一失。”

说着余乐醒从包里取出一个纸匣，打开后，里面有三个贴着A、B、C标识的玻璃瓶，里面都是无色液体。

他拿起A瓶，拔了塞子摇了摇，解释说：“这一瓶装的是主体药物，另两瓶则是配料，用的时候，要看目的物的不同，视情况差别随时调配剂量之轻重，这种液体，无色无嗅，也没有沉淀物质，可不能凑近鼻子去闻，那也会中毒。这种东西如果注射到体内，一滴便足以致人死命。”说完又小心翼翼地把它放回原处，又补充道：“曝光或着热会减低药效。”

正说话间，方炳西走进来对陈恭澍道：“刚才许先生来电话叫你过去一下。”

陈恭澍道：“好，我马上去。”

许念曾一见面便迫不及待地告诉陈恭澍：“有一个送面包的不知能不能加以利用?”

“这个送面包的是个本地人，每天早晨替面包房为订户送面包。哪一家都可以订，如果我们要订，只要在市区以内，当然也可以叫他按日送来。如果需要每天送两次，我想他一定更欢迎。”

“这倒没什么，值得注意的是汪公馆也订了一份，这一层你们可以去查查看，如果没有问题，是不是可以动动脑筋，我想应该可以用得上的。”

陈恭澍道："那我们怎么与送面包的搭上桥呢?"

许念曾又道："你们如果有意一试，去和曾先生谈谈，便可以找到这个送面包的了，因为他家里就订了一份，已经有很久了。"

陈恭澍答谢道："打扰许先生了，我先回去研究一下，再找曾先生商量，我先告辞了。"

辞别了许念曾，陈恭澍马上找到余乐醒，告之一切。

余乐醒肯定地道："依我看这条路一定行得通。"

陈恭澍道："目前首要问题是怎样才能把带毒的面包通过送面包的那个人，送到汪家去。"

余乐醒手捏下巴想了一会儿道："最好是'掉包'，如果是掉包不成，可以对送面包的进行收买。"

陈恭澍摇头道："这就要仔细斟酌了，一来收买的希望不大，即使是收买成功，事后也有线索可查，跑了和尚跑不了庙，麻烦会很大；再者万一送错了人家，岂不殃及无辜，打草惊蛇。"

余乐醒道："那我看就用'掉包'法吧，用我们的人顶替那人去送面包。"

陈恭澍点头道："要不就这样了，我们绝不可假手别人。"

陈恭澍接着又提出一层顾虑道："即使把有毒的面包送到汪宅，谁能保证只汪精卫一人食用，弄不好会有很多人遭殃。"

余乐醒不以为然地道："我看也顾不了这么多了。你先叫人弄几个面包来，咱们不妨先试一试。"

陈恭澍只得依照许先生所言，去找曾先生，问明面包店的所在，托魏春风代为洽定。

果然，第二天魏春风拿回一大堆各式面包。送走魏春风，陈、余二人便躲进浴室里进行可行性试验。

余乐醒取出一瓶药水，拿注射器吸了一点对陈恭澍道：“你把面包拿稳。”接着慢慢注入面包里面。看他的面色好像不太成功。

余乐醒拿了那个面包道：“等一下我们再切开来看看有没有变化。”转身到客厅去了。

陈恭澍冲余乐醒问道：“我再来试试那个毒面包好不好?”余乐醒在客厅中答道：“可要小心，千万不能溅到身上，以防发生意外。”

陈恭澍拿起余乐醒用过的注射器，吸了一点药水，毕竟是个外行，笨手笨脚一下把针头滑偏，药水没注进去，却反射了回来，可能是心理作用，感到脸上溅上了药水。

吓得陈恭澍慌忙丢下针管，扭开水龙头，弯下腰去，闭上眼睛，再从头下一个劲猛冲。虽然干的是不怕死的工作，但真正到了性命交关的时候，还是禁不住紧张失态。

冲完之后，又暗自咬了咬舌头，依然有痛觉，这才心安不少。

一回头见余乐醒站在门口，想是适才的丑态尽为他所见，不由得尴尬地一笑。

余乐醒微笑着点点头叫陈恭澍到客厅去看那块注了药的面包。

余乐醒道：“注射后虽有异样，但一般观察不出，只是沾药液的部分略呈现淡黄色。”

陈恭澍道：“既如此，我们就尽快付诸行动吧，以免夜长梦多。”

初春3月，河内已是满城春色，路边的花开得也正是时候，风吹过，送来花香阵阵，其中还夹杂着面包房里传出的烤面包的香气。

余乐醒和魏春风就站在街头。

他们等的人终于出现在面包店的门口，推着一辆送面包的车子。

就在这时，一辆车子从巷口转入，停在那个面包车之前，从车中下来的赫然便是曾庆英，他同那个送面包的伙计说了两句什么又指了指车子。那个伙计点了一下头，回身转入店中。

曾庆英见他进了店，回身向隔街的余乐醒、魏春风招了招手，二人迅速提着已注入毒药的面包奔过去，在车上找到标有高朗街 27 号字样的盒子，把准备好的面包换了进去，又迅即溜开。又过了一会儿，才见那个送面包的人从店内出来，手里又提了一盒面包。

余乐醒和魏春风二人驾着那部福特轿车暗中跟上了送面包的车子。

终于来到高朗街 27 号的门口，二人见那伙计提着面包进了汪宅，不禁相视一笑。

可谁知过了一会儿，那个伙计，又把面包原样提回，二人相顾愕然。

事已至此，只得由魏春风负责把那盒带毒的面包截下处理掉，回复陈恭澍。

余乐醒精心策划的“面包”计划就此流产了。

谁又能想得到，偏偏那天汪精卫不吃面包，而把它退回来呢？是有所发现呢？还是巧合？如是巧合，也未免太巧了点儿吧。

余乐醒仍不死心，一个用毒气毒杀汪精卫的计划又悄悄出笼了。

这个方案的产生始于许先生带来的一条消息：“听说最近汪宅需要一个水管修理工去修自来水管。”

余乐醒听到这个消息，不禁喜上眉梢，跃跃欲试地道：“这可是个好机会，这次一定要好好把握。”

陈恭澍道：“乐醒兄，你说咱们该怎样利用这个机会呢？”

余乐醒道：“上次我们用毒药未能成功，这次我们就用毒气。”

陈恭澍问道：“哪来毒气？”

余乐醒从箱子里拿出他的又一件“法宝”。

那是一个金属圆筒，体积不大，手大的可一把握住，上面有个盖子，旋开来，又有一个扣紧的覆盖，掀掉后顶端有许多小孔，看上去倒像厨房里装胡椒的调料瓶。

余乐醒一面抚弄一面解释给陈恭澍听，道：“这也是液体，有极大的挥发性，通热挥发更快，吸入体内，可由休克导致死亡，如果放置在浴室内，而又是洗热水澡，挥发得就特别快，那就更见效果。”

陈恭澍“哦”了一下道：“乐醒兄是说把这个东西摆在汪家的浴室内。等汪一洗热水澡，就从此出来了？”

余乐醒道：“当然没那么简单，如何才能把这个东西放进汪精卫的浴室，应该是首先需要解决的问题。”

陈恭澍道：“你说利用这个机会，就是要解决这个问题？”

余乐醒点点头道：“这个办法我早就有所打算，只是考虑把这个东西放进比较困难，便没有提出来，现在不是有机会了？”

陈恭澍一笑道：“你是说要咱们冒充水管修理工，混进去安放毒气瓶。”

余乐醒道：“就是这个意思了。”

陈恭澍下决心道：“好！就这么办。”

由于这次行动的人员中大多不懂越南话和法语，所以陈恭澍又想起了魏春风。

这时魏春风也正走在春风中，仿佛与春风溶合为一体，名是春风，人如春风，从他脸上的笑容不难想象他心情何等高兴。

谁有了阮小姐这样的女朋友都会高兴的，更何况她就在他身边。

曾先生其实不是个不识趣的人，可还是迎了上去。

魏春风见是曾先生，便上前打招呼道："曾先生，你找我有事吗?"

曾先生向阮小姐点头问好，对魏春风道："陈先生有急事儿找你商量。"

魏春风道："那好，我现在就过去吧。"

说完转身走到阮小姐面前用越南话低声嘱咐了几句，便同曾先生上车直奔河内指挥所。

阮小姐立于风中，长发在风中飘起。

雨后，清晨。

陈恭澍望着魏春风穿着一身工作服，背着工具包出发，毫无由来地想笑，却笑不出。

魏春风是河内土生土长的，完成这项任务可以说是万无一失。

但陈恭澍总是隐隐觉得有些不妥，但究竟不妥在哪里，自己也说不清楚。

将近中午时候，魏春风才赶回来，一切都非常顺利。

余乐醒也为自己计划的"成功"暗自高兴。

可是意想不到的是，几天过去了，却没有一点动静，汪精卫活动如常。

原来他们的计划忽略了一个重要的问题，说重要，其实也很平常，按原计划是汪某洗澡时中毒，可是他要是不洗澡呢？药水终有发挥殆尽而失效之时。

这个道理太平常，也正是太平常，才容易被人们忽略

他们事先真的没有想到，汪精卫夫妇竟然三天没有洗澡。

1939年3月29日的凌晨。

陈恭澍接到命令，“立即对汪逆精卫予以严厉制裁。”陈当即回电，并召集同住的七人，传阅命令，分派职责，严告各位处于战备状态下，听候召令。

分派完毕，天已微明，陈恭澍与方炳西又驾车往许公馆去见告许念曾。除去情理与道义上的因素，这次行动的善后工作还要多多仰仗许念曾，当然有通知他的必要。

许念曾早就料到会有这么一天，所以并不觉得如何突然，就此表达了他自己的见解，他道：“如果以除害的法律观点来说，这当然是无可奈何中的一种制裁方法，若是牵涉政治纠纷上去，这并不是一个最明智的解决办法。”

陈恭澍加重语气肯定道：“汪的事情，绝不是一个单纯政治上的问题，而且还牵涉到国法的问题，很明显的，他是在两国交战状态中，背叛了自己的国家，而通敌谋和。”

陈恭澍这话很显然是努力增加这次行动的正义性。而这并不是他们谈话的重点，许念曾只希望他们做得干净利落，千万不能拖泥带水，不要给他多添无谓的麻烦。

陈恭澍临行请教许念曾：“上级既然下达了制裁令，我已经大致决定就在这两三天之内采取行动，在时间上不知道适当不适当，许先生如有什么指教的地方，请明白见告，都可以商量。”

许念曾想：“没有什么了，自然是越快越好，以免夜长梦多。”

当晚，陈恭澍又派唐英杰、张逢义去做最后一次侦察，唐英杰有飞檐走壁之能，做侦察工作最恰当不过。

陈恭澍觉得这一夜特别漫长。拂晓前，唐英杰回来报告道："我去过了，是在张逢义的监督下进行的。我在楼顶停留了很久，一点动静都没有，夜里开着灯的还是三楼的一间，不会错，他就住在三楼。"

于是，高朗街 27 号三楼的那间卧室，就成了这次行动的最后目标。

陈恭澍、王鲁翘和余鉴生三人正吃早饭间，魏春风风风火火地跑进来通知道："汪家正在打点行装，有全家外出模样，还不知道要到哪里去?"

一分钟后，许念曾也来电话称："他偕同家属准备午前动身到打叻去，是否在那里住几天或者转道西贡，就此放洋，此刻还弄不明白。"

汪精卫去打叻干什么？是走漏了风声惊动了他？时间紧迫，陈恭澍也不及细想，立即召集众人下达命令："张逢义、唐英杰、陈邦国、陈步云各自携带武器，集合待命，准备出发。"

陈恭澍又对魏春风道："春风，请你回去联系当地运用人员，不露痕迹地守候在汪的寓所附近，无论发现任何举动，务必火速电话传讯，拜托。"

之后又同王鲁翘检查了那辆轿车，加足了油，以备使用。

上午 10 时，魏春风打电话来通知道："有两部黑色大轿车，已经从汪家大门开走，我如果判断不错，看样子是朝红河大桥那个方向驶去。"接着又道："看见了，有很多人，他们两夫妇都在内。"听得出他正在一边打电话，一边监视。

陈恭澍立即带唐英杰、张逢义、陈邦国、陈步云跳上车，向红河大桥追去。

一路上几人沉默无言，无形的重压和紧张封住了他们的口。

车抵红河大桥时，偏巧遇到整修桥面，所有车辆单线通行，过个桥用了十分钟，张逢义急得不由连声骂。

过了桥，陈恭澍加大油门，连越数车，飞驰向前。

是日晴空万里，目能及远。走了一程，终于在八九百米的前方发现了目标，两辆黑色大轿车停在路旁。

目标渐渐接近，渐渐清晰。一辆车前座上探出一支手臂，后座窗子没有开，阳光反射也看不到什么。

陈邦国建议道：“那两个家伙一定在那两辆车上，咱们冲过去，拔枪就打，干完了再说。”说着就要起身行动。

余鉴声伸手按下陈邦国的肩膀反对道：“不要胡来，还是判明车子上究竟是些什么人，再决定下一个步骤，才比较妥当。”

陈恭澍道：“好，咱们把车子开过去，看个究竟再说。”

陈步云及时提醒道：“我们要当心对方有保护他们的警察。”

陈恭澍加快车速从那两辆车前飞速而过。他要把住方向盘，不便扭头看，嘴里提示道：“注意看清楚。”

车速太快，交叉的一瞬，如浮光掠影，但这已足够。他们要知道的已清楚了：两部车上共有九个或十个人，汪逆夫妇和曾仲鸣均在其内，其余几人均不识。

阵恭澍问道：“其他几人可有警探?”

几人异口同声道：“那几个人不像是警探。”

忽听得陈邦国大叫一声：“赶紧掉头，他们跑了。”

陈恭澍紧急刹车，这时车已越过数十米，掉转车头时，那两辆车已飞驰而回。

“追。”陈脱口而出。

载汪的车居前，另一辆居后，速度也快，双方距离逐渐拉长。

陈恭澍想，经过大桥时，车总会慢下来，到时一定能追上。

时不利兮！谁知巧事连连，就在桥边追上之际，汪精卫的两部车刚通过，啪，绿灯变红灯，给隔住了。

陈邦国又发牢骚道。“我说冲上去就干多省事，这不是找麻烦吗?”

陈恭澍也有点气急败坏，但多少还存在一点追上他们的希望。

别说，还真给他们发现了目标，可路上车辆特别拥挤，可望而不可及，只有尾随的份儿。那两部车果然又回到高朗街。

几人一路穷追，落了个徒劳往返，铩羽而归。更加暴露了身份和意图，打草惊蛇。

大家从河内桥回来，懊丧已极，既不想休息，也不想吃东西，话也不多说一句，只是越想越窝囊。

目前最重要的也只有汪精卫动态情报这一点了。陈恭澍请王鲁翘把魏春风接来，又联络方炳西，请他与许念曾保持接触，以多了解汪精卫的动态。

午后，艳阳高照。王鲁翘领魏春风和阮小姐一起进来。陈恭澍把魏春风拉到楼上，大概说了一下刚才追汪的经过后便要求道：“春风，你要尽最大努力用一切可行的办法，盯牢汪家的一举一动；你那位阮小姐如果可以帮忙，再好不过，由你去托付就是，至于……”想是要许什么愿又说不出口。

魏春风何等聪明，不待他说下去，便毅然道：“只要我能力所及，一定会用心去做，但得报效国家，绝无任何要求。”

面对这个青年，陈恭澍真的有一点敬佩他了。

当天下午4时，魏春风打来电话，急火火地道：“他们夫妻俩，正站在门外的草坪上边说话，好像在争论什么，你看怎么办?”

陈恭澍道：“你先走开，我来看看。”

当即召王鲁翘、张逢义开车前往，谁料等他们赶到又是踪迹杳然，扑了个空。

事情糟到这步田地，大多数人都有些冒火。索性一不做，二不休，陈恭澍决定就在当晚进行一次突击性的强攻。

“鲁翘、鉴声、英杰、邦国四人进入宅内，邦国兄勇猛强悍，为开路先锋，英杰紧跟其后，引导上楼，你熟知地形，足当此任；鲁翘为主、鉴声为辅，二人同力执行锄奸，彼此接应，互为掩护，逢义、步云二兄在外巡逻以为哨戒。”

分派已毕，只待夜幕降临。

星河半转，已近午夜。一辆福特轿车在高朗街左侧的一条巷道中停下来。

王鲁翘等几个人还不曾跳下车，突然两个越南警察从暗处冒出来走到车前，叽叽咕咕不知说些什么，又打手势，这才明白是叫他们不可在此停留。

当此进退两难之际，魏春风及时出现了，也没多问，拉着两个警探走向暗处，嘀咕了几句，然后跑回来问：“你们身边带钱了吗?”

陈恭澍伸手把口袋里的钱全掏出来。魏春风数了数道：“都给他们算了。”

这才算把那两个警探打发走了。

高朗街27号笼罩在一片榕树和椰树之下，夜风吹来，有如群魔乱舞，阴森恐怖。

陈恭澍仍在车中接应，六人摸到后院门边，门是关着的。张逢义要破门而入，被余鉴声拦住，道："不能弄出响动，英杰，你先进去设法把门打开。"

唐英杰身一纵，攀住墙头，翻身跃过。摸到门边，见门不仅上了栓，还加了把锁，试着扭了扭，没有动静，低声骂了一句："格老子，这帮龟孙子。"

忙从墙头窜出头来示意。墙外陈邦国领头一一踏着张逢义的肩头翻过来。留张逢义在后门边，陈步云游于巷道之间以为呼应。

后院与后门之内的小院隔了一道门，是通向目标的唯一途径。陈邦国推了推门，又转了转门球，不见动静，也不多加思索，抽出腰间事先备好的板斧，连劈带砍，又用脚一踹，门果然应声洞开。

这一声巨响显已惊动汪宅的人。

王鲁翘气势如虹，不待唐英杰领路，率先手持武器冲上楼梯，余鉴声、唐英杰紧跟其后相继登楼。

陈邦国则是以攻为守，留在底层，掩护上楼，守住出路。这里刚定下神儿来，忽然发觉有人推开房门，探头偷看。陈邦国一时情急，抬枪就射，嘴里喝道："再出来老子可要真揍了。"对方果然惊叫了两声，缩了回去。

忽然，陈邦国眼角瞅见一个黑影奔向车房躲进车下，陈邦国抬手一枪，只见火星飞迸，显然没有打中。

王鲁翘飞步上了二楼，楼梯口灯还亮着，他伸手把灯关掉，转上三楼，猛然间一个年轻人从楼梯后钻了出来，同王鲁翘打了个照面，双方各自一惊，王鲁翘见对方空手，稍稍放心，小声威胁道："不要喊叫，赶快回去，小心崩了你。"也不顾那人反应，登上三楼。

王鲁翘到了三楼，手扶栏杆往下一瞄，见余鉴声已站在二楼楼梯口，问道：“看见那个人没有?”余鉴声摇摇头。

王鲁翘见无后顾之忧，大胆奔向右首靠前端的那间主房，推了一下门，推不动，后退两步，借着那股冲劲，一脚踹去，还踢不开。

情急智生，回到楼梯口，示意将板斧传上来。唐英杰三纵两纵把板斧带上三楼。

随后余鉴声也跟上来，叫唐英杰下到二楼警戒。同王鲁翘合力劈掉房门中间的一块木板，探手摸着里面的门球转了好几次，还是打不开，显然是上了锁。

此刻门板已漏了一个大洞，王鲁翘蹲下身子，歪头朝里一看，灯光照射下，只见床铺底下趴着一个人，而且是个大男人，上半身蔽在床下，腰背双腿全露在外。

王鲁翘先入为主的意识作用，立即判断，这个人就是汪精卫。

当下也不迟疑，举枪便射，一连三枪，眼见那颗颗子弹洞穿那人腰背。

王鲁翘站起身来，又踢了一脚门板，骂了一句“他妈的”。对余鉴声道：“完了，撤!”

陈恭澍等在车内只不过几分钟时间，却好似过了很久。不明事态进展，更是忧心如焚。

其时已过午夜，陈恭澍开着车在附近兜着圈子等候接应退出的人员。

约摸过了两三分钟，突然发现王鲁翘双手插着口袋，从一条巷子中转出来。陈恭澍嘎地刹住车，王鲁翘也已看见，奔过来跳上车。

二人开车又转了一圈，可一个人也没接到，这时只听得警笛尖鸣，警车呼啸而来。二人不敢再逗留，驾车返回寓所。

路上，王鲁翘交代了一下经过。陈恭澍顿时如释重负，这是受命执行此案以来最为兴奋的一刻。

二人回到寓所，静待其余五人归来。过了七八分钟，唐英杰和陈步云二人先后回来，其他三人却是毫无音信。

陈步云提议道："我出去找找看。"

陈恭澍拦住道："我看不必了，该回来都会回来，现在到哪里去找？外面情况如何我们也不知道，弄不好反而坏事，一动不如一静，还是等一等好。"

凌晨5时许，电话铃响起。

是许念曾，他劈头就道："你们搞错了！那人好好的一点事情都没有，受伤的是曾仲鸣……"

王鲁翘问了句："什么事？"

阵恭澍轻描淡写地答道："打错了。"

许念曾又接道："有三个人被逮去了。"陈恭澍知道是余鉴声、陈邦国、张逢义三人。许念曾在电话里沉默了良久叹道："唉，江流石不转，遗恨失吞吴。"

戴笠接到行动失败的消息是否也会发此感慨呢？

这次行动自始至终是由他亲手或幕后操纵的。博浪一击，误中副手，戴笠当然没有想到这次曾仲鸣的被误刺，更加快了汪精卫投敌卖国的步伐，促成了汪伪政权的建立。

戴笠怒火渐息，眼望窗外。

窗外，西风萧萧，春水犹寒。

汪返沪后，戴笠接二连三的派自己的亲信去暗杀汪精卫，但最终都是"壮士一去兮不复还"。

1939年5月，戴笠闻知汪精卫已抵达上海，并与以原中统特务丁默村、李士群为首组织的汉奸特工组织合流，知道仅靠上海区从外围狙击一时难以得手，决定另辟蹊径，派遣军统特务戴星炳利用过去是“改组派”的关系，打入汪精卫身边，伺机下手。

戴星炳奉戴笠命令，经香港到达上海，佯装投靠汪精卫。但因戴星炳原在改组派中的地位不高，投汪后并不能得到重用，因而难以与汪接近，加之汪此时经两次暗杀，早成惊弓之鸟，处处严加提防。结果混了半年多，工作并无进展。戴星炳感到再这样混下去，对戴笠、对蒋介石都难以交代，于是写信建议汪精卫，说他可以回广东策动张发奎、李汉魂、邓兆龙等原粤系将领投汪。其本意原是想借此抽身，向戴笠交差。但戴笠并不肯放戴星炳过关，他决心刺汪成功，代价再大也在所不计。于是决定增派军统局书记长、凶悍的大特务吴赓恕亲率10名特务，随戴星炳秘密返沪，实施刺汪计划。

戴星炳第二次重返上海，吴赓恕等人也先后潜赴上海，开始工作。按照戴笠对戴星炳、吴赓恕交代的新计划，如果刺汪行动一时不能得手，可以先打击其他仅次于汪的大汉奸。于是戴星炳、吴赓恕决定先取伪上海特别市市长傅筱庵。但因事机不密，戴星炳被76号逮捕。丁默村、李士群了解到他的身份后，决定通过他与戴笠联系，目的是使76号与军统暗中携手合作。戴星炳答应了丁、李的要求，并给戴笠写信，军统局也复函同意。但复函中通过粗细笔划的运用，另给戴星炳秘密指示，命令他伪装合作，寻机除去丁、李，加紧除汪。丁、李破译此信后，恼羞成怒。当即将此案密报汪精卫，汪对戴星炳的“背叛”极为痛恨，大笔一挥，立即枪决。戴星炳成了刺汪行动中第一个被处死的军统大特务。

二次刺汪行动流产后，戴笠并没有因此而放松部署，仍然电令吴赓恕，要他继续活动，伺机刺汪。吴赓恕是军统内资格很老的大特务，因其骄横凶狠，很受戴笠器重。这次领衔出征上海，曾发誓不取汪精卫首级决不回重庆，戴星炳一死，他就积极活动，多方打听，终于找到在伪维新政府当科员的老同学陈承纶，再谋刺汪的对策。因汪精卫在广州农运所任教官时，与陈有师生之谊，吴便威逼陈承纶利用与汪的师生关系去接近汪精卫，伺机在汪宅或办公处所安放定时炸弹或下毒，置汪于死地。

陈承纶是一个胆小怕事的小公务员，根本无胆量去谋汪之头。但吴赓恕的心狠手辣、凶野蛮横的威名使他亦不敢拒绝吴的要求。他考虑再三，为今之计只有让汪精卫来对付吴赓恕，自己好从中脱身。于是，陈承纶将此事经过向汪全部密报，由汪交 76 号设计将吴逮捕，立即枪决。吴赓恕成了刺汪活动中第二个丧命的军统大特务，第三次刺汪行动随之失利。

吴赓恕的死讯由军统上海区报告戴笠，戴极为伤心，同时也更加激起了戴对汪的报复心理。为此，他重新调整部署，一方面派智勇兼备的军统行动专家、河内刺汪行动组组长陈恭澍接任上海区区长，以加强对刺汪行动的领导；一方面用内外结合的方法，在上海建立北极冰箱公司，作为刺汪行动的密点和联络站，通过该站再收买随王天木投汪的 76 号第二处专员、原军统特务诸亚鹏，四谋刺汪之策。整个行动由北极冰箱公司经理、军统特务陈三才指挥协调。考虑到汪精卫此时出入都乘坐保险汽车，戴笠还为陈三才配备了 2 枝穿甲枪，以作狙击汪的汽车之用。这件案子本做得极其机密，戴笠也寄予厚望，不料被军统特务吴道绅出卖，结果陈三才被捕，诸亚鹏供认，所有刺汪行动计划、文件与枪支弹药全部被抄，陈三才也被 76 号结案向汪具报。第四次刺汪行动也半途夭折。

四次刺汪行动都以失败告终，但戴笠仍然铁了心要取汪之头。他总结了多次失败的教训，决定再次变换部署，挑选一名能够接近汪精卫的壮士或侠客，在汪接见时，不须借助凶器或毒药，只凭拳脚功夫，当场取汪之命。这样既能通过汪处警卫人员的严密检查，又能简化步骤，迅速实施刺汪行动，减少在长期准备过程中暴露行迹的风险，经过戴笠饬令军统行动处多方寻找，居然物色到一名理想的行动人员。此人名叫黄逸光，广东人，其手腕力量极大，据说曾打死过1只老虎。平时从事童子军活动，抗战前组织徒步旅行团，自任团长。到南京后，当时任行政院长的汪精卫曾接见过他1次，并合影留念。

黄逸光受命后，当即带着照片到南京晋见汪精卫。此时汪已“还都”南京。因多次破获军统组织的刺汪案件，汪早已“成精”，保护更加严密。自改组派分子戴星炳因刺汪行动案被枪杀后，更是对前来投靠的各种故旧亲朋严加提防，防止他们是戴笠派出的刺客。现在黄逸光仅凭当年1张发黄的照片便要求晋见，汪当然不会放心，于是先秘密派76号特务调查一番，果然从他下榻的中央饭店房间里搜出4英寸穿甲手枪1枝，达姆弹10发，照相机1架，小型电台1座及密码本。据此，76号特务将黄逸光当即逮捕，并从黄逸光身上搜出一包毒药。原来，黄虽然带了枪支弹药，但按照戴笠的交代，并不想使用。按原计划只想利用与汪的同乡和故旧关系，在汪接见时，只凭巨大的臂力将汪掐死。万一自己脱身不了，就当场吞药自杀。汪精卫闻报，毫不迟疑地批示枪决。黄逸光成了刺汪行动中第三个丧命的军统特务。此时，陈三才尚关在监狱中，汪精卫一时无暇顾及。岂知关了一段时间后，陈三才的家属贿通汪精卫的连襟褚民谊，要他向汪进言，开释陈三才。岂知褚不提还可，一提反倒提醒了汪精卫，他当即从一大堆文件中，找出

76 号上送的那份报告。这时的汪精卫，早已铁了心，杀人也早杀红了眼，凡有刺汪行动的人，决不宽恕手软。于是当即在报告上立批“着即枪决”4 个字，陈三才成了刺汪行动的第四个牺牲者。

从 1939 年 5 月到 1940 年的 1 年时间里，戴笠为刺杀汪精卫，又连续五次组织行动，不但投入了很大精力和物力，而且连损 4 员大将，仍然寸功未建。这使戴笠不得不承认汪精卫确是条很难对付的老狐狸。戴笠虽然对汪恨之入骨，必欲啖之而后快，却又无可奈何。终于在计穷力竭之际，决定将刺汪行动暂时放搁一边。这是戴笠自出山以来所受到的一次最惨痛的失败，比起张超被政学系人物陈仪所杀，还要刻骨铭心。蒋介石对戴笠组织的刺汪行动屡屡不能奏效，深感失望和不满，对军统的行动效率大加斥责，所幸这期间戴笠依靠杜月笙的神通，分化汪伪集团，策动高宗武、陶希圣出走成功，颇有战功，故蒋对戴未予深究。

高宗武、陶希圣都是自认为帮助汪精卫策划“和平运动”有大功的人，在汪精卫“组府”分赃的过程中，高一心要当伪外交部长，陶自念当个冷衙门的教育部长总是差强人意的。但是，“组府”的名单敲定后，汪只给高一个伪外交部次长的位置，给陶一个伪宣传部长。为此，两个人愤愤不平，认为给汪运筹帷幄，冲锋陷阵，出了这样大的气力，竟不能谋到一个像样的部长当当，不免心怀抑郁，感到当汉奸也当不出一个名堂，只好动动别的脑筋吧！

恰在此时，杜月笙在香港接受了戴笠要他在汪伪集团中物色对象，伺机进行策动投蒋的任务，也在暗中对高、陶动足了脑筋。担任杜月笙与高、陶之间联络任务的是徐寄纲和黄漱初。徐与杜都是当时上海市商会的常务理事，两人交情非浅。

上海沦陷后，杜、徐先后赴港，黄与徐一为梁启超的进步党人物，二为温州同乡，三为商界搭档，因而私交甚笃。而黄溯初与高宗武、陶希圣都是小同乡，且与高宗武有师生之谊。杜月笙受戴笠之托，商之于徐寄纲。徐遂引黄见杜，3 个人密商结果，认为可以利用黄溯初到上海策反高宗武、陶希圣投蒋。杜当即将此事通过军统香港区长王新衡电告戴笠，由戴笠开出条件或价钱，好使黄到沪活动。戴因此时在重庆一时不得脱身，故请杜到重庆面商。杜到重庆后，与戴笠商量的结果，认为最好还是由黄先到上海探听高、陶的口风，如他们愿意回头，则可以先开出价码，然后再由戴笠报告蒋介石批准。杜一听亦认为言之有理，于是在渝停留 3 天就匆匆返港，然后先从自身腰包里拿出一笔活动费垫上，送黄溯初上了去上海的豪华客轮。

黄溯初在上海活动了半个月，劝其回头。高、陶早有悔意，所虑的是头上已有了一顶大汉奸的帽子，回到重庆时会受到惩处。其意也就是要蒋、戴表态，必须先给他们把那顶汉奸帽子摘掉。

杜月笙对此事无权裁处，电告戴笠，戴请示蒋后，蒋嘱戴邀杜赴渝面商一切。于是杜月笙第二次飞渝，蒋听完了杜的详细汇报后指示说，只要高、陶脱离汪伪集团，可以既往不咎，要官做，就给以相当的工作，愿出国考察就给资出国，一切由他们自己选择。如果他们能将日汪密约带出，另有重赏，蒋并叫财政部长孔祥熙发给杜月笙港币 10 万元，作为策动高、陶的活动费和补助高、陶的生活费。

黄溯初第二次去上海转达了蒋的指示，并表示一切由杜月笙担保，同时又将蒋给的 10 万元港币，每人给了 4 万元。1940 年 1 月初，正当汪精卫赴青岛参加与伪南京“维新政府”及伪北平“临时政府”会谈将南北傀儡政权合流时，陶希圣、高宗武携带汪精卫与日本梅机关秘密签订的《日华新关系调整要纲》，乘船到达香港，受到杜月笙等的欢迎。杜月笙当即吩咐王新衡用电报向戴笠报告，并由香港区派专人将密约送往重庆。经戴笠报告蒋介石同意，将密约在香港《大公报》上公开发表。陶先在香港居住了一段时间，在日军攻占香港后赴重庆，被蒋留在身边工作，不久因替蒋起草《中国之命运》而再获蒋之青睐。在陈布雷自杀后，更做了蒋的亲随，跟着到处跑了。而高终不敢回重庆，由蒋发给美金5万元，带着爱妻逃往美国。杜月笙策动陶、高出走有功，由蒋发给奖金法币20万元，另由戴笠发给王新衡等香港区内承办人员奖金港币5千元。

陶、高的拆伙使汪精卫的“还都”黯然失色，汪为此痛心至极，大骂陶、高卑鄙无耻。而戴笠也稍解心头之恨，蒋也由此而减轻了对他的斥责。

# 第十四章　除奸抗敌，建携手同盟

抗战胜利，戴笠跃跃欲试，准备大干一场，东边抗敌，西边除奸！不光如此，他还斜着眼睛，盯上了美国鬼子。美国佬有电台，有技术，更有训练方法，而这一切正是特务头子梦寐以求的，打个报告，“老蒋”批准了，一个同盟出生了。

## 一　痛惩汉奸王克敏

华北告急，汉奸纷纷出笼，王克敏就是其中一个……

日军攻势很猛，华北告急，又向中原地带挺进，但由于我国幅员辽阔，城市密布，敌军所占领的城市又多，兵力又分散，地方的秩序维护，物质征发调用，交通畅通秩序等问题繁多，不是敌军三下五除二能解决的，必须没法取得中国人合作，才能以华制华，事半功倍。

因此，日军每攻下一个城市，即扶植一批汉奸，先以“维持会”的名义，“服务桑梓”的话头，组成地方政权，慢慢改变名称，实际上一切仰其鼻息，替敌军办事。同时，尽可能编组华人武装部队，先以“自卫队”名义，帮其侦缉“奸宄”，对付“特务”；如果“表现良好”，逐渐的予以扩充，替他担任部分防务。

当时，最重要的伪政权组织在北平，由前北京政府财政总长王克敏负责，搜刮民财，供敌利用。戴雨农为了严惩汉奸，杀一儆百，下令华北特工组织，设策诛锄。

王克敏既已屈志从敌，明知自己将成为国人狙击的对象，所以防范相当严密，雇有随身保镖和日籍顾问，进出家门，都随护左右。加以敌军北平城内，收买狗腿细民，专以搜捕“蓝衣社”人员为急务，对被认为形迹可疑的熟面孔，派人跟踪，甚至经常突击检查住所，因此，诛锄工作不易进行。

当时，天津站有一个行动组，组长王文、组员李连福等人。于是，由北平区和天津站密商，为了避免敌人的耳目，将该组临时密调北平，出敌不意的进行锄奸工作，功成迅速返回天津，使敌伪防不胜防。

1938 年 3 月，王文等一行五人由天津赴北平。经过一番布置，当月 28 日，潜伏在王克敏返家必需经过的煤渣胡同之内。下午 5 时 20 分，乘大雨如注，胡同内行人绝迹之际，拦阻王乘坐的汽车，数枪齐发，击中目标后，立即撤退，安全返回天津。

王克敏虽被击中，但因其日籍顾问山本荣治紧急俯伏王的身上，代王受弹，以致山本荣治身中数弹，当场毙命，王克敏则仅成重伤，侥幸逃脱惩罚。

部队方面，敌人虽然也组成些“自卫队”，可是，毫无作用；欲想利用过去的华人军队，加以整编，给予名义，供他驱使，又怕靠不住；冀东保安队的突然反正，就是前车之鉴。于是，敌人想起了组织“皇协军”的新花样。

日军的部队，自称是“皇军”，表示效忠日本帝国；那么由华人组成的军队，也效忠日本帝国的，就叫“皇协军”。这和后来汪精卫伪政权所组织的伪军，意义和性质都不相同。汪的伪军是“中国政府”的军队，效忠汪伪政权；“皇协军”虽说也是中国人，但与“中国政府”无关。

日本要组成这样的军队，当然首先要选择彻底奴隶化的“日本通”人物来负责。于是由日本女间谍川岛芳子介绍了一位她认为绝对可靠的失意军人李福和，担任“皇协军”的第一军军长。

日本华北派遣军为了慎重起见，特别保送李到日本，接受奴化训练；化他服膺“大和魂”和“武士道”的精神，把他塑造成一个死心塌地的效忠日本帝国的汉奸偶像。

李福和由日本受训完毕，回到北平，顿时身价百倍。日本方面更全力吹捧，以“反共”“联日”为口号，宣传他是亚洲的“反共英雄”、“东方的佛朗哥”。当即招兵买马，配备精良器械，优给官兵待遇，以效法“皇军”的姿态，于1938年4月15日开到河南的重镇彰德。真是声势显赫，耸人听闻。日军的企图，是以第一军为试金石，如果效果卓著，再来第二、第三……等“皇协军”。实现其“以华制华”的梦想。

蒋介石深感问题严重，指示军统方面给予制裁，扼其气焰。戴笠受命后，下令安阳情报组和驻在新五军的高参严家诰，密切合作，尽一切可能，予“皇协第一军”迎头痛击。安阳情报组奉到命令，开始调查策动。很快就发觉“皇协军”的副军长徐靖远、第一师师长黄宇宙等民族意识坚强，并不是真心想做汉奸，尤其不甘心以中国人而效忠日本帝国；其所以参加伪军，不过想借此掌握部分武力，好等待机会而已。

于是，先派组员师振东渗入“皇协军”，由第一师参议李本中介绍，担任秘书；再由黄宇宙介绍，与第二师师长吴朝翰取得联络，因为工作顺利，再经师振东介绍七人参加“皇协军”，遍布于该军的各个重要部门；严家诰也派人与徐、黄等取得联络。暗中传达戴笠勉励他们杀死李福和，反正归顺。经过三个月的策动，完全成熟，静待适当时机发动。但表面上伪装服从敌军，精神抖擞，使敌军感到相当满意。

李福和非常得意，以为是自己留日的镀金招牌和领导有方，在部属的怂恿下，亲自赴北平，向日军要求增加重装备，以便能名副其实的向“皇军”看齐，接替彰德一带的防务。

日本“华北派遣军”接受李的要求，决定于8月初派员赴彰德校阅点验，戴笠决定利用这个时机，发难行动。

1938年8月7日，李福和陪同日军军官多人，由平汉路南下，抵达“皇协军”的集结地——彰德的西曲沟村校阅点验。

突然，副军长徐靖远一声令下，当场击毙李福和与全部日军军官，通电反正。经戴笠呈奉军委会，任命吴朝翰为河北游击司令，徐靖远、黄宇宙为副司令；吴兼第一支队司令，黄兼第二支队司令，隶属第一战区，拨归鹿钟麟主席指挥。

“皇协军”第一军的被策动反正，给予日军的打击很大，使日本在中国的统治显得心有余而力不足，打破了日本军用中国人组织军队，向日本帝国效忠的迷梦，从此不敢再组织“皇协军”了。

## 二　除恶务必斩尽杀绝

打击小日本，务必斩尽杀绝而后快。

抗战初，军统局在上海对敌军和汉奸的破坏诛锄工作，是非常积极的，使日本受创很大。日本驻上海的特务组织，早把军统局的地下活动视为刺目钉，务必斩尽杀绝而后快。

汪精卫到达上海后，组织伪特务机构，专门对付军统局地下组织，狼狈为虐，事态严重，加以上海部分重要干部的接连叛变，戴笠深深感到，军统局的地下工作，已经由主动攻击优势而陷于被攻击的逆境。如果无法遏制反击，不但敌伪嚣张，明暗易势，而且对沦陷区的民心动向，将会发生不良影响。这一情报战场的胜败，关系到整个抗战的前途。

因此，戴笠除了运用军统局的力量，从艰困的工作环境中，诛锄叛逆，压制敌伪，争取胜利外，还从各方面组织力量共同裁制敌伪。好像奇兵突起一样的，使敌伪防不胜防。

情报组织方面，除了在各地就已被破坏过的残余组织，加强整顿，变更方式，仍留该地继续工作外，还积极扩大增建复式布置。上海为通都大邑，更是当时汪精卫与日敌密谋建立伪政权，企图分化中国的接头中心，所以是汇集情报最重要的地区。

虽然，上海区的情报组织，在王天木、陈第蓉等叛变后，仍能立足，继续维持工作，但所有工作人员与工作方法，向为王、陈等所熟悉，活动起来，难免多有顾虑，同时也随时有再被破坏的可能。因此，戴笠特地遴选一位与军、警界以及上海社会素无瓜葛的书生型人物，到上海去另行建立新的情报组织——上海第二区。

这一位从来没有担任过地下秘密组织工作的人物，就是戴笠在江山文溪小学的同学姜绍谟。

姜绍谟，北京大学毕业，少年得志，北伐以后，就曾经出任过浙江省党委、校长，以及教育部司长等职。抗战开始后，才参加戴的军统局，在重庆局本部工作。当戴与他谈起上海工作遭到挫折，希望他能够去另建新的组织之时，他毫不犹豫，一口承诺。

虽然他没有从事地下活动的经验，但他很明了当时的处境，很注意把握分寸。他到上海以后，除了书记陈祖康以及与戴笠联系的无线电台是军统局配属的以外，其他工作，完全不凭借军统局的渊源，他不与军统局的有关人员来往，而以他个人过去北大同学和党政工作的关系，逐步地开展工作。知道的人，总以为他是为了响应汪精卫的“和平运动”而来上海。

他以此为烟幕，利用伪钱币司长梅哲之和伪文官长徐又琛，从伪府要员陈公博处汇集外交政经情报。并且利用伪海军部长兼第二方面军总司令任援道的弟弟任西平的关系，秘密策动任援道，任因而亲笔上书蒋委员长，表示“身在曹营心在汉”，决心拥护中央，并且表示等候国军反攻，他一定捉汪立功，率伪军反正。

对于日敌军部方面，他也找到一位正在敌军特务机关走红的旅日华侨，搜集军事情报。这位日本通很有办法，居然能替姜弄到一张上海日军特务机关的汽车牌号，使他能在“禁区”畅行无阻，而不被怀疑检查，这对他的秘密工作，有很大的帮助。

由于日本通的关系，日军特务机关的某译电员，也被姜吸收为情报员。于是，很多重要的敌军军事情报，都落到姜的手中。比如有一次敌机决定飞往重庆轰炸设在罗家湾的军统局，就因为姜的预先急电通知，而使军统局得以做有组织的彻底疏散。结果，敌机只炸坏几处空屋，徒劳无功。

姜绍谟在上海的情报活动，非常成功。这说明了戴笠应变的方法，以及用人的时机，的确高人一等，而有独到之处。

加强情报的组织和搜集以外，最重要的，莫过于对叛逆的诛锄，戴笠当然有所筹划。他认为部分特工之所以背叛，76号之所以嚣张，是因为有个卖国求荣的汪精卫，他们一切希望，都寄托在与日敌勾结越来越积极的汪精卫身上。

因此，如何设法诱导王天木、陈第蓉将计就计，诛锄汪精卫，以自赎自效，才是上策。必不得已，再行诛锄背叛之事。

当时，曾任上海行动组组长的刘戈青，暂在香港避风头。原来，刘戈青于淞沪沦陷后的两个月之内，曾经率领他的行动组，在徐家汇火烧日本东亚同文书院，并且一连执行十一次除奸行动，诛杀伪上海市民协会常委会主席顾馨一等重要汉奸十余人，威震上海。

1938 年大年除夕，刘戈青再次突入以梁鸿志为首的伪维新政府外交部长陈录的私宅，锄奸成功。一时，上海敌伪相顾失色。

日敌特务机关特别以四万元的巨款为悬赏，企图缉捕刘戈青。形势严峻，所以刘才奉命离沪，暂时避留香港。

不久，日特再次猖狂，刘戈青计划第二次返回到上海，接近王、陈而手刃之。忽然接到王天木自上海寄去的函件，怂恿他去上海投汪，“共襄大事”。

情况突变，究竟王的真意如何？诱捕？招兵买马？难以揣度。当即转呈戴笠请示。戴复电叫他赴渝面商。

1939 年 8 月 10 日，刘戈青到达重庆。戴判断王的真意，当为诱捕献功，贪图赏金。刘以为正可以乘机混入敌人阵营，接近王、陈，相机行事。当然，以敌特对刘痛恨的程度而言，这是相当冒险的。

可是，刘慷慨豪壮地向戴表示：“为了维护组织的工作，整饬团体的纪律，任何牺牲，在所不惜；个人生死问题，请先生不必顾虑。”戴见他出于一片至诚，而且也知道他素具机智胆勇，于是同意他的想法：“不入虑穴，焉得虎子。”

经过一番安排，一星期后，戴命令刘经过香港回上海，赴王天木的函约，同时交付刘两大任务：

（一）策动王天木、陈第蓉，将计就计，担任反间工作。只要有利于国家民族，自可将功折罪。

（二）与王天木密商，诛锄汪精卫。如果成功，不但可赎罪，而且可受重赏。并且拿出一封他亲笔写给王天木的书信，命刘到上海后，当面交给王天木。

这年 10 月 4 日，刘戈青到了上海，6 日安然和王见面，将戴笠的亲笔书信交给王天木。信是这样写的：

“余待君素厚，弟念数年来患难相从，凡事予优容，人或为之不平，余则未尝改易颜色，似此无负于汝；而汝何竟至背余事逆耶？汝天理何在？良心何存？”

“汝一人投敌，曷为一时失足，容有可谅之处；今复函诱戈青附逆，是汝甘心作贼而欲自绝于国人矣。余今欲戈青来沪，惟念汝现居逆方高位（注：汪许以军政部长职位），有机与汪逆接近，正可乘间为我而图之。故特准戈青重履险地，即为我达此意与汝也。若果能出此，则不惟往者不咎，且必能以汝之此项功绩，而邀逾格之重奖也。戴罪图功，此其时矣。望毋负余意，余由戈青代达……”

王天木看完来信，不觉紧张汗流，几乎瘫痪在沙发上，当面应允听从戴的命令，掩护刘接近汪而下手诛戮，以申国法。当时议定乘双十国庆汪成立“新政权”后阅兵的机会，由刘化装为王的卫士，混入阅兵场，相机行事。

可是，汪成立“新政权”的计划，未能如期实现，阅兵也被取消了。刘以为诛汪的行动，最好能在他成立“新政权”之先，才最具意义。何况，他自己是个被悬赏的“通缉犯”，怎能旷日持久？于是一再催促王，迅以具体的事实表现，向戴笠做悔过自新的交代。

戴笠知道刘戈青和王天木接洽的情形，嘉许王天木的决心锄奸赎罪，并且还答应他的请求，送他四万元法币，以为活动工作的费用。可是，王却向刘声称诛汪之事，他一人力量有限，最好能再找陈第蓉加入。刘奉令返沪，本有策陈反正，戴罪图功的任务，当然欣赏同意，于是，在王的安排下，刘和陈见面。

不料，陈第蓉居然开出条件，请戴笠释放他在后方被捕的家属，才肯与刘合作。刘急电戴报告，并且建议迅速派专人将陈的胞妹释送上海，和陈相聚，以安其心。

陈第蓉的胞妹陈第燕，由刘的旧属朱三元送到上海，当面把她父亲的一封信交给他胞兄。陈关切而又紧张地拆开书信，他那位读书识理，精通法律的父亲，却很严厉的在书信上训斥他：

“按古律，叛逆者，罪夷九族，今汝不肖，累及家人；幸蒙优待，未及言诛者，政府之曲容也。如汝尚有天良，当思戴罪图功，否则，噬脐莫及矣！”

陈第蓉看到他父亲的书信，尚在犹豫，他妹妹陈第燕却跪在她哥哥面前，声泪俱下，要求陈不再做汉奸，否则她宁可跪死，也不起来。陈无奈之下，只好表示：“为了不使父母伤心，从此改过，不做汉奸。”陈第燕看到她哥哥应允不再做汉奸了，才起来兄妹相见。

刘戈青向陈交代此事以后，问起陈诛汪反正之事，陈约他等待时机，随时联系。

谁知，陈劣性不改，借口加强彼此联系，与刘几次酬应以后竟然亲自开车，将刘诓到76号伪特工总部关了起来。显而易见的，陈弟蓉不但不知悔改，而且也出卖了刘戈青。

当时，76号伪特工总部的严刑拷打，是出了名的“阎王殿”，刘戈青自揣必受摧残。不想第二天，76号的要员李士群亲自和他唔谈，把刘从监牢内请了出来，待以宾客之礼。

几次谈话，甚至对饮小酌。一方面劝刘参加他的特工总部，许以京沪方面的要职，“共图大事”；一方面想以轻松的友谊气氛，套问刘此次奉命来沪，究有几人？以及军统局在上海的虚实。

刘戈青意志坚决，态度严正。除了暗示他已准备随时牺牲，不愿与李等“共图大事”外，还虚虚实实的称赞军统局在上海力量的强大，甚至只要他随便打出去一个电话，就会有人冒险来看他。

李士群对刘的话将信将疑，装出一片爱惜英雄好汉的豪气，向刘表示：“电话就在旁边，可以马上打出去。如果你的人真的能仅凭你一个电话，就不顾一切后果的跑来看你，我可以让你们自由交谈，绝不派人监视。”

刘立即打电话给朱三元，朱三元本来是刘戈青的主持上海行动组时最得力的干部，接到电话，毫无顾忌地应约赴难。最难的是，还有位不是军统局的商人包天擎，却以友谊的立场，陪同朱三元身入虎穴。

朱、包二人迅速如约而至，顿使李士群又敬畏又嫉恨，更想尽量利用刘来对付军统局。另外，既然假装慷慨的姿态已经摆了出来，只好“大方”到底。于是当局对刘、朱等恭维他们的肝胆相照，不愧为真正讲义气的朋友，一面吩咐手下不准监视他们，尽量给他们方便；一面很客气的道了“少陪”。

这时，刘纵有千言万语，也无法向朱等倾诉，除了对包天擎的见义勇为，特致谢忱外；当即写了张纸条交给朱三元，叫他带回去密呈戴笠；上面写道：

“受命来沪，原拟乘机击逆首悬于天下，孰料天不假其便，数月来迭遭变故，今更身入樊笼，自问必死。此间处境虽万分恶劣，必要时决心一死，上报知遇之恩；下卖方命之罪，绝不以团体的生命，换取个人的自由。兹乘三元兄之便，谨奉寸柬，以明素志；并托带还赐表，呈于钧前……”

除了这封书信，再看到手表，不觉感动流泪。原来，当时一只名贵的手表，来之不易。戴雨农为了激励部下工作，常拿来赠送给有功的人，一则使其感到光荣和珍贵；同时也可以因为时间准确，不致误事。刘的这只手表，就是他在上海诛锄汉奸后，戴赠送给他的。现在退还赠表，实在是意义深长。

朱三元安然走出76号，回到重庆，报告戴雨农，包天擎却以朋友身分，每隔三两天，就跑去探望刘戈青，送衣服送饮食，相当殷勤。

自刘戈青被陈弟蓉诱捕后，加以青岛、北平的组织，仍然因为王、陈背叛的关系而相继被破坏。戴雨农觉得，他对人的失足，已充分给予改过自新的机会，而且有求必应，真可谓仁至义尽了。

既然王、陈等已无悔过反正的希望，于是由他自己策划诛锄工作。他很了解王天木和他几个亲信人物的关系，所以他找到一位出乎叛逆的防范想象以外，而事实上最适当的高级干部去秘密进行。这位干部，就是常在北方活动，而和上海的工作殊少往来的吴安之。

吴安之到了上海，找到王天木的保镖马河图，以同乡的情谊和国家大义、组织的精神来感动他，并且对他下达戴笠的命令，让他做诛锄叛逆的执法者。马河图虽然受王天木的恩养，但他也素来敬重吴安之的为人正直诚笃，更慑服戴雨农的威严。吴对他开导说：

“乱臣贼子，人人得而诛之，留芳遗臭，在你一念之间；将功折罪，锄奸自效，才有光明前途。”

经过反复开导，马幡然醒悟，慷慨接受命令，吴安之还叫他与戴雨农已经安排好的内线行动人员丁宝林和许清江，联络合作，相机行事。

1939年的圣诞夜，正当王天木、陈第蓉、何天风等与几个日本汉奸在舞场行乐之际，马等动手锄奸，当场杀死陈、何二人；王天木刚巧离座上厕所，幸免脱去。但事后，因为马河图是王的亲信保镖，而事发之时，王又离去，敌伪怀疑是受王的主使，而将王逮捕审讯。

马河图一击成功，吴安之立即偕马离沪，同赴河南，许、丁也离开上海，回到后方。不久，奉到戴雨农的命令，派马河图为新乡行动队队长。马感奋之余，非常尽力，曾经渗入日军新开辟的飞机场，炸毁九架敌机，炸弹四千余箱，烧掉汽车仓库两座，汽油七千余桶。

李士群既无法使刘戈青变节，收为已用，也未能从刘的口中夺取任何秘密，迫于无奈，只好实行强硬手段，对刘严刑虐待，一直到1940年5月，刘才找到机会脱逃，回到重庆。

## 三　太行三行受益颇丰

为控制太行地区，戴笠三行太行，似乎早有安排。

1940年，国民党军队为了控制黄河北岸的广大地区，在第一战区的统辖之下，已设有三个主要军区；西边是中条山军区，中间是太岳山军区，东边是太行山军区。中条、太岳接连在一起，南临黄河，控制在我驻军手中，与后方交通非常便利。只有太行山区，才是惟一孤悬在敌后的抗战根据地。

太行山军区，东西三百多里，南北两百多里。北面是共产党军队占领的区域，实际上是一条战线，随时掩护，相互支援。东边是平汉铁路，南边是道清铁路，西边是白晋铁路、潞泽公路、晋博公路。这三方面交通线上的重要据点，都驻有日军，形成对太行山的大包围态势。太行山军区又分为东西两区，东区由廿四集团军庞炳勋负责，有四十军（庞兼军长）和新五军（军长孙殿英）；西区为廿七军（军长范汉杰），名义上列入廿四集团军序列，但仍受三十四集团军胡宗南节制。

戴笠对太行山区的重要性，早有认识，也早有过安排。

1937年8月，南口战役结束，敌军继续西侵的趋向日益明显，戴雨农即下令成立晋绥察区，派李果谌为区长，驰赴太原，就近加强部署并负责指挥三省的情报工作，其后敌军南犯，太原失守。为牵制敌军，必须组织民间武装，建立基地，从事敌后游击不可。戴笠于是与十三军军长汤恩伯密谋此事。在汤的支持之下，授予李果谌十三军游击司令的番号。设司令部于太行山，策联河南、河北、山西三省的民间武装，组成游击队，共达三万人。不仅用以袭击敌伪，而且可以扼制共军。后来国民党中央决定封锁黄河，并以敌后游击任务，专付冀察游击司令孙殿英，以及河北民军总指挥张荫吾。李果谌只好将部队交给孙、张收编。

不久，由于“华北督导团”在中条山区的表现，同时，军统局在山西的情报组织于1940年5月，遭敌伪破坏，被捕去七十余人。因此，戴雨农考虑到如果能派人前往太行山区，一面组织群众，加强军民合作，发挥像“华北督导团”那样的作用；一面以武力为后盾，加强山西方面的情报和行动工作，打击敌伪，实在是一件很重要的大事。

于是他和他的密友、三十四集团军总司令胡宗南将军谈起此事，胡也有同感，乃由廿七军军长范汉杰具呈军委会，请求派一熟悉晋东南情形的专员，前往太行山，协助军队工作。军委会批交军统局办理。戴雨农把这一项艰巨的任务，交付给山西人乔家才。

当时，戴雨农除了派乔家才赴太行山，同时也派刘培初去湖北恩施的第六战区工作。乔和刘，都担任过军统局督察室主任，也都有一种严厉的性格，往往声色俱厉，不顾一切。戴雨农用其所长，大度包容，可是出外应付复杂环境，所与共事的人物，品类大异，各人的心性不同，不可以军统局的情形去衡量别人。

因此，戴雨农借替他们饯行，把酒畅谈的机会，以轻松的谈吐，对他们加以匡正。诱导他们对任何事情，不要仅看到局部的或者一时的缺点，就对整个的事态，有一种悲观的看法和责难的论断，而必需从大处看从好的一面看。同时，希望对一个人或一件事能够改正缺点为优点；在纠正的方式上，也有比严厉批评更好的方式。他并且说个比喻给他们听，他说：

"我们军统局的高级干部湖南人最多，浙江和广东人次之，山西人最少。如果以山西人的生活习惯来看湖南、浙江、广东人，你能看得顺眼吗?"

"一个人也需有天地之大无所不包的度量，我们对于一个人，不能求其全。只要取其所长，去其所短，就够了。"

他这番叙谈，既不伤乔、刘的尊严，也达到了训导的目的。乔、刘了然悟之，很愉快地向他辞别，各自踏上征程。

1940年，乔家才以军统局晋东南站站长的身分，自重庆携带无线电机出发，途径西安、洛阳两地，选调了十个人，同往太行山。

范军长见到乔家才，看到戴雨农带给他的亲笔函件，非常欢迎，当即宣布他为廿七军军部参谋处副处长兼设计委员会的视察专员。当然，这项职位，只是一种足以使他开展工作的合法身分而已，并不要求他真的去参加参谋工作。

军区的最高行政机构是廿七军的设计委员会，由军长、军参谋长、各师师长、党部专员、三民主义青年团分团书记所组成；另设一主任，负实际责任。各县县长，由设计委员会委派，但事实上由军部和各师所瓜分。虽说表面上已构成一个战地政务的形态，但是所推行的地方行政，除了征购粮秣、兴办学校和出刊报纸，有较好的成绩以外，其他加强军民合作、发动群众力量等等，乃是徒有虚名。

而最成问题的，却是关系军区生死存亡的军事情报。当时，军中的情报，完全依赖部队的谍报组，而谍报组的人员素质，良莠不齐，智识水准与技能训练也不够理想。有些便衣人员，进出敌前敌后，往往与地方上坏人相互勾结，为非作歹；稍不如意，就诬指他人为汉奸。以致人民对便衣情报人员，存一种敬鬼神而远之的态度，哪里还能搜集到可靠的情报？更严重的是有些便衣人员，甚至还被汉奸收买，出卖情报给敌伪。

因此，乔家才认为要完成太行山的特种任务，改善情报工作，实为当务之急。他决定一方面以军统局的工作人员为中心，在各县建立属于军统局的秘密情报组织；另一方面则设法健全各县党政机构的情报工作，而以筹办短期训练班为开始。

在范军长的大力支持下，短期训练班得到了很好的效果。加上灌输新的观念和技术给他们的部下，部队的情报业务也开始面目一新。

加强军民合作，太行山已经有个设计委员会的组织，这与“华北督导团”不同，何况，“华北督导团”是直属军委会的公开机构，有团员五百人之多，而军统局的晋东南站，只是个秘密情报机构，乔家才本人只是设计委员会的视察专员。因此，这项工作，必须因势利导，相机推动廿七军自身在这方面多所努力，力求改善，而不是每件事情都要由乔家才和东南站来直接参与处理。

不久，一件足以改善军民合作关系的事件发生了：乔家才奉范军长命令，调查游击队和“联庄会”的冲突纠纷。

当时在太行山区，廿七军指挥两个游击纵队，分别活动于河南省的辉县与修武。纵队的编制很大，纵队长是中将军衔，担任司令官的都是保定军校毕业的老前辈，可是纵队的兵员并不多，素质也不齐，纪律也不好，要粮要钱，增加人民很大的负担。

河南的民众非常强悍，为了自卫，大都有武器、有组织。辉县的沦陷区，就有个“联庄会”的组织，曾经向辉县县政府备过案。本来对国军抗敌防共都是有帮助的。可是，却因为受不了活动于辉县的游击队的征粮骚扰，以及便衣谍报人员的欺凌勒索，以致常常发生纠纷，甚至在少数人的激愤之下，秘密处决了几个便衣人员。一时双方矛盾激化，大有剑拔弩张之势。

于是，游击纵队的张司令一再向廿七军军部报告辉县的“联庄会”是汉奸组织，杀害纵队队员。军部转报第一战区长官部，长官部转请河南省政府查覆。省政府根据辉县县政府的报告，答复长官部，说明“联庄会”不是汉奸组织，而是游击队纪律太坏；“联庄会”为了防止他们的骚扰，是种出于无奈的“自卫行动”。

双方各不相让。游击队为了报复，为了催粮，竟然把“联庄会”李会长的儿子捉上太行山，扣押在司令部，假以汉奸罪名。“联庄会”当然不服，气愤汹汹的轰闹起来。此事如不迅速合理解决，可能导致严重的不良后果。

乔家才奉命之后，派河南人杨庆明深入敌后，做公正而详实的调查，彻底地了解真相。

原来辉县县政府为了供应国军的军粮，不得不利用“联庄会”的组织控制敌占区民众。“联庄会”既然居住在敌占区，又要向国军供粮，就不能向敌伪应付；如果从某一种角度说他们是汉奸组织，那也不是过份，因为他们的所作所为确实令人怀疑。而且，游击队勒索骚扰，有人失踪也是事实。

但无论如何，把李会长的儿子捉上太行山，当作汉奸扣办，激起众怒，总不是办法，同时也解决不了问题。于是，他向范军长建议“不要为了游击队的问题，而损害到军民感情”，主张把李会长的儿子释放回去，双方和解。

可是军部既已经向长官部报告过“联庄会”是汉奸组织，现在又和解，多少有点出尔反尔的顾虑，加以游击纵队张司令的坚决反对，他的建议没有被接纳。

可是，他并不灰心，而再接再厉的进行疏解劝说，尤其对张司令，除了阐述“抗战是离不开民众的；激起众怒，陷国民于不义，是最要不得的”道理以外，还把戴雨农勉励他：“一个人也需有天地之大无所不包的度量”的话头，复诵给张听，并且加以引申发挥。张司令感悟之下，欣然接受他的劝告，赞成和解。

于是，由廿七军下达命令，立刻释放“联庄会”李会长的儿子，送到军部；由乔家才派杨庆明护送交辉县县政府，并且责成戴县长，严戒“联庄会”不得再有危害游击队人员的情事。如果游击队人员确有不法行为，可以押送军部，一定秉公法办。一场风波，才告平息。

由于“联庄会”和游击队冲突事件的和平解决，使太行山区的军民合作，无论是精神的启发灌注，以及业务的改善增强，都发生了很大的促进作用。而“联庄会”的民众，对于此后军统局的搜集情报和爆破行动工作，也充分予以掩护和支援。

从1941年2月起，日军连续进犯黄河北岸的三个山区。等到战事结束以后，虽然廿七军仍然返回以陵川为中心的防地，仍有足够力量保卫太行山。可是，乔家才却发现军政的配合不够，于是，他和范军长讨论此一问题。

本来，地方行政不仅是替军队征购粮食，还要联络敌区民众，帮助我军，对付敌人，可是各县县长都是由驻防的各师所派；他们本来是军官，又不是当地人，所以军政的配合，平常就做得不够；再加上战事发生后，部队一撤退，县府也跟着走了；使地方上成为无政府状态。因此，乔家才向范军长建议改由当地的地方人士当县长。

范军长和所属的三个师长都很尊重乔的意见，于是，除了陵川不是敌区，由军长委派杨玉钰担任县长以外，其余壶关的马子骏、长治的聂吉甫、高平的姬梅轩、晋城的张子仁，都是由乔推荐的。

各县的行政组织调整以后，首先乔和他们确定一个原则：县政可以以军队武力为后盾，但不完全依赖他生存，而必需设法以县的民众为基础，依赖民众以生存，所以决不应有随军队进退的打算。在此原则之下，他们都能把行政推行到军队的步哨之外好几十里，直接接近敌人的地区，成了军队的外围；每天过着战斗生活，随时警戒，随时行动。其中尤以长治、高平、晋城三县所发挥的作用最大。

敌占区的民众，往往自动越过敌人的封锁线，前来接洽送款，提供敌情动态。因此，不但太行山区的军政配合和群众运动工作向前迈进一大步，而且也可对军统局的打击敌军有很大的帮助。

戴雨农自从派乔家才赴太行山以后，为了加强敌后的组织发展，联系工作，即从各方面不断给予支援。除了把原来设在晋东南的若干直属组织配属给乔指挥，还陆续的从后方增派无线电台和新受训的青年，输运枪枝弹药和爆破器材。乔有了充裕人力物力，加上他在山区对军政配合和接近民众的努力，局面已经打开，因此，很快的在长治、高平、晋城、修武、辉县、新乡、春城、兰封等地，建立性质不同的特种工作组织，除了经常搜集情报外，把工作的重点放在对敌军的行动破坏上，以配合军统局全国性的打击敌伪。

在许多袭击敌人、破坏交通和矿井的事件当中，最使敌军疲于奔命而感到束手无策的，就是有计划的大规模破坏敌军军用电话线。军统局的工作人员，联合当地的军政人员和敌区的民众，在乔家才命令之下，曾经在一个夜晚，把敌军在长治、高平、晋城三县所架设的电话线，全部割取下来，运回太行山区。并且利用这些电线，架设起以廿七军部为中心，向东通到太行东区的新五军，向南通到修武县政府的电话线。

敌军为了防止电话线再被破坏窃取，想出很多毒辣方法，比如责成当地民众负责看守，否则加以残害；以及在电杆上绑手榴弹，下面埋地雷炸药等等，都因为敌区民众充分和军统局人员合作，而能事先防范，避免受到伤害。

敌军电话线一再被破坏，毫无办法，居然以长治司令官名义，用飞机投一封致范军长书信，大意为："你强迫支那良民破坏我们的电话线，你们中央不应有此行为，希望此后不要再来破坏。"

乔家才建议范军长，用副官处蒋处长的名义，回复敌军一封义正词严的函件：

"破坏电线之事，是出于中华人民的爱国心和复仇心。因为你们行不义之师，侵犯我国，到处奸掳残杀。今后不但继续破坏电话线，而且还要阻绝你们的交通，截断你们的粮源。如果你们想保全性命，最好放下武器，赶快回日本去。"

## 四　除奸岂能少了张啸林

除奸活动进行得不错，这下盯上了张啸林。

八一三之后，中日两国军队从上海一直打到武汉。在这一年多的时间里，蒋介石一方面由于国民的压力，指挥抗战，战场规模越打越长；一方面与日方秘密和谈，谈判也越谈越深。戴笠秉承领袖旨意，体谅领袖苦心，扮演了一个既是除奸杀手，又是和谈能手的重要角色。

早在戴笠从香港撤退到武汉不久，就开始下令各沦陷区的潜伏组织积极展开除奸活动。

展开除奸活动较早的是军统天津站站长陈恭澍。这年年初，戴笠从汉口发电报给陈恭澍，命令他制裁伪华北临时政府头子王克敏和汪时景。陈恭澍奉命精心筹划准备，于 1938 年 3 月 28 日下午 1 时 57 分，在北平煤渣胡同东口，对乘车行驶的王克敏实行狙击，但王克敏仅受伤，而与他同车的日本顾问山本荣治却被当场打死。事后，参加狙击的行动特务兰子春、徐自富被日本宪兵逮捕，后来遭到杀害。

开展除奸活动的另一个重点地区是上海。上海沦陷后，汉奸活动猖獗，戴笠电令军统上海潜伏区长周伟龙，指示他对与日本侵略者为虎作伥的卖国巨奸坚决进行制裁。周伟龙受命后，立即成立了两个行动组，先后将伪维新政府军政部长周凤岐、伪外交部长陈录等汉奸击毙。

戴笠对上海局势最为担忧的是张啸林的叛变投敌。蒋介石在西撤上海前曾多次交代戴笠，“上海的阵地不能丢失”，并要戴笠动员杜月笙、黄金荣、张啸林一起离开上海到内地。

结果，黄金荣以年老体弱为借口，不肯离沪；张啸林则认为杜月笙走后，正是自己独霸上海的良机，故也不肯离沪。日军攻占上海后，很快看中了张啸林在上海的势力，要拉张啸林维持局面。张啸林本是个毫无国家民族观念的帮会流氓，于是一拍即合，欣欣然当起了汉奸，并建立了一个“新亚和平促进会”的汉奸组织，为日军的经济掠夺效劳，乘机大发国难财。

张啸林在上海的一举一动，杜月笙在香港、戴笠在汉口都十分关注。

从杜月笙来说，他深知黄金荣已经老朽昏庸，在上海难成气候，唯张啸林野心勃勃，大有取而代之的趋势。况杜在上海的帮会势力，张是小葱拌豆腐，一清二楚，假若张翻脸不认人，这就会严重威胁到杜在上海的地位和利益。但是，杜顾虑到与张结拜兄弟的名声，还不想对张立下杀手，以免在江湖上引起非议。

从戴笠来说，他深知张啸林的恶势力遍布上海各个方面，在租界内也有一批门徒。如果让他和日军结合在一起，“孤岛”租界就会很快被汉奸势力把持，军统在上海的处境就会更加艰难，甚至会被完全赶出租界，后果不堪设想。于是他考虑对张啸林应有个对策。

要制裁张啸林，没有杜月笙的理解和支持是不行的。于是，戴笠于 1938 年 5 月利用蒋介石在汉口召集国民党各省市负责人谈话会的机会，电邀杜月笙到汉口。

在谈话会的间隙，戴笠宴请杜月笙，并邀请上海市党部负责人吴开先、陶百川及杜月笙的心腹弟子、上海市党部委员陆京士、汪曼云作陪。

戴笠要设计对付张啸林，不与杜月笙私下秘密讨论，却要等杜的弟子学生在场的情况下提出来，这在戴笠来说，本是看透了杜月笙的心事。戴笠是久经江湖历练的人物，素知杜月笙这种靠“帮”吃饭打天下的帮会人物讲究沽名钓誉，重视江湖名声。现在有陆、汪等人在场作证，可见得将来传闻出去杀张之谋出自戴笠，与杜无关，而杜却可以从中斡旋。

席间，戴笠与客人先谈了一番风花雪月、东南西北。饭后，吴开先、陶百川先后辞退，席间只剩下杜、陆、汪 3 个人。

于是，戴单刀直入地对杜说：“杜先生，大帅（张啸林）是不是转不过身来?”

杜则谨慎地回答：“这也谈不上转不过身来与否，我想或许还是由于我们相隔较远，传闻失实吧?”

杜的语气重在替张做辩解，以表明自己与张无关。

戴笠听了杜的话，双手在胸前打了个八字，唔几声，在室内的地板上兜了两个小圈子，又突然用右手拍拍杜的肩胛，说：“杜先生，你要大义灭亲!”

陆京士、汪曼云见此情景，神经也紧张起来。

杜似乎很激动地说：“我的人决不杀他，毕竟我们是结拜兄弟。”

杜的话已经说到了这个份上，戴笠一时不好相强，但心中却认为已达到了目的。

于是，戴把话题一转，直接对从上海沦陷区赶到汉口开会的汪曼云说：

“曼云兄，你回上海对他们说，要再是这样搞下去，别说我要他的脑袋。”

汪听了只好随声唯唯。在归途的汽车里，杜有意对陆、汪两个人说：

“听雨农今天的话，我替张很担心哩!”

其实，从这个时候开始，戴笠已经暗中布置上海区对张啸林拟订制裁方案，并伺机实施。

在布置对张啸林采取行动的同时，戴笠对原北洋军阀政府第一任国务总理唐绍仪下达了密杀令。

唐绍仪本不至死，但是因上海区得到唐绍仪与日方专使拙井接触的情报，戴笠极为重视，曾通过杜月笙电邀唐绍仪到香港，但遭唐拒绝。戴笠由此分析唐绍仪已经答应了日方的条件，准备出山搞维持会，于是下令周伟龙给予制裁。周伟龙组织军统特务，于1938年9月30日上午，在福开森路唐宅的客厅里，用利斧将唐绍仪砍死。

不料唐绍仪被杀，却引起了于右任、张继等一批国民党元老们的不满，他们认为唐绍仪落水当汉奸的说法并没有证据，因而纷纷找蒋介石告状，并提出要上海法租界缉拿凶手。

蒋介石也认为对唐绍仪杀之过早，但又不好由此责备戴笠行之过份。只得以他自己的名义，给唐家发出一份唁电，发给治丧费5000元，并用国民党政府名义明令褒扬。就把这场血案遮掩过去了。

蒋介石遇事惯骑两头马，即使在中日关系这样的国家大事上也是如此。一方面炮火连天，兵戎相见；一方面唇枪舌剑，信使往还。打是真打，谈也是真谈。这在蒋的如意算盘则是能战则战，不能战则和；能和则和，不能和则战。仅在武汉保卫战时期，由蒋介石亲自掌握的与日方和谈的渠道就有3个。

第一个与日和谈渠道通过行政院长孔祥熙进行。由孔派出自己的亲信学生、行政院代理秘书贾存德与日本大亨、民间人士萱野长和秘密接触，宋美龄曾亲临指导。

第二个渠道是由蒋介石通过侍从室二处陈布雷、周佛海秘密派外交部亚洲司司长高宗武潜赴香港、上海、东京等地，与日本军方特务影佐祯昭进行接触。

第三条渠道是由蒋介石通过戴笠的军统特工渠道与日本军方代表、日军参谋本部中国课课长今井武夫在香港、澳门多次进行会谈。这就是被日方称之为“桐工作”的谈判路线。这是因为日方当时对其他渠道的和谈能否迅速有效地直通蒋介石身边表示怀疑，因而在香港积极活动，希望能找到一条直通蒋介石的谈判捷径。

这个消息被日本驻港铃木特务机关成员张治平得到，张治平是留英学生、军统香港区通讯员。于是张将此消息通过香港区长王新衡密报戴笠。戴笠报经蒋介石批准，决定迎合日方的愿望，密派与宋子文的弟弟宋子良长相十分相似的军统特务曾广，冒充宋子良与日方进行会谈。

同时，戴把这项工作交给军统国际科敌伪股具体承办，并指定邓葆光为第一承办人，其他任何方面、任何人不得与闻。所有来往电报，由译电科直送戴笠，由戴亲自面呈蒋介石。戴笠并为此秘密去香港进行布置和指挥。最后，双方商定由蒋介石、汪精卫、日本陆相板垣征四郎三巨头举行会议。板垣征四郎是日本政府内著名的强硬派，原先对蒋介石持坚决的排斥态度。在“桐工作”中，板垣指令今井武夫对蒋提出了极为苛刻的条件，使蒋难以接受，结果，“桐工作”失败。

## 五　美国佬不得不服

珍珠港事件，中国早已知晓，但美国佬太傲慢。

1941年12月7日，日军突然发动了对美国在夏威夷珍珠港的海军空军的袭击。

美国海军部是在日军发动袭击前80分钟才破译出日军可能在太平洋附近有大举武力行动，赶忙通知珍珠港，可一切已经变成了现实。

戴笠对此幸灾乐祸，这是这帮美国佬傲慢的代价！他想起几个月前的事就生气，自己辛苦破译的电报，送给美国海军部情报总署时，这些美国佬竟然以嘲弄的口吻说："他们这是破坏美、日关系，拿些文辞来糊弄人！要说这帮黄色人种能掌握译电技术，得等到咱们孙子给他们的孙子起名时吧！哈哈！"

如今报应来了，美国看来也要和日本人作战了！

远在大洋彼岸的美利坚合众国，本来是一片安谧和平温馨的景象，可战争打乱了一切，行人纷纷议论"珍珠港"事件，推测罗斯福总统可能采取的行动。

巨大的乔木针叶树在寒风中挺立，时而发出呼呼的吼声，罗斯福在他的白宫内也感到：日本偷袭珍珠港，打破了美国在军事上继续利用中国抵抗日本，而自己不参战的可能性。忍无可忍，毋须再忍。

同一天，美国正式向日本宣战，美日战争全面爆发。日美开战，重庆的国民党官员大都认为意义深远，前途光明，抗战必胜。顿时，山城重庆引起了一片欢欣鼓舞的热烈情景：冷清的街道变得喧闹起来，报童扯着嗓子在卖号外，以前不景气的生意却由于人们潮水般涌来争相抢买报纸变得红火起来，报童心中高兴，那些拿着报纸的人们更是高兴，他们读着美日开战的新闻，相拥相闹，叫嚷声盖过了车辆的嘈杂声。

国民政府的军事委员会更是欢腾一片，蒋介石抑制不住心头的喜悦，口里哼起了一段京戏的唱腔，并且整天向圣母做祈祷。国民党政府官员纷纷互相祝贺，仿佛已经获得一次伟大的胜利。

在他们看来，美国对日作战，这是他们盼望已久的伟大胜利。美国终于同日本打起来了，终于打起来了！现在中国的战略地位将越来越重要了。美国的钞票和装备将源源不断地流入，5 亿美元，10 亿美元，甚至更多，国民政府的各个机构都在等待着美梦成真的时刻，戴笠更想，他同三个副手郑介民、唐纵、毛人凤也期待着这一切的到来！

美国海军情报总署的办公室里空气异常沉闷，浓厚的哈瓦那雪茄混着其他纸烟味，一阵阵袭过来，呛得一些人不断咳嗽。

美国海军部部长诺克斯拼命地吸着雪茄，阴沉着脸一言不发。李威廉少将与海军中校梅乐斯两人也端坐在那里凝视着诺克斯。

其他工作人员正在忙碌地整理着文件，梅乐斯不会吸烟，脸被涨得通红，一会儿只见一位工作人员拿着一份电报走到了诺克斯的面前道："部长阁下，是这份电报吧？"

诺克斯吐了一大口烟雾，接过电报看后道："迅速与驻华大使馆武官迪帕斯联系，叫他就近与这个戴笠联系一下，这些黄色人种也能破译出如此准确的情报，不简单，希望能说服他们以后能提供更多的日军情报。"那人应命而去。

李威廉少将脸上红一阵白一阵，他是主管情报总署的长官，这次他是有责任的，便讪讪地说道："要不要我们通过驻美的中国大使馆向中国政府致歉呢？"

"您看呢？少将？"诺克斯又点燃一支雪茄，耸耸肩膀，反问道。

"哦，应该。"

这时，工作人员又拿着一份电报，恭敬地递到诺克斯的手中道："这是迪帕斯的回电。"

诺克斯一扫电报，只见上面写道：

"戴笠，中国政府军统局局长，破译技术较高，前几日得到日军炸击英舰艇的电报，英政府并不相信，后成为事实，英'威尔士亲王号'被日本人炸沉，英国上下震惊，并向中国方面致歉……"

诺克斯又是一惊，不亚于得知珍珠港被袭的消息，威尔士亲王号是英国最新、威力最大的军舰，刚刚开到远东征战，就被日军炸沉？诺克斯惊魂未定地把电报送到李威廉与梅乐斯手中。

诺克斯一摆双手，"来人，马上给我们安排一下，我们要在华盛额大饭店会见驻美中国大使馆武官肖勃……"

此刻，在山城重庆，在曾家山戴笠的公馆，戴笠正搂着情妇余淑衡的腰肢，嬉笑打闹。

忽然贾金南推开屋门，走了进来，这种情形他见得多了，也不回避，道："先生，美国驻华大使武官迪帕斯来见您。"

戴笠一听，哈哈大笑道："说来就来了。淑衡，穿好衣服，给我做翻译去。"

两人走进客厅，已看到了气宇轩昂的迪帕斯。等迪帕斯用艰难的华语说明来意，并对戴笠大加赞赏之后，戴笠更是眉开眼笑，他早就想利用英美势力来充实军统的电讯器材和武器装备，以抬高自己和军统的身份。

早在此前，英国大使柯尔奉女王之命提出要求，在中国设立中英合作情报研究所和一支游击队，由中国出人，英国负担经费和武装。老蒋便把这一任务交给了戴笠，戴笠心里也清楚，英国人的目的是为了要保护他们在远东的殖民地，而他自己则可乘机进一步扩大特务武装。

于是很快在重庆成立了“中英合作情报研究所”及“军事委员会别动军司令部”，由周伟龙任司令。当时，英国远征军蒙巴顿元帅派了40名青年军官来华学习游击战术，周伟龙便举办了一个西南游击训练班，培训这批英国军官，为日后中英合组的游击队做准备工作。

在与英方合作中，戴笠均让周伟龙去干，自己很少干预。对于美国方面，戴笠则亲自出马。

戴笠敲拨着如意算盘：“珍珠港事件”之后，美国必会加重在亚洲的军事投资，那么自己的军统便趁机可以得到扩充，何乐而不为呢？于是他大声地答应了下来，显得极为豪爽。

华盛顿大饭店，高雅豪华，气派非凡。肖勃一走进大厅，远远便看见了诺克斯、李威廉、梅乐斯三人。

肖勃名义上是外交人员，但实际上是军统美国情报站站长，毕业于美国著名的耶鲁大学，擅长外交，因此得到戴笠的赏识与重用。

“尊敬的武官阁下，我国政府打算派遣梅乐斯中校……”诺克斯一指身旁的梅乐斯中校向肖勃说道：“去中国，建立一些海军基地，以便为我国将来在中国沿海登陆做准备，对日作战是一项长期的事业，关系到我两国的荣誉，不知阁下是否能予以协助呢？”

肖勃摇了摇酒杯中的冰块，思索了一会儿道：“贵国政府能与我国同仇敌忾，我是很欢迎很高兴的，不过我得向我们的委员长请示，我想事情很快会办妥的。”

诺克斯问了一声：“委员长?”

“就是蒋介石先生。”

不几天，肖勃便向诺克斯通知了蒋介石的回电，同意梅乐斯中校去中国，并指明戴笠协助。

梅乐斯对中国这个东方古国充满出奇的向往，或许还能看见只有史册上记载的古服皇亲吧?

为了能完成海军部布置的任务，他掌握了一些应该了解的事情，包括有关戴笠个人的问题。他还记得威廉少将临别时对他说的话：“看来，我们对这些黄种人不要太傲慢了。”

但不久梅乐斯便对戴笠产生了偏见。当时梅乐斯对戴笠一无所知，肖勃便道：

“戴将军是委员长幕僚中的一位极重要的人物。他是个很好的人，完全可以安排你的一切。”最后又补充说：

“只有在戴笠的协助下，你的任务才能轻而易举地完成。”

梅乐斯没有完全听信肖勃的话，而是跑到美国国务院和陆海军情报署去阅读有关文件，偏见这时便产生了。

梅乐斯看到当时在重庆任美国驻华大使麦克胡的一份报告中这样介绍：“……戴笠是一个出名的刺客，是一个‘盖世太保’似的神秘组织头目，那组织在上海时被称作‘蓝衣社’，他还成立了专门囚禁政敌的‘集中营’。据说他非常不喜欢外国人，因此，绝少有外国人能够见到他……”

麦克胡是梅乐斯中校的同学，加之一些中国友人也说戴笠声名狼藉，梅乐斯大失所望，一时没了主意。

可军令如山，1942 年的 4 月，梅乐斯还是硬着头皮向中国飞去。在此间他又在斯里兰卡（当时名为锡兰）停留，找到李末斯上校打听戴笠，然而这一切都未避开戴笠的耳目。

戴笠在曾家山公馆会见了梅乐斯中校，余淑衡仍坐在一旁做翻译。当梅乐斯谈到中途曾在锡兰、科伦坡停留时，戴笠不悦地问："你去那里的目的是干什么?"

"为了会晤美国海军上校李末斯，他是我的老朋友了，看他那里日后是否能做我的物资转运站和无线电播音站。"梅乐斯中校发现戴笠脸有不悦之色，谨慎地回答道。

戴笠听后，满意地点点头，立即转换话题问："中校先生愿住在城里，还是乡下?"

"随便哪都可以，我打算去华南沿海看一看。"梅乐斯此行的目的就在于此，从戴笠的几句问话中，他已觉察到，在印度、锡兰都有戴笠的耳目，在中国就更不用说了。如果不征得戴笠的同意，他去沿海视察的愿望便难以实现。

不料，戴笠竟爽快地答应了下来。

此后两人交往谈话都颇感对方心意诚挚，梅乐斯对戴笠的偏见与戒意慢慢消失了。

梅乐斯对麦克胡说道："戴将军是个很爽快的人，将来合作一定十分愉快。"

麦克胡仍坚持己见，冷笑道："你太幼稚了，老朋友，这些中国人，尤其是戴将军，有时嘴上回答得很好，可实际却远非如此。你要知道，英国派来的代表团，正要离开他们返回印度。"

"这是为什么?"

"因为这位戴将军不肯接受他们保持作业控制权的要求。"

梅乐斯一笑，道："戴将军是对的。如果我是中国人，我也会要保持作业控制权的。"

这几日通过他与戴笠的接触，慢慢懂得只有尊重对方，事情才会好办，而不应该摆出高人一等的架势。

中国沿海的自然风景使中校着迷，同时也因此次戴笠能亲自陪他而感到高兴。

这天，他们一行来到了福建浦城，正待进城，戴笠却收到敌机要来轰炸的情报，于是驱车向野外奔去。不一会儿，十余架敌机在浦城上空进行了轰炸。

“噢，戴将军，你们的情报真是准确。”梅乐斯恨不能亲自用汉语表达自己的情感。

戴笠这次出动也是冒了极大风险，但同时也想赢得美国佬的好感，便“舍命陪君子”，命令特务们一有动静便立即汇报。此刻，余悸稍平，看着梅乐斯如此动情，便对翻译刘镇芳说道：“你告诉梅将军，他们美国希望在中国做的许多事情，像气象报告，海上飞机、军舰的指示，关于敌军的行动意向等项作业，都需要保护。因此，我希望美国政府能提供资金装备，培训 5 万名游击队员，以保护这些措施……”

梅乐斯听罢，用英语大声答道：“OK!”

梅戴二人握手表示合作愉快，此刻二人间达成了默契，戴笠的话梅乐斯一般执行不误，梅乐斯的话戴笠更是言听计从，这一段时间戴笠很少发火，或许也是得自梅乐斯的忠告。

“我期待着我们的合作达到一个高的顶点。”戴笠举杯对梅乐斯说道。

“我想会的!”

带着对戴笠傲慢与偏见的冰释，梅乐斯回到了美利坚向海军部汇报情况去了。

重庆的雾仍然很浓，戴笠此刻又有了新欢胡蝶，在温柔富贵乡中，戴雨农仍是念念不忘中美合作……

## 六　携手合作真开始

美国佬非吃亏才老实，这不合作起来了。

1943年4月15日，在重庆军统乡下办事处大礼堂，举行了中美合作所合同的签字仪式。

会场布置得十分肃穆庄重，主席台正中竖着国民党的青天白日旗与美国的星条旗，由于没有风，这两面旗帜都低低地垂下。

美国方面除梅乐斯中校以外，罗斯福总统还派来了当时的海军部长诺克斯和自己的私人代表鲁斯。中国方面原定由外交部长宋子文和戴笠共同主持签字仪式，后因宋子文临时有要事，不能出席，才改派外交部常务次长胡世泽前来参加。

墙壁上的钟表嘀嗒作响，军统局的所有负责人郑介民、唐纵、毛人凤以及八大处处长，还有几个美国人整齐地站立在谈判桌两旁，只听得钟声镗镗镗敲了5下，恰好是下午5点整。礼堂的大门被推开了，只见前面走着的正是满面春风的戴笠，一同进来的诺克斯、鲁斯及胡世泽也都频频向热烈鼓掌欢迎他们来到的郑介民等人表示谢意和友好。

几人落座后，戴笠说道："中美合作所的成立是中美两国政府努力的结果，以后大家要齐心协力，愿我们合作愉快。"接着他把手下一一介绍给了诺克斯与鲁斯。

"现在，宣读合同内容。"

戴笠将合同递到潘其武的手中，只听潘其武读道：

"(一) 中美双方（中方由军统局代表，美方由海军部情报总署代表）为了共同对日作战，进行情报合作，合组一个情报机构，定名为‘中美特种技术合作所’。

（二）军统局尽可能地提供给美方有关日本陆海空军在中国沿海及大陆活动的一切情报。

（三）军统局应尽力协助美方在中国沿海及内地指定地区，建立气象和水文研究机构及无线电台。

（四）军统局应尽力协助解决美方人员在华期间有关食宿及交通方面问题。所有美方人员在华一切生活费用，由美方负担，先由军统局预付，后按期由美方偿还。

（五）美方愿无偿地供给军统局必要的武器、无线电器材、气象器材和交通医药器材。

（六）美方人员在华如有失踪及伤亡等意外事件发生时，军统局应尽力协助设法寻找和救护，并应保护美方人员在华的安全。

（七）所有在中美所的美方人员，一律享受外交人员的待遇。

（八）此项合同，经中美双方的元首批准签字后生效。

（九）如有未尽事宜或新的技术合作，经双方元首批准后派代表补充签订之。

（十）此项合同，用中英文各写两份，同等有效。”

从此，在重庆的磁器口杨家山，便出现了一个很特别的机构——中美特种技术合作所。

如果说，赢得胡蝶乃是戴笠私生活中最得意、最自豪的事情，那么中美合作所的成立，则无疑成了他事业上最得意、最自豪的事了。

他搂着胡蝶，摸着她那如玉的脸颊，不禁怡然自得：“这是我最荣耀的时刻，亲爱的。”

合作之后，中美双方在电讯、气象、人员培训等方面的协作很快就在全国各地展开了。各种各类特种技术训练班相继在安徽、河南、福建、江西、浙江、广西等地成立，美方人员及武器、器材、美元等也源源不断地运到中国。

戴笠多年来所纠集的5万特务武装，原本是三教九流、帮会流氓组成的乌合之众，不堪一击，然而此时此刻，却也相继接受了由中美合作所双方教官共同执教的正规训练；军统局曾经因为经费不足而遇到的各种各样的困难，也随着美元的滚滚流入迎刃而解。

中美合作所成立后的几年时间里，确实是戴笠事业上最得意的时期，真可谓是翻手为云，覆手为雨，运筹帷幄，心想事成。

但他们也为创建这个合作所费尽了心思。在美国政府内部，为了争夺对中美合作所的领导权，海军与陆军之间发生矛盾，今天的这份合同便是双方协调的结果。

杜诺万原为美国军方情报协调处处长。该机构实质上是美国军方负责收集海外各国军事情报的特务机构。珍珠港事件之后，该处改组为军事情报局和战略业务局，杜诺万升为战略局局长。他利用安插在梅乐斯身边的间谍得知了梅戴二人的计划，便一心想把美国海军部与军统局组成的中美合作所置于战略局的指挥之下。

他是一个富于野心的人，企图在中国建立殖民地区，为此他设计了连环套：第一步让梅乐斯兼任战略局驻远东代表，借梅之手，达到由战略局控制中美合作所的目的；第二步要美国陆军方面直接与梅交涉，由陆军派教官来华协助军统训练游击队。

海军部生怕陆军插手，便在国内发表声明：

美国驻华的海军有关机构，乃美国太平洋舰队的一个工作单位，应在舰队总司令直接指挥之下作战。

这项声明，目的很明显，中美合作所应当由海军单独控制，其他单位不能过问。

杜诺万十分恼火，但并不死心，所以在1944年中美合作所签订第二次补充合同时，他便作为美方主持人，企图以战略局取代海军情报总署来控制中美合作所。梅戴二人在合作的同时不忘同仇敌忾，抵抗这些外来干涉。

中美合作所是美国内部勾心斗角的产物，却使戴笠受益匪浅，一时间他也有了自己的武装，散布于全国，眼盯着共产党，几欲动手。

蒋介石在重庆他的府邸接见戴笠，亲自拉着戴笠的手进了客厅，亲自给戴笠端上一杯热茶，温和地道："中美合作所的事情我很高兴也很放心，这些人员训练出来，将来会大有用场的！"

戴笠受宠若惊，心里明白蒋介石的意思，拼命地点了点头。

"美国人那里我会做工作的，你的事情就是与梅乐斯合作，现在可是最要卖力的时候啊！"蒋介石意味深长地说道。

"学生知道，我们一定要密切合作。"

戴笠抬头望去，蒋介石瘦削的脸上对他充满了满意的神色。

此时戴笠已成为蒋介石反共战线上的一只鹰犬。

## 七 狂欢之夜迎学友

很快戴笠与美国佬臭味相投了……

1944年12月25日，军统局总务处长沈醉忙得不亦乐乎。为了筹办圣诞晚会，几个月来他一直马不停蹄，从大礼堂的建成到装修，都由他一人负责。

夜色逐渐苍茫，寒风呼啸，而在大礼堂中却是温馨一片，融融其乐，沈醉正在指指点点，命令特务们做最后的准备工作。晚会大致在6点钟举行。

这座礼堂可容纳四千多人，中间没有一根柱子，完全按照西方设计而建。所有的电器材料如扩音、照明以及电动舞台等设备，全是从美国运来的。梅乐斯还特地按照礼堂大小在美国定做了几十面万国旗。这些漂亮的万国旗都是一丈多长，用的是最好的丝绸，周围加上金色的缎子金边。为了举行这次集会，戴笠专门命人由印度空运来了六十多件西洋乐器，乐队队员全部用军政部发给的将军呢做成制服，换发了新皮鞋和白手套。专门从美国请来了指挥，加紧排练。

戴笠为这次晚会也极尽心思，从各地买来了大量古董等作为赠送美国教官的礼物。为了晚餐能吃到西餐，他聘请了数十名西洋厨师，重庆缺少火鸡，只好把养在动物园和公园的仅有的几只供观赏用的火鸡弄来供奉贵宾，其余的用鹅肉来代替。此外，他弄来了40多名年轻貌美的女特务作为陪客，如有人不去，定要追究。他心里知道：这是美国人最注重的节日，和中国的春节一样，一定要讨得其欢心，那时梅乐斯又会运来大量的美元、物资……

“哈哈!”他得意地来检视40名女特务，笑道：“今晚你们的任务很特别，我看你们的穿着不必那么严肃嘛，你们学习学习那些美国教官的女眷，低胸开襟——”戴笠目光淫邪地扫了一眼，说道：“不要怕，美国人是我们的好朋友，他们是最懂得礼貌的。”

那些女特务都红着脸出去了，嘴里埋怨着，但她们又慑于戴笠的淫威，只能服从。

戴笠抬腕看了看手表道：“时间差不多，美国朋友该来了。”

这时已听得礼堂外汽车声响，在华的美国教官、工作人员大约300多名以及他们的女眷都走了进来。接着，军统局的人也来了不少，其中也有带着家眷的，大礼堂中立刻热闹起来。

梅乐斯笑着向戴笠走了过来，道：“雨农，你让我吃了一惊。”“这是什么意思?”戴笠不解地问翻译刘镇芳道。

梅乐斯笑着鼓了鼓掌，会场静了下来，只听梅乐斯对着麦克风说道：“我亲爱的朋友们，戴将军让我们的确吃了一惊，他让我们仿佛置身于美利坚……”

翻译一句句翻译给戴笠听，戴笠听得眉开眼笑道：“过奖了。”他知道此举赢得了梅乐斯的赞赏，便自谦道。

会餐开始了，美国人大发狂性，边吃边嚷，调戏着一些特务的女眷，这些特务都敢怒不敢言。

那些女特务们则更是穿梭不息，使尽媚态，直逗得那些美国人更是淫词泛泛，戴笠看得也是春心摇动，一只手向身边的女特务身上摸去……

乐队奏着美国的小调，梅乐斯晃着头，满意地对戴笠说道：“我……已经向海军部申请了那笔款项，他们将会考虑的……我想我们合作得太愉快了，海军部对你提供的数据很满意，来……亲爱……”说着，一把搂住身边的一个女特务，那女特务极不情愿，但却也毫无办法。

戴笠道：“我们的委员长也对你们的帮助很感激，帮我们训练人员，提供物资金钱，这在帮我们对付共党方面的意义影响很大，感激之情难以言表，这次晚会便是专门为你们举办的。”

梅乐斯捏了一把那女特务的脸，道：“这些人都是你的手下？”

“是。”戴笠答道。

“很好，我要给她们圣诞礼物，你叫她们来这里，我亲自发给她们。”梅乐斯笑着，嘴便朝那女特务的脸上吻去。

戴笠没细看，忙吩咐去组织。女特务一个个前来领礼品，戴笠逐一介绍给梅乐斯。

“这位叫刘美美，在香港做过舞女，枪法很准的，我都不如她。”戴笠拉过一个浓装艳抹的女特务介绍道，今晚上除了美国女人外也就她打扮得“开放”一点。

“梅乐斯先生，您能答应我一个要求吗？”刘美美嗲声嗲气地说道。

“这么美的女士的请求，我怎么会不答应呢？”梅乐斯色迷迷地说道。

刘美美竟然倾身吻了梅乐斯一口，众人一见不禁笑声迭起。

戴笠兴趣高了起来，对面色绯红的刘美美道：“再来一个，梅乐斯先生会很高兴的。”

刘美美放荡地一扬双臂，抱住梅乐斯又是一个吻，戴笠看到梅乐斯更是兴奋异常。便下令其余的女特务去吻梅乐斯。

可出乎意料地竟再也没人像刘美美那样大胆，戴笠心中骂道："这些人不合时宜！"

晚会在此刻达到了高潮，梅乐斯与刘美美两人早已搂成了一团……

"王八蛋，你在家里怎么说的，你看那美国佬是怎么欺负我的，你连个屁不放一声。"一个女眷受了美国军官的轻薄，一怒拉着做特务的丈夫便往礼堂外走。

"我——"那特务心里发恨，竟然说不出话来。

"你们真是丢尽中国人的脸，讨好美国人，又去杀自己人，我不跟你过了！"山风中那女眷喊出了许多中国人所想所云。

所有美蒋"合作"项目，无一不落实在扶持衰败垂危的蒋介石政权，并便于美国在中国攫取特权。而为实现这一目标，首要在于翦除中国共产党的势力，重庆"特种警察训练班"的开办，便成为双方全力以赴的事。

为开办特警班，戴笠不惜花钱如流水，新盖50栋房屋，包括可容纳3000人的礼堂、教学楼、交谊厅、军火库，以及警犬室、马厩、鸽棚和跑马场、打靶场等。为梅乐斯建造的豪华官邸——梅园也同时落成。

梅乐斯为了报答戴笠在中国帮助之情，也是十分卖力，他跑回美国从联邦调查局、麻醉剂管理局、特工处和防暴队招募来的格杀打扑教官50多人，运来教学器材等物资110吨，另外还有百余只凶猛如虎的美国警犬。

梅园中，梅戴二人坐在书房里各自吸着香烟生闷气。原来特警班开课之后史迪威便派人来干预，战略情报局和陆军部都对此不满。

史迪威何许人也？当时的驻华美军司令、中国战区参谋长正是这位约瑟夫·W·史迪威将军。

史迪威从一下飞机见到蒋介石，便很不喜欢这位光着脑袋的中国领袖。他觉得蒋介石和他的政府腐败堕落，用个时兴的比喻就和当时的德、意、日法西斯统治一样，对戴笠这个“盖世太保”的人物他更不喜欢，在欢迎史迪威的会上，这个盖世太保想与史迪威说话，当时，史迪威便给了戴笠一个难堪，转身走开了，脸涨得通红的戴笠在原地站了半天。

史迪威很不同意梅乐斯和戴笠的做法，认为将大批的美元、大批的武器用来培养盖世太保，而不用在对日作战的正面战场是极端错误的，便向总统提出了抗议，并派人来直接干涉。

梅、戴二人没了主意，直接向蒋介石做了汇报，一时间二人沉闷起来，这些特务可以说是杀手中的杀手，是戴笠手中的一张王牌，如果停办，岂不可惜。

两人拼命地吸烟，屋内烟雾迷漫，史迪威的个人看法是只要抗日都是好的，不必分国或共，而蒋介石则不以为然，仍然存在着他那早已形成的思维：攘外必先安内！

两人一开始便在斗争，史迪威曾因一次“战胜”了老蒋，做了首打油诗，诗中写道：

我等了好久，想要报仇，
终于时运来了，
我瞪眼瞧着那小子，
兜屁股踢他个够。
……
小杂种浑身发抖，
无力说话，开不了口，
他脸色发赤，肌肉颤抖，
强抑着自己不吐哀声呜啾。
……

足见两人结怨之深，官司打到罗斯福手中，这一次罗斯福权衡利弊，依旧迁就了蒋介石，而史迪威却也没了办法，因为此刻他正忙着在缅甸作战。

戴笠听完蒋介石的电话，笑着对梅乐斯说："事情有了结果。"

梅乐斯说："我想应该是这样的结果，我们不让中国发展一种现代的警察训练系统，究竟是对于哪一方面有益？我所能看到的唯一答案就是，对于中共有利。因为如果中国有一个强有力的中央政府，那就绝没有他们的好处。"

戴笠一把抓住梅乐斯的手道："先生所讲极是，我们的宝刀要用在那些人的脖子上！"

## 八　远赴绥远取取经

为此大家业，戴笠上"西天"取取经。

1945 年 3 月 7 日，戴笠同梅乐斯、雷诺和郝拉得，以及军统局的乔家才，乘飞机前往绥远和陕坝。

早在 1943 年 10 月，戴雨农有感于我国对日抗战的最后胜利，已不成问题，但前门拒狼，后门进虎，诡诈的苏俄，将成为我国更难对付的强敌。外蒙新疆，首当其冲。如何筹谋对策，做未雨绸缪之计，颇为重要。于是，他于是月 20 日晚召见了对这方面有研究的边疆问题专家饶铁珊。

戴雨农听到他的意见，沉思良久，默然嘉许，并且劝勉他多锻炼吃苦耐劳的体魄，备为后用。

这年，戴雨农得到梅乐斯的赞同，决定在绥远西部的陕坝东北十里的大顺成，建立"中美所"的"第四训练班"，计划以绥远大青山的游击部队刘效贤、鄂友三等四个纵队为基础，并分期调训军统局在冀、晋、绥各地的行动队和平绥铁道破坏队。同时，吸收蒙古各盟旗优秀青年，分期训练，援予美式装备，准备进一步建立西北游击基地，侧击敌军；并用以实现饶铁珊的建议，做抚蒙防俄的准备。另外在天主堂内，建一座气象站，汇集极珍贵的气象情报资料，供“中美所”参考。任命高荣为副主任，饶铁珊为教育长。

高荣和饶铁珊赴绥设班后，因为绥远地处偏僻，交通不便，原计划调训的各行动破坏队人员和蒙旗青年，进出很成问题，而时间上也无法统计。于是乃变更计划，改调第八战区的骑兵挺进队以及军统局的五原办事处、察哈尔站各单位的工作人员，分六期训练，编组为一个“别动军”纵队，作为北方主要的游击部队。

可是，只办了两期，却发生了问题。坐镇绥远的第八战区副司令长官傅作义呈上蒋介石一份电报，说“中美所”的第四训练班办得不好，美国人很不满意，要求由他接办。

蒋介石将此事批交给戴雨农处理，所以戴雨农才亲偕梅乐斯飞往陕坝。

陕坝地方风气闭塞，生活物质条件很差，训练设备比较简陋，但这些都不是“办得不好，美国人很不满意”的因素。傅作义所以要向蒋介石做此报告，真正的原因是一套自私的“整体”观念作祟。

陕坝地方之所谓“整体”，实际上就是割据。这就是说，在“头儿”（傅作义的部下对傅的称呼）领导之下的绥西，是一个“整体”，绝对不允许任何一种外来的力量存在这个地区，否则就是破坏“整体”。因此，中美所的第四班存在于陕坝，当然是他们的眼中钉。可是，他们也无法不让它存在。于是，只好从挑拨离间中美人员的感情上着手，制造纠纷，然后再据以上告，争取改由“头儿”来接办，那么就大有益于“整体”了。

陕坝的军政“整体”是采取闭关政策，但他们并没有力量脱离中央而自存，自然也无法阻止中央大员往来陕坝。于是，他们对中央大员，准备好一套拿手的法宝：通过宴会、阅兵、欢迎晚会、赠送礼物等行动，把来人大大恭维一顿。来人回去以后，无形中对陕坝有了好印象，甚至有人帮他们宣传。

戴雨农很婉转地回答傅作义说：“美国人的习惯，到达一个地方，一定要同他们的官兵生活在一起。”傅作义无法强留，只好让他们去大顺成中美第四班。

可是当天下午，又派赵秘书带了请帖来大顺成邀请他们去参加欢宴，又被戴雨农婉拒了。赵秘书奉命而来，喋喋不休，大有请不到贵客决不回去的意味，一再挽请高荣代为说项，务必请戴先生赏脸。当高替他传话时，却受到戴雨农的冠冕堂皇的斥责：

“我看你们越革命越糊涂，中央人员怎能每到一个地方，让地方招待，增加老百姓的负担？无怪要被人家看不起！”赵秘书扫兴退去。半夜，傅作义却又派人来大顺成，邀请戴雨农与梅乐斯参加第二天的上午阅兵、晚上宴会，以及各界的欢迎大会。

来人恐怕戴再拒绝，先向高荣说明：

“这是副长官的意思，戴先生是自己人，怎么办都没有关系。可是还有美国人，不能太怠慢人家。昨晚上的宴会没有去，傅长官觉得很不好意思，明天的一切节目，无论如何，戴先生也不要推辞。”

戴雨农再度谢绝了傅作义的邀请。第二天上午举行中美第四班第二期的毕业典礼。

第三天中午，戴雨农去陕坝，正式拜会副长官傅作义，并且将蒋介石给傅的亲笔信和500万法币，亲自转交给他，转致慰劳之意。下午，回到大顺成，宣布派乔家才接替高荣，负责第四训练班；饶铁珊则调往新疆任情报站副站长，赞襄站长胡国振，照既定的抚蒙防俄的决策，积极加强蒙新边境工作的部署。

当晚，戴雨农借用“塞上新舍”，以中央人员身份，宴请副长官傅作义以及各重要军政人员，即席表达中央对边区同仁的关怀与慰劳的诚意。彬彬有礼的态度辞色，促使大家务必畅饮尽欢。次晨，与梅乐斯搭乘专机飞离陕坝。

乔家才接任副主任以后，首先设法化解了过去中美人员的隔阂，再以不卑不亢的态度，对付陕坝的“整体”观念，选挑景震泰为大队长，一面先对已毕业而未能离班的一二期学员生，施以补充训练，加强武器装备，编成平绥破坏队，美员四人，也携带电台，随队进驻萨拉齐以北的大青山，与鄂友三的游击纵队合作，建立游击基地，对敌实施突击作战。一面再继续三、四两期的训练，至抗战胜利，已改编为绥远独立支队，有500人，对北方的局势，发生了一定的影响。

进驻大青山建立游击基地的平绥破坏队，受过新式作战训练，有美式装备，使日军感受极大威胁。

1945年5月14日，日军调集平绥路沿线部队约600人(敌军400，伪军200)，坦克和装甲车各7辆，重炮数门，向大青山猛攻。大青山游击基地在指挥官鄂友三和美员威克斯率领之下，动员了1000人，奋起抵抗激战三小时。日军虽有优势火力，但破坏队能巧妙的运用轻机枪，轮流发射穿甲弹和硫磺弹，因而击毁坦克2辆，装甲车四辆，击毙敌军60人，伪军10人。日军遭此挫败，不敢再对大青山攻击，而转令伪军与游击基地，以求自保。

## 九　魔鬼的宫殿中革命者也能谱写战歌

在刑讯室里，革命者用行动谱写了一曲“红岩”赞歌。

白公馆是关押要犯的场所，江竹筠曾被关在这里，她用一腔热血谱写了一曲“红岩”赞歌。

徐远举奉戴笠之命，亲自提审江竹筠，几个特务头子都坐在一旁听讯，希望能从江姐口中得到一些有用的东西。

“你说不说”徐远举恶狠狠地叫道，他的一个又一个的提问都被这个倔强的女共产党人所拒答，他怒不可遏，嘴里叼着根烟，扯开衣服，露出了胸膛。

江竹筠并不为徐远举的举动所吓倒，直直地看着徐远举，一句话也不说。

“你他妈的说还是不说，再不说老子剥了你。”徐远举显然已恼羞成怒，对手下喊道：“来人，给我把她的衣服脱下来。”

徐远举性情暴躁，看对方不理会他，便又想拿出他审讯女“犯人”用的一套老办法，那就是把她全身衣裤完全剥掉，弄得一丝不挂，使之害羞而招供，如果剥去衣裤还不招，那就用针尖去刺奶头，用小藤条抽打阴户。根据他多年的“经验”，用这些刑法审讯女人是十有八九要招的。

所以此刻他想起了这招来，四下的小特务听到命令都笑嘻嘻地朝着江竹筠走去。

“你们不许乱来!”

一直没有说话的江竹筠突然大喝一声，吓得那些小特务全愣在了原地。

“哈哈！怕了吧？现在说还来得及。”徐远举以为江竹筠怕了，便得意地笑道。

江竹筠怒目而视，指着徐远举说道：“我是连死也不怕的人，还怕你们用剥掉衣裤的卑劣手段来侮辱我吗？不过，我要告诉你们，你不要忘记，你是女人养出来的，你妈妈是女人，你老婆、女儿、姐妹都是女人，你用这种手段来侮辱我，遭侮辱的不是我一个人，而是世界上所有的女人，连你妈妈也在内，也在被你侮辱！你不害怕对不起你的妈妈、姊妹和所有的女人，那你就叫人来脱吧！”

一串炮弹一样的斥责声，使徐远举十分尴尬。一旁的特务为徐远举找台阶下，小声道：“能不能换别的刑法?”

徐远举没好气地说：“那就用美国教官教的‘十指连心’刺竹签吧！”

小特务们使劲用竹签插进江竹筠的十个手指头的指甲内，但江竹筠仍是一声也没吭。

梅乐斯、戴笠的中美合作所越办越“红火”，追查、跟踪、暗杀、屠杀成了特务们主要的事项，当时周恩来也在重庆，《新华日报》的周围便埋伏十数个特务，黑白不分日夜轮流监视着周恩来与中共其他高级人物。

“我想以后，也就是抗日胜利之后，咱们的这些人员会派上大用场的！”戴笠一高兴，对副手郑介民、唐纵、毛人凤说出心里话。

三人点点头，军统的势力一天比一天大，岂不是好事，岂不令人高兴?

让戴笠高兴的是史迪威也被他的总统调离了中国，再也没有人来管他们了。为此，他曾与梅乐斯开了个小小的庆功会，可孰知他正高兴的时候，一片阴影正慢慢向他们，确切地说是向他的美国主子袭来……

原来，中美合作所从创立便遭到海陆军的勾心斗角，后来又由于中美合作所乱搞暗杀，逮捕民主人士和共产党人，不仅国内千夫所指人人大骂，连美国的一些民主人士也埋怨了起来，说梅乐斯在中国国内大搞破坏，阻止抗日。

梅乐斯听后大吃一惊，急飞美利坚，找到诺克斯部长，哭诉一番。出乎意料，几位海军上将对他在华的行动却十分赞赏，还提升梅乐斯为少将，委任为海军援华司令，允许扩充中美合作项目，梅乐斯找到了靠山，高高兴兴地朝中国又飞了回来。

回来后一切都发生了变化，1944 年 10 月，魏德迈接任史迪威任中国战区参谋长兼驻华美军司令。

年近半百的魏德迈办事果断，颇有魄力，他想在近一两年内尽快解决远东战场，因此对蒋介石、戴笠等人制造反共摩擦之事便十分生气，他本人虽然也很反动，但却担心国民党操之过急，中国提早爆发内战，反而对美国不利。由此他决心完成上一任未遂的心愿。

戴笠的恶名他是早有耳闻，梅乐斯与此人沆瀣一气，更是有损军人荣誉，他决心先对梅乐斯开刀。

梅乐斯听后，急忙回电海军部，从此双方便开始了数月的拉锯战。作为对抗，魏德迈调杜诺万来重庆，力图使梅乐斯与戴笠脱钩。

魏德迈严厉地盯着梅乐斯道："梅乐斯少将，你应该为你的所作所为负责。今后不管军事的、秘密的活动，你必须记着都只能严格地以对日作战为前提，且行动前必须得到批准。"

梅乐斯自恃有海军金上将的来电壮胆，便申辩道："海军方面既没从事秘密作业，中美合作所也没有非军事性质人员，我们干的全是军事性质工作。尊敬的参谋长阁下。”

魏德迈抢白他道：“你们干的难道不是秘密情报工作吗？你看这些报纸上是怎么说你的吗？盖世太保，暗杀大王?!”

梅乐斯气焰顿挫，嗫嚅表态道：“我与戴将军……愿意服从您的指挥，可每月将军您分配给合作所的物资太少了!”

魏德迈冷笑一声道：“你们是想趁此机会，多运些女人内衣衬裤、浴缸到重庆来吗?”

众人哈哈大笑，梅乐斯感到四面楚歌，急忙去找戴笠想办法。

但两个人聚在一块，又胆大妄为，全未把魏德迈放在眼里。转过背来，照干阳奉阴违的一套。恰在此时西安附近的中美合作所东训练班的美方主持人杨格少校和西德森中尉，发生当场痛斥戴笠所部“有意保留力量，以便战后打共产党”等争吵斗殴事件，梅乐斯害怕此事传入魏德迈耳中，迅速飞往古城西安，将杨格等人免职，改派“对戴将军怀有最高崇敬”的克莱默少校接任。梅乐斯当场对克莱默发布“热追令”说：“由于在西安附近那种中国重庆政府、美国、日本、中共的复杂情势，我便授予了他充分权力，如果共产党真要向他的人开枪，他便可以对共产党发动攻击。这个权力是基于国际公认的‘热追’原则而来的。”

魏德迈大怒，一气之下他回到了美利坚。魏德迈指控梅乐斯与共军作战，将武器转手于军统，支持国共两党之战，破坏抗日。梅乐斯终于被押解回国，一路上他有说不出的悲凉。

蒋介石、戴笠知道此事后，大为叹惜。但尽管如此，戴笠的中美合作所仍然受到蒋介石的重视，蒋介石决定亲自视察中美合作所。

当梅乐斯在华盛顿哀鸣“我们是被击倒了——我们的组织已被解散，我们的前程也被毁去。但这个打击，还并不到此为止”的时候，蒋介石光着他那发青的脑袋在戴笠、郑介民、唐纵、毛人凤的陪同下，来到了中美合作所及其集中营驻地。

戴笠远比梅乐斯幸运，在这个刽子手乐园中仍主持着大局，他指着白公馆中的一间屋子，对蒋介石道：“这里曾关押过叶挺!”

“是吗?”蒋介石点点头，眼睛朝前方望去，“刑讯洞”三个大字赫然醒目，他朝着那屋走去。

腥风血雨，魔影重重，这个岩洞天然造就，再加上戴笠命手下精心布置，更显得阴森恐怖。

蒋介石刚跨过铁门，迎面正是一帧自己的肖像，旁边全是标语“以三民主义消灭马克思主义”等等，蒋介石的目光转向戴笠，说道：“能给我介绍一下这里刑讯情况吗?”

戴笠打了个立正，叫道：“侯子川，你给委员长讲一些。”侯子川是白公馆看守所的所长，听见呼唤，忙走了过来。

“现在刑讯主要有吊刑。委员长你请看——”侯子川山东人氏，满脸麻子，对犯人凶狠异常，此刻却笑容满面，指着墙壁上的吊环对蒋介石小心翼翼地介绍道：

“我们用绳将他们吊起来，然后用鞭子抽……”

蒋介石扬眉瞅了瞅，道：“别的呢?”

“还有灌刑、火刑、拶指——”

“拶指是什么?”蒋介石饶有兴趣地问道。

这拶指乃系明代“东厂”、“西厂”等特务机构刑讯时流传下来的酷刑，特务用又粗又长，四棱的毛竹筷子，夹指猛收，使利如刀刃的竹筷入人骨髓，令人痛不欲生。

侯子川边比划边叫来了两个犯人做示范，在那悲惨的叫声中，蒋介石啧啧称奇，不住夸赞那些刑具……

“雨农，”蒋介石对戴笠说道：“你干得好，不枉为我的学生，中美合作所训练的全部人才都是有用处的，我想马上会用到的。”

此时抗战即将结束，蒋介石正在阴谋发动内战，他恨死了共产党，因此便在各个方面处心积虑地准备着，撒特务网也是其中之一。

中美合作所在拼命地捉人、杀人，鲜血流成了河，尽管梅乐斯走了，戴笠依然在胡作非为。

不久，随着戴笠飞机失事，中美合作所便结束了，然而人们又怎会忘记中美合作所中的血雨腥风、魔影憧憧呢?

在中美合作所的背后，是一座刽子手的乐园。

## 十　考察东南，开辟魔鬼乐园

杀人的同时，自己也要壮大，开辟乐园也要进行。

为配合美军在太平洋战场上的行动，梅乐斯与戴笠决定将中美所的工作放在东南地区作为重点，并决定在福建建阳成立中美东南办事处。

戴笠、梅乐斯规定东南办事处的主要任务一是搜集日本海、陆军分布和活动的情报，二是测量海域及陆区的气象资料，三是训练、指挥特务武装，扰乱日军。为达到此目的，戴笠先后指示在上海、闽侯、定海、漳州 4 个地方设立情报站，并归属东南办事处指挥。不久，又成立前进指挥所，戴笠任命毛森为军统东南特派员兼中美所前进指挥所指挥官，由梅乐斯指定皮尔上尉协助毛森工作。

4站1所成立后，使东南办事处的活动渐趋活跃，他们利用潜伏的特工网络和汉奸关系，搜集到大量质量较高的日军情报，特别是上海情报站站长庄心田利用一些汉奸经常到日本的关系，搜集日军的情况，由中美所报告美国海军部。

另一个受到美军和中美所赞扬的是毛森的前进指挥所。该所成立后，毛森将所址尽量靠前设在距沦陷区最近的浙江省于游县乐平及浙江省分水县印渚埠。毛森在这里举办爆破人员训练班，指挥军统特务武装不时袭击骚扰日伪武装人员，搜集沦陷区情报，狙杀日伪汉奸，炸毁敌伪桥梁等，多少做了一些工作。

特别值得一提的是，毛森还指令上海情报站长郑庭显及各直属情报组人员，打入日军心脏，获取了大量情报，由中美所及时转送美国海军的有关方面，在协助美军歼灭日本冲绳洋面的大和舰（载重74000吨）和冲绳岛等地8万日军，迫使牛岛中将自杀等方面，都发挥了一定作用。为此，美国海军司令部尔赛和尼米兹两位将军曾多次给毛森发来感谢电，美国政府给毛森颁发了奖状和6枚勋章。

为了进一步加强东南方面的活动，梅乐斯坚持要戴笠把美国援助的武器弹药重点配发东南沿海地区的特务武装，并指定要在贵阳设立大型的武器仓库，以便可以把运到昆明的武器再通过贵阳然后运往东南沿海地区。中美所为加快对军统特务调训的步伐，除了在安徽省歙县雄村、江西修水、浙江瑞安等地举办训练班外，又将军统设在东南地区的大型训练中心——福建建瓯东峰班改为中美所第七特种技术训练班，另在福建华安举办中美所第六特种技术训练班，按照美方关于配合和接应美军登陆作战的要求，大规模地调训军统特务及特务武装。

为了检查中美情报合作交流计划的落实，戴笠与梅尔斯决定亲赴东南地区视察。

此行从1943年1月就开始筹划，因是中美所成立后戴笠与梅乐斯的第一次出行，戴笠对各项具体工作准备得相当充分。1月20日，第一批先遣人员乘汽车出发。2月1日，第二批先遣人员接着乘汽车出发。军统总务处长沈醉为了这两批先遣人员能够按时出发，连日连夜地忙碌，每天还要亲自书写两至三次报告给戴笠审阅。为戴笠、梅乐斯准备的物资从足够两桌宴席用的精美餐具、沿途市面上出钱也买不到的名贵食品到送给朋友、外勤特务骨干、各地军政大员的礼物以及讨好女人用的女睡衣、内衣裤、拖鞋、女士香烟、香水、香皂等物，应有尽有。

这次出发过程中，发生了一个插曲。上午8时半，戴笠亲自到缫丝厂乡下办事处为先期赴东南的队伍送行。出发人员共乘4辆卡车，由局本部总务处庶务科科长张东生带队，因张已改任安徽歙县雄村中美所第一特训班总务组长。随行人员中有一对男女，是戴笠的内表兄毛权夫妇。

毛权的长相很像戴笠，被戴笠留在身边当替身。一次因梅乐斯将毛权当作戴笠，三呼而不应，梅因而对戴产生误会。此事经中美所翻译刘镇芳进行沟通才弄清原委，戴由此大怒，立下手令开除毛权回家。

当时从重庆到浙江，千里迢迢，路途遥远艰险，毛权夫妇好不容易等到这么一个机会，由总务处安排乘中美所赴东南的车辆随行，但戴笠看到车上物资太多，而毛权夫妇连人带行李却要占去不少的地方，大为恼火，立命手下特务拉毛权夫妇下车，自已想办法回家。毛权夫妇见此大哭不止，后经毛人凤等从旁劝导，戴笠才放他们过去。

戴笠与梅乐斯一行于1943年3月2日从重庆机场乘飞机

先赴广西桂林，经湖南衡阳，转赣入福建，到达此行第一站福建建阳。

戴笠、梅乐斯在建阳期间听取了李崇诗关于中美所东南办事处筹建情况的报告，视察了办事处的筹建情况，指示李崇诗要迅速在沿海地区以及东南各省部署力量，以点带面，展开工作，切实掌握日军在大陆和台湾海峡活动的情况，迎接盟国太平洋海军的北进等等。

在建阳期间，戴笠还调整人事，一方面吸取以前的教训，在各公秘特工单位内部建立秘密轮值督察制度，由局本部督察室向各单位派出1名督察，暗中监视特务的言行，另派军统老特务杜宜之到闽北站任督察，加强领导；另一方面，指示在各公开机关设立情报组，所有军统分子或运用分子都列为公组成员，由各公开单位主管人任组长，并规定了每个组员的联络化名和每月至少要给闽北站提供一份情报的任务，各"公组"设编审书记1人负责编汇，每月由闽北组考核成绩，以决定升迁奖惩等等。对于闽北站汇集的情报，戴笠则指示必须通过局本部迅速转送中美所，由中美所及时提供给美军海军部做参考，以便配合美军太平洋舰队向北推进等等。

3月中旬，戴笠与梅乐斯一行到达建瓯东峰特训班观察。戴笠这次到东南训练班的目的有四：

一是主持第一期学生的分系训练，并根据梅乐斯的要求，增加配合美军登陆作战等方面的训练内容。为此，该班对学生突出军事学术科目的训练，由军统拨出巨款修建了一个设备极为新式完善的秘密靶场，由中美所供给大量的弹药供学生练习实弹射击，培养神枪手。

二是通过分系甄别评审，戴笠准备亲自从中挑选100余名成绩优秀、忠于党国、热爱团体的学生，送往重庆即将举办的

“中美合作所特种警察训练班”深造，使其具有“万能情报员”的水平，并精通一至二国的语言，准备派往国外任国际情报人员。

三是戴笠和梅乐斯决定在东南训练班建立“巡察总队”训练班。巡察总队是一支特务武装部队，目的也是为了在沿海省区开展武装活动，为美军在东南沿海开辟第二战场预作准备。在戴笠来说，还有另一个目的，就是通过建立巡察总队，准备将来在抗战胜利后与中共武装游击部队争夺地盘。戴笠与梅乐斯商定，该总队的训练全部由中美所派出美军特工人员负责，队员从服装到武器等装备都是美式。训练内容也着重在军事术科和武器的使用。

四是戴笠决定在东训班主持“四一”大会。这是戴笠自军统正式举行“四一”周年庆祝活动以来，第一次离开重庆在外地主持庆祝活动。自“四一”10周年庆祝大会以后，戴笠已知对军统活动不能过份招摇，以免招忌。于是，在“四一”11周年前夕，戴笠借故出走东南，重庆的纪念活动虽然一切照旧，但规模却大大压缩。

4月1日这天，戴笠在东训班参加庆祝活动，重庆的纪念大会由第二次出任侍从室第一处主任、军统局新任挂名局长林蔚主持并讲话。林蔚所做训词，从头到尾只讲军统要效忠领袖，努力工作等等，只字未提戴笠。以林蔚的一贯为人和作风，在大会训词不提戴笠不是一时疏忽，而是蒋的某种意图的体现。戴笠对此原存的恐惧不安心理不免又深了一层。

视察东南特训班之后，戴笠、梅乐斯一行翻山越岭，过了仙霞关便到了戴笠的家乡江山县。

戴春风衣锦还乡。1942年6月，日军一度攻占江山县，戴公馆已毁于战火，家中无立足之地，戴笠只得在仙霞破庙暂住一宿。其时，戴母年近 70 岁高龄，因咳嗽久治未愈，且有咯血之疾。戴笠目睹劫后家毁母病妻亡的惨景，心中未免伤心，有意想把老母送往重庆。但蓝氏坚不肯离乡，戴笠无法，只得以忠孝不能两全自嘲，于第二日赶赴江山县城处理轰动一时的所谓“柳莲芳间谍案”。

原来，驻防江山县的国民党第 25 集团军总司令部调查室主任、军统少将姚则崇和调查室江山县行动组长、军统少校魏哲秋等人，因敲诈、侮辱落难江山的苏州女大学生柳莲芳未遂，故以查获的十二只赛璐珞梅花别针为证据，诬蔑柳莲芳为日特梅机关的间谍。

既然是间谍，必须有一个网络，于是又通过捕风捉影、严刑逼供等手法，先后在江山及浙江、江西、湖南、福建等地抓来 90 多人，弄得整个江山县城满城风雨，草木皆兵。

由于影响涉及面很广，引起了国民党东南方面高级官员的重视。第三战区司令长官顾祝同、委员长侍从室第三处主任陈果夫、军委会机要室主任毛庆祥、福建省政府主席刘建绪、第 25 集团军总司令李觉的岳父何键、第 10 集团军总司令李默庵等人纷纷来电询问事实真相和结论。

国民党第 25 集团军总司令李觉认为此案系戴笠手下人所为，故拒绝加以过问，任由调查室一干人胡作非为，就连国民党军风纪第一巡察团团长金汉鼎闻讯到江山调档审阅，也被总司令部以戴笠做挡箭牌打回。故金汉鼎回到重庆，即向军委会提出彻查此案的要求，CC 系的干将、《燕南日报》社社长胡健中等人更是推波助澜，借机向国民党中央告状，要求弄清此案真相。

于是，连戴笠也不得不重视起来，特派局本部督察室督察连谋专程到江山县调查核实，结果很快弄清此案纯是一起诬陷案件，因而否定全案，然姚则崇等人不服，告状告到戴笠处。这时，江山县一些社会贤达绅士也联名打电报给戴笠，恳请他为柳莲芳一案涉及的无辜人员平反。于是才有戴笠的江山之行。

戴笠住进江山县城南门外上三桥一处新屋，未审柳莲芳一干“间谍”，也未找调查室一干特务，却找到江山县商会会长王寿昌询问此案真伪。王寿昌以“我江山县百姓，一向团结抗日，岂有汉奸成为集团之理”一席话，顿开戴笠茅塞。当即同意连谋的结论，下令全部释放柳莲芳等90余名无辜罪犯，将调查室主任姚则崇、江山县行动组长魏哲秋、秘书陈自耕等人拘押解往上饶，经审判，由戴笠指示枪决，并公诸报端，公开执行。当时人人对此深信不疑，以为戴笠做了一件好事，岂知姚则崇还是被他用替身术保了下来，仅易地使用而已。戴笠以假乱真，欺世盗名的手段由此可见一斑。

戴笠、梅乐斯一行离开江山县，浩浩荡荡向江西上饶进发，到达此行第三站——国民党第三战区长官部，与司令长官顾祝同再次商谈忠义救国军的整顿问题。

1940年，因忠义救国军与三战区的国民党军队矛盾重重，互相攻讦，官司一直打到重庆蒋介石那里。后经戴笠亲赴东南地区进行整饬，才使忠救军与三战区的矛盾一度有所缓和，并在第一次反共高潮中协调默契地袭击新四军，受到蒋介石的嘉奖。

但是，由于忠救军本是一些良莠掺杂的乌合之众，又占据着沦陷区与国统区的交通前沿地带，他们凭借天时、地利，在苏、浙、皖三省与敌占区接壤的阴阳界上设关立卡，强征暴敛，同时大搞走私贩卖、牟取暴利。忠救军的所作所为，使得三战区与忠救军的矛盾再度尖锐起来。弄得顾祝同也站出来向蒋奏了一本，说忠救军不服从指挥，抗敌不力，扰民有余，十足一群土匪。

蒋介石自1942年以后，对戴已有了戒备心理，也就对这类事采取有所偏向的态度进行处理。他把三战区揭露忠救军种种不法行为的报告批转戴笠查处具报，并威胁要取消忠救军建制，维护战区军令统一。

蒋介石这一手，无疑把戴笠惊出了一身冷汗。他知道蒋这次发怒与上次训斥忠救军不同，上次是怒其不争，恨铁不成钢，这次是借题发挥，另有企图，自己如处理不当，必受其累，自己多年来苦心经营起来的这一份特务武装的家当，也会毁于一旦。

于是，经过反复考虑，戴笠向蒋呈送了3条处理意见：

一是再次调整忠救军的高级人事，由胡宗南推荐的黄埔一期生马志超出任忠救军总指挥，周伟龙调任军统别动军司令。马志超在西安事变后，被戴贬谪到兰州任警察局长，后因不得志钻营到胡宗南部任师长。这次又由胡宗南把他推到军统任忠救军高级职务，戴素知马志超是大饭桶一个，对其颇感不满，但一则出于胡宗南的推荐，二则可以利用马志超黄埔一期生的黄马褂敷衍蒋介石，也只好勉强接受下来。胡宗南深知戴笠的心理，授计马志超不带1个警卫和副官，只身前往戴笠处报到。戴笠见此，果然很感动，马上命令给马志超精选1名精干的卫士，并取出一支最新式的手枪赠送给马，另取一支德造20响驳壳枪给卫士，同时为马添置了许多装备，令马即日赴安徽广德忠救军指挥部接任。

二是与梅乐斯商定，在安徽歙县雄村成立中美所特训班，分期分批调训忠救军所有官兵。训练课程、教材、方式一律按美式设置，并由美军教官主持，训练结束后，一律装备美式武器，然后把它们用于配合美海军在我国东南沿海的登陆作战。

戴笠深知蒋介石迫切希望美军能在中国东南沿海开辟第二战场，因而挟美军以自重，施出这一杀手锏。这一招果然厉害，既然连美国人都重视这支特务武装，蒋介石一度要取消它的心理也就作罢。

三是戴笠决定利用和梅乐斯一起赴东南视察的机会，亲自到三战区与顾祝同等高级将领面谈，协调忠救军与三战区的关系，整饬忠救军的风纪等等。

戴笠的计划很快得到蒋的批准，因而忠救军得以保留。

戴笠是报复心理极强的人。第三战区因忠救军的关系，屡次到蒋面前告状，早使戴笠对顾祝同心存芥蒂。这次他到第三战区视察，表面上是调整关系，整饬忠救军，实际上是搜集第三战区部队上下勾结，大搞走私活动的材料，以便向蒋密报。

当时，第三战区是国民党军队中最有钱的部队，军风腐败，大小将领腰缠万贯，重庆国民党的许多军政大员及社会舆论对此曾有许多指责，戴笠对此心里是很清楚的，不过考虑顾祝同是蒋的心腹将领之一，不愿过份拂逆蒋的欢心。同时考虑到忠救军部署在三战区，军事作战方面受战区节制。还有忠救军与杜月笙的港济公司也都在三战区大搞走私，也就对三战区种种腐败现象加以袒护，每年只是指示安徽、江西、浙江等省缉私部门抓几件不大不小的案子上报，以敷衍舆论。

自从三战区抓住忠救军不放以后，戴笠也就改变策略，下令各省缉私部队加强缉私活动，搜集三战区部队参与走私分肥的材料，不断上送侍从室，密报蒋介石，结果缉私部门与三战区驻军的关系一时搞得很紧张。这次戴笠到三战区，一方面检查缉私单位是否忠于职守，严厉查缉打击除军统以外有关方面的走私活动，一方面也给这些缉私机关撑腰打气。戴笠与梅乐斯的车队从江西到达皖南歙县的那一天，迎候的除军统驻安徽的各公秘单位特务头目外，还有当地的行政与驻军高级将领等。

但戴笠不愧为特工之王，经常喜欢独往独来。这次也不例外。

刚到城外，就叫车队停了下来，他1个人先下了车，径直徒步向城内走去，身边未带1个警卫或侍从人员。这一举动，使在场迎候的人员莫不惊愕，约莫过了1个多小时，大家等急了，要车队派人进城护卫，却被戴笠的侍卫人员挡住，他们说："这是常事。不要管他，没有问题。"不久戴笠果然抱了一大捆宣纸安然无恙地回来，车队才开动，向安排好的住处开去。

原来，戴笠孤身一人进城后，先打听到城内的1位商家，立即登门拜访，谎称自己是从外地来采购桐油、棉麻等物资的商人，请商家代为收购，越多越好，且报酬甚优。

商家看来人颇谙行情，而且阔气大方，便深入攀谈起来。

交谈中，商家表示："代购物资不难，为难的是有缉私人员，收购的物资恐怕难以运出。到时运不出去，你如果不要，我就惨了。"

戴笠说："你们当然认识缉私处官员，我可以请客嘛！你介绍给我，我去找他们想办法。"

但商家坚持说缉私处不好对付，他们不要钱财。几经磋商，生意没有谈成，戴笠才买了一捆宣纸回来。

事后，戴笠在接见缉私处官员时，特对他们忠于职守，维护纲纪的行为给予嘉勉。而缉私处人员了解戴笠进城经过时，也吃惊不小，庆幸这次老板没有查出什么问题，否则一定会用"家法"开刀，以儆效尤。

戴笠结束这次第三战区之行回到重庆不久，顾祝同因纵容所属部队走私而受到蒋的严厉申斥，陈诚、胡宗南等黄埔系的青年将领也同声给予指责，重庆的报纸也给予揭露声讨。由此，顾祝同开始意识到戴笠的厉害，开始主动改善、修补同戴笠及忠救军、缉私处的关系。

戴笠与梅乐斯等人的住处被临时安排在公路旁一座较现代化的公墓办公建筑里。许多特务认为这处地方阴气森森，鬼气缭绕，不免是不祥之兆，但戴笠是不信鬼神之类说法的，反认为这是一座新式建筑，干净整洁，宜于居住。

戴笠到了住地，立即批阅一路上从重庆发来的各种急电。一个多小时后，才整衣出来，与早已迎候在外的高级军政负责人见面。握手寒暄之后，一一赠送由后方带来的礼品，并为这些军政人员解决些疑难问题。戴笠是深知人情世故的，他对这些人无非是见什么人说什么话，或则封官许愿，或则赠金送礼等等，使众人皆大欢喜，满意而归。

雄村训练班是中美所举办得最早的 1 个训练班，戴笠、梅乐斯对此十分重视，意在通过该班取得经验，逐步向其他地区推广。按例，雄村班主任仍由戴笠自兼，副主任由三战区督导组组长郭履洲担任，教育长余万选，总务组长张万生等。教官 30 多人，全部由美军特工人员担任。

为了协助美军教官教学，在这之前，戴笠与梅乐斯商量，还举办了一期“助教人员训练班”，由梅乐斯亲任班主任，学生由富有教学经验的军统特务人员选送。该班学生自称是“梅乐斯训练班”，毕业时，每人得到梅乐斯赠送的短剑 1 把，然后被分配到雄村等训练班任美军教官助手。

第二天，戴笠，梅乐斯等人乘 4 人大轿从住地到雄村参加开学典礼。礼堂设在一处有三四间的宽敞民房内，墙上贴满了

“革命”、“家规”等标语，主席台西边的壁上贴着金色剪纸的“理明、心静、气足、胆壮”8个大字。

雄村物质条件较差，场面较为平常。开学典礼仪式主要由戴笠和梅乐斯分别讲话。当天，顾祝同也从江西上饶赶来表示祝贺并在会上讲话。

戴、梅、顾三人讲话的内容大致是世界反法西斯战争的形势，太平洋大战中美军的攻势，中美特种技术合作的意义，雄村训练班的重要性，以及对学员的期望等。戴笠在讲话中还特别吹嘘梅乐斯对中美情报合作所做的重大贡献，强调训练班所有官兵都要无条件服从中美所的领导，尊重美军教官，促进中美团结等等。仪式不长，讲完话后即告结束。

第三天，天刚放亮，戴笠又命令郭履洲集合全体官兵在新安江畔讲话。针对学员都是来自忠救军各个纵队，帮会习气浓厚，作风散漫的特点，戴笠面对学员，用手指着新安江的清澈流水对学员们说：“这新安江的江水，是用来清洗你们灵魂的，我要求你们把身上的污泥浊水洗个干净，你们这些人好比废铁，我要把你们投到这个大熔炉里，把你们锻炼成钢。”

戴笠还以老板的身份，重申家规家法，要求学员们努力学习，在敌后尽忠尽职，以便将来配合盟军作战等等。整个讲话充满了“家长”的威严和关切的气氛。

雄村训练班开学后，戴笠才开始接见军统外勤特务骨干，接见形式包括开会、宴会、个别会面等方式进行。开会主要是聆听戴笠的即席讲话。会议形式虽然不像正式会议那样严肃，但戴笠每次讲话时间都很长，使一些不善于干坐的外勤特务颇不习惯，但因畏于戴的家长作风，一个个也只好强打精神，把戴笠的训示听完。讲话内容也都是一些慰问鼓励及做人做事的道理、工作方法等。

宴会除一次全体聚餐外，其余的均是一次一两个人被召见与戴笠共餐。5月28日午餐时，招待的是2碗面条，戴笠对受赐的特务说："今天是我的生日，特意叫大家来吃碗面。"这种充满"家庭"气氛的形式，使特务们受宠若惊。

个别接见时间较长，先后用了2天时间，才接见完毕。接见过程中，戴笠手拿一份接见名单，上面填有被接见者的经历、学历、资历、活动能力、社会关系、工作成绩、现任职务等。

戴笠对照名单，详加观察询问，从中发现和选拔人才，或升迁，或调动，或培训，或安排出国深造等，许多特务的一生，往往经过戴笠一次接见就官运亨通了。

戴笠为笼络人心，对每个被接见特务都要赠送现金，或2000元，或500元，每人多少，全凭戴笠谈话中的兴致而定。但因每人都有一笔，且最少也相当于1名少校军官2个月的薪饷，特务们也都十分开心，对老板感激不尽。

利用接见公秘单位特务头目的间隙，戴笠还广泛与屯溪、歙县等军政官商人士接触，对军统外围分子则开座谈会，广为交结，结党营私。戴笠久与三教九流打交道，知道对这些人不能摆架子，耍威风，而要亲切随和，称兄道弟。

屯溪商界有个布匹商，名叫裘雨农，是合肥人，颇有名望。经人介绍与戴笠相见。戴笑着说，"你与我异姓同名，看来我们是兄弟是好朋友了。"裘雨农受宠若惊，从此以后，对戴笠佩服得五体投地，对军统工作也不遗余力地支持。

6月22日，戴笠与梅乐斯辗转回到重庆，此行前后共达110多天，是戴笠多年来出访时间最长的一次。在这次与梅乐斯朝夕相处的过程中，戴笠与其进一步建立起深厚的私人情谊，为以后的进一步"合作"打下了基础。

# 第十五章　登峰造极，当上“特务之王”

人生的完善，戴笠达到了登峰造极的地步，官场得意，情场得意，财运之场更是不由尽说，可谓是官至相位好撑家。他大江南北，四处结盟，谋求“乾坤能入掌，此日共扶持”，他的组党梦幻更是疯狂，他笼络知识分子，企图把一个杀人放火、偷鸡摸狗的组织变成能够适应战后的民主政治形势……

## 一　结盟龙门“三大圣”

“三大圣”龙门结盟，臭味正好相投。

山腰落日，雁脊斜阳。洛阳城外，秋意萧索。龙门古刹风火寺中，魔影憧憧。

这是一处有大佛的石窟，历史的苍凉将这里印证得越来越古老，三尊大佛面目皆非，而此刻坐在佛像下的三个人却是大声大气谈笑风生。

“琴斋兄，还是你的文采高一点，趁机做一首《盟誓诗》，以表达我与汤老总的心情如何?”

那人说着话转过身来，一扬浓眉，一闪傲眼，此人正是戴笠戴雨农。

胡宗南两眼望着戴笠与汤恩伯，沉思片刻，吟哦道：

“龙门阙下三尊佛，

眼底烟云现乱丝。

但愿乾坤能入掌，

危舟此日共扶持。”

戴笠与汤恩伯听罢，不禁拍掌叫好。此时，戴笠更是心花怒放，自己一片苦心经营，今朝终于得以兑现：“但愿乾坤能入掌”，不是很明白地表达了他们三人——世人号称“西北王”的胡宗南、“中原王”的汤恩伯、“特工王”的戴笠要抱成一团，同舟共济，共立大业，谋取国民党统治集团最高权力的心情吗?!

此刻，“三王”结盟既定，能不令戴笠欣喜?

多年以来，戴笠的军统随着抗战逐渐壮大起来，可抗战结束后自己的退路又在哪里呢? 精明的戴笠也在思索这个问题。

1943 年，世界反法西斯战争进入转折阶段的一年，战场处处充满了杀机，暴露出热兵器时代的残忍、凶悍与无情。

就在这一年，无论是苏德战场，还是北非——地中海战场，反法西斯同盟都取得了重大的胜利，世界人民在阴霾一片中看见了雨后初霁的阳光。在太平洋战场上，美军为了报复珍珠港被袭之事，发动中途岛一役，使日本海军遭到了 350 年来的第一次重大挫败，盟军开始了局部反攻。

消息传来，重庆更是一片欢腾，戴笠的一张马脸却阴沉了下来，他没有参加完蒋介石在沙坪坝举行的庆功宴会，便驱车回戴公馆了。

“先生，你要点什么?”贾金南迎面接过戴笠的衣服，问道。

“什么都不要，我要回书房，谁来打扰我就打断他的腿。”戴笠头也不回，朝二楼书房走去，贾金南吐了吐舌头，心道：

戴先生不知哪根弦又绷得不对，火气上来了？

戴笠心情确实不好，他关死了门窗，屋内刹时暗了下来。戴笠坐在安乐椅上沉思，他此刻的心情贾金南是难以理解的：

一方面，军统组织是靠“军事第一、胜利第一”的口号在抗战时期膨胀起来的，一旦抗战匆匆结束，军统组织将“失去”工作对象，利用价值就会降低，那么他戴某人的地位就会有所削弱，蒋介石还会那样看重自己，抬举自己吗？

另一方面，战后国内的政治局势和权力关系将会出现重大的分化组合。果真到那时，自己以一个政治上观感很坏的特务头目的身份，以什么做权力角逐的筹码呢？

更加使戴笠心烦的是，万一蒋介石对其身后的事情重新做出安排，或者蒋介石本人在政治上失势，自己政治上的出路又在哪里？岂不是应了那句“一荣俱荣，一损俱损”的古话，成了冤死鬼也枉然不知。即便蒋介石依然大权在握，以蒋介石的一贯作风和手腕，难道不会玩一手鸟尽弓藏，兔死狗烹的招术吗？

这些问题影影绰绰，萦绕在戴笠的脑海之中，直烦得他干什么事也没有心情，不时对手下人等发火。此刻，想及此处，他又耐不住火性，顺手操起茶杯朝着墙壁扔去！

“砰！”一声，茶杯被震得粉碎，戴笠抬眼望去，不禁大吃一惊，茶杯正砸在墙壁挂着蒋介石肖像的地方，蒋介石的额头正滴着一粒粒茶叶……

“不祥之兆，不祥之兆！”戴笠心里一惊，又喃喃自语道：“看来我是得有所为了！”

未雨绸缪，不见得不是一件好事，早在此前，戴笠业已走了两招“怪棋”，对其自己和军统的前途预做安排。

戴雨农采取的第一个措施是筹建海军，加紧实施夺取海军领导大权的计划。这项“下水计划”依靠梅乐斯这个可爱的美国人的支持，已经取得美国海军界某些巨头和诺克斯、金上将等人的默契。假使军统武装能在配合美军拟议中于中国东南沿海开辟第二战场的登陆作战中有上佳表现，无疑会给戴笠在谋求通往海军总司令宝座的道路上带来好运。这个目标一旦实现，戴笠在政治上就会谋取更多的筹码。

为此，戴笠搂着胡蝶得意了一天。

他的组党梦幻更是疯狂，而且到目前为止依然在加紧筹备，戴笠的想法是将军统组织改造成政党一类的组织，使之能够适应战后可能出现的民主政治形势，他将此事一手交给了亲信周养浩来办理。

“戴老板，我看这有些困难呀！咱们军统人员都是些……”周养浩话没有说完，其实戴雨农心中清楚：军统是一个杀人放火、偷鸡摸狗的组织，缺少理论家，更没有玩政治的人才，以致他的这个梦幻迟迟不能成为现实。

戴笠踱了两步，回头对周养浩道：“你的息烽集中营内不是囚禁有许多民主人士、一些秀才分子、一些高级官员吗？现在又不能放他们，又不能杀掉他们，我看……”

周养浩是息烽集中营的主任，听过之后眼睛一亮，说道：“不如将他们收揽过来，这些人都是些玩政治的家伙。”

“嗯！就这样，第一步先组织他们进行理论研究和设计，第二步再利用他们建立政党组织。你将他们认真挑选一下，报个名单给我。”戴笠道。

周养浩奉命挑选了20多人，来到了戴公馆。戴笠高兴地和那些人一一握手，又拿出九万元来，让周养浩给这些人恢复身体，同时则添买一批书报杂志，以供研究参考之用。

周养浩按着戴笠的口吻说道：“各位都是一时人才，因种种关系，暂来此委屈。戴先生觉得很对不起，要我代表向各位慰问。抗战胜利在望，国家前途是光明的，各位的前途也是光明的。戴先生希望各位多多保重身体，高瞻远瞩，将来多为国家出力。”

周养浩将这些人分设政治、经济、军事、教育四个组进行专题研究，研究的题目由戴笠指定为“开展本团体政治工作方案”，并以“明了趋势，把握可能”八个字作为课题研究的指导方针。课题研究的要点是把军统作为一个政党的前身来考虑，最终目的是要把军统改造成一个独立公开的政党，政党的党魁自然是戴笠。

然而大半年过去了，研究仍未出现什么结果，戴笠气得大骂周养浩无能，顺手又操起烟灰缸朝另一面墙壁砸去，他暂时还不能打“蒋介石”。

“镗”地发出清脆的声音，这下又砸在了一面肖像之上，却是他与胡宗南的合影。戴笠冷不丁烦乱的心渐渐平稳下来：以这些实力派作为外援，岂不更好？

胡宗南是他多年来亲密的朋友，此刻任第八战区司令长官，坐镇西安，指挥着 3 个集团军、12 个正规军、40 多个师，大约有 45 万多人，另有警察、宪兵、地方团队和配属他指挥的空军还不算在内。仅据军政部军需署署长说，由胡宗南具名领取的经费，要占全国军事支出的四分之一。由于蒋介石蓄意培养胡宗南的势力，使胡宗南在西北地区日益坐大，陕、甘、宁、青地区的军政大权无不操于其手，俨然一副“西北王”的姿态，成了蒋介石手下三大军事实力派系之一，仅次于陈诚。“琴斋兄与我可以说是患难与共，我们结盟定然是没有问题，陈诚与我结怨太深，汤恩伯嘛……还可以考虑。”

汤恩伯是继陈诚、胡宗南之后崛起的蒋系三大军事实力集团之一，归其指挥的正规军达5个集团军，共25个师另3个旅，兵力足有40万人之众。

随着他在中原势力的膨胀，河南人称之为“中原王”，下层官兵和老百姓暗地里大骂其为“汤屠夫”。

这汤恩伯也是一个精明之人，素知戴笠常侍蒋介石的身边，因而二人结交也非泛泛。此时此刻戴笠便想到了此二人，暗自想：倘若能与此二人结盟，那军统也有了军事外援，老头子一死，局势岂非由我们来左右，何应钦、陈诚又算什么？

想到这里不禁高兴地笑出了声，随即叫道：“贾金南，给我把文强找来！”

文强是戴笠的一名手下，文质彬彬，颇受戴笠的信任。刚走到戴笠面前，只听戴笠已经发话：“文强，我与梅乐斯商量在河南洛阳临汝风穴寺举办中美第三特种训练班，班主任由我兼任，你作为副班主任，负责实际工作。”

任文强立正行礼，同时戴笠又说道：“你回去准备一下吧！另外，请你在三天之内为我办妥一件事，既要快又要绝对保密。当然，我指的是到了洛阳之后。”

文强听戴笠说得很客气，便问道：“不知戴先生有何要事要我办——”

“我打算与胡老总、汤老总在洛阳见面，此事一定要保密、安全，你去看查地形，今天就出发，不要备酒席，有水果和罐头即可。”戴笠低声吩咐道。

文强心中感到奇怪，这很不符合戴笠的脾性，往日胡宗南、汤恩拍来都要大摆酒筵，可今日——但他也没敢再问，领命去了。

胡宗南此刻在西安的“宗南”山（原名终南山）上游玩，玩兴很浓，由于抗战以来他尚未领过与日军作战的命令，只是在此监视过共军。这日秘书送来了一封戴笠的信，他一看，欣喜若狂，拍着大腿大声说：“雨农真是知我心意啊！”使得秘书都看乐了。

“去洛阳一游。”

胡宗南看到了戴笠与汤恩伯的名字便很高兴，这位把兄弟不消说便是与他同舟共济，今朝由雨农牵线把汤恩伯纳入自己的势力范围，那么蒋介石的接班人不是他胡宗南又是谁呢？

“来人，准备去洛阳，不过一定要保守秘密！”胡宗南一心要造成黄埔系统，想做穿黄马褂的头，想做老蒋的接班人。

在当时上海《字林西报》曾预测蒋介石的接班人，按何应钦、陈诚、胡宗南的顺序排列，而若能拉上汤恩伯与陈诚抗衡，无兵权的何应钦岂是对手，胡宗南高高兴兴地朝洛阳而来。

河南叶县，风雨无阻，一辆吉普正朝洛阳方向驶来，车中坐的是“中原王”汤恩伯，他一脸横肉，双目直视远方，不停地催着司机加快速度，恨不能马上赶到洛阳城内……

汤恩伯的崛起极其富有传奇色彩，他既不是黄埔出身，又决非早投军戎，只是1927年由国民革命军十九军军长陈仪推荐给蒋介石，但上升速度极快，到1935年便升任军长，而这一点胡宗南却用了整整12年。究其原因在于汤恩伯既出身浙江，又与蒋介石是日本士官学校校友这两重关系，加之剿共残忍，所以深受蒋介石器重。

除此之外，汤恩伯走红的一件秘密武器便是不断向蒋介石写手本，偏偏蒋介石十分欣赏。这一点戴笠尤为嫉妒：“老头子面前以汤恩伯的手本最吃香。他一挥而就，钢笔草字，写了就交，我写的就非墨笔工楷不可。”

汤恩伯坐在车内，嘴角带着一丝狞笑，眼前是他挤进黄埔系的一个好机会，正好可以利用胡、戴二人完成自己的霸业！

“秦皇、汉武这些才是人才，曾国藩、左宗棠这些傻瓜拥有重兵不推翻清廷取而代之真是可叹哪！”汤恩伯洋洋得意，他统治的地方正是三国时期曹操创立帝王之业的地方。因此，曹操便成了他自己理想中的崇拜人物，《三国演义》爱不释手，见到曹姓或夏侯姓便亲自执手相礼，以寄托他对曹操的爱慕推崇。同时他看到要在中国创立帝王之业，离不开黄埔系的支持，而胡戴正是黄埔集团的两根台柱，何不利用他们？于是驱车往洛阳而来……

三人各自打着自己的如意算盘，聚会古都洛阳。

汤恩伯的野心是胡、戴二人始料不及的，以至于后来成了三人不合的原因，戴笠后来曾对身边的特务说：“胡宗南在关中要学左宗棠做西北王。没有料到汤恩伯做了中原王还不满足，竟想学做曹操来了。我对他的英雄本色是颇为佩服的，但功高压主决无善终之理。”后来汤恩伯在中原战役打了败仗，蒋介石便对汤的军队做了大的手术，其中原因大概与戴笠告密不无关系。他看到汤恩伯不能为自己所用，便下了此毒手。

当然，这是后话。

而此时此刻，三人见面之后，高兴地握着手问寒问暖，走进了那个石窟之中。

龙门石窟，中国三大石窟之一，自古以来就是中国佛教名胜。

这里已由文强等人布置得干干净净，洞外三步一岗、五步一哨，戴笠亲自进行了检查，十分满意，点头对文强说道：“我们谈话时任何人不能靠近，否则格杀勿论。”

石窟中透着冷气，桌上摆着些水果、罐头。三人讨论起如何联盟之事。

戴笠长长地呼了一口气，吟道：“但愿乾坤能入掌，危舟此日共扶持。”“这句比石达开的‘扬鞭慷慨立中原’气概还大，简直可以和汉高祖的《大风歌》相提并论。”汤恩伯也笑着附和。

尽管三人各有算盘，但在当时的情况下，为了对付共同的政敌陈诚等人，还是联合了起来，他们在政治上互通声气，工作上相互援手，生活上打成一片，有事一起商榷，同盟显得十分牢固。而这一切都以戴笠为轴心，以胡宗南、汤恩伯为两翼展开的。

“以后雨农老弟便可以为我们提供机密情报，在老头子面前夸奖我们——”胡宗南与汤恩伯大声笑道。

“小弟以后去二位老总的军营——”

“那没的说，咱们结盟就在于此，世人称我为中原王，琴斋兄为西北王，雨农为特工王，我看今朝却是‘三王之盟’！”汤恩伯拿起一块水果嚼了几下，说道。

“对！三王之盟，只是我这特工王名不符实！”戴笠拍掌赞道。

胡宗南笑着看他一眼道：“有我们在，雨农何愁不‘王’呢？”

几个人笑了起来，三人走出石窟，夕阳已染红洛阳城。

秋风吹过，一片萧索。戴笠却满面春风，领头朝着牡丹城中走去……

## 二　人有失手　马有失蹄

戴笠匆匆走进会场，马脸上洋溢着兴奋而紧张的表情。

1943年5月11日上午9时，重庆罗家湾军统局秘书室一派紧张气氛，重庆卫戍总司令部稽查处长廖公劭、副处长沈醉正襟危坐，话不敢重说，唯唯候命。全体军统全部集合，许多低级特务第一次参加这样的会议，感觉很兴奋，窃窃私语，互相探询。

11时正，戴笠匆匆走进会场，马脸上洋溢着兴奋而紧张的表情。他拿起花名册，亲自一一点名，然后宣布："所有人员一律不准离开局本部，若因公外出，需有军统局主任秘书毛人凤的亲笔手令！"

怎么回事？会场里骚动起来，戴笠板紧面孔，逐个扫视着每一个人。

"你！廖公劭，身为处长，仪容不整，怎么带好部下！"戴笠的目光停留在廖公劭未系的领扣上。

廖公劭尴尬地系上领扣，"啪"地一个警礼"公劭知错。"

戴笠不理不睬，又将目光转向警卫稽查处的特工凌一笑身上："凌一笑，背诵誓词。"

凌一笑呆了一下，不知道自己犯了什么错误，他只好机械地背诵道：

"余以至诚，拥护领袖实行三民主义，绝对服从团体命令，保守机密，做一个无名英雄，不成功就成仁。如有违背，愿受最严厉制裁！"

戴笠听他背完，反手一个耳光打了过去；"你帽子都戴不正，怎么能做到不成功就成仁，拉下去，关他一周禁闭！"

大小特工们都胆战心惊，如履薄冰，气氛更加紧张。沈醉意识到，今天肯定有重大活动。

果然，戴笠严肃宣布："今天有重大活动，对象是千真万确的汉奸，有组织、有电台、牵连有中枢大员，有局本部高级成员，有稽查处工作人员，有摩登女郎。我们要来一次大的行动！”

5月12日晨6时，沈醉根据戴笠部署，将稽查处有重大汉奸嫌疑的顾杰夫禁闭起来，同时又带一批手枪和逮捕搜查证，赶到罗家湾。

上午10时，几十辆汽车“呜哇”鸣叫着，冲出局本部，驶向黄角桠。沈醉带领几个特务，一拥而上，破门而入，将重庆警察局督察处长东方白拘捕。

东方白一向和沈醉私交甚笃，见往常都是自己铐别人的手铐紧箍在自己手腕上，大呼冤枉。

沈醉一边翻捡着东方白的书箱信件，一面命令特务们仔细搜查各个角落，看是否藏有电台，但一无所获。

国民党立法院院长居正家里，环境优雅，建筑错落有致。居正正穿着休闲服装，在花坛前抚弄花草。

戴笠走了进来，深鞠一躬：“居老，雨农奉命对府上搜查！”

居正惊诧万分，莫名其妙：“奉命？奉谁的命令？蒋先生的？让蒋先生自己来搜好了！”

戴笠冷冷一笑，一挥手，手下的特工直扑居正长媳的卧房，翻箱倒柜，大肆搜检。居正长媳惊慌地逃出屋来。

居正气得浑身哆嗦：“戴雨农，你欺人太甚，犬子刚下世不久，尸骨未寒，你就如此放肆！我要告诉蒋先生。”

戴笠满面笑容，目光里却充满轻蔑和得意：“请居老息怒，息怒，据报令媳与汉奸有牵连，雨农为尽公职，不得不打扰了！”

特务们两手空空地走了出来：“报告主任，什么也没发现！”

居正怒发冲冠，指着戴笠的鼻子破口大骂："戴雨农，你拿出证据来！不然，我与你在蒋先生面前见。"

戴笠既失望又惊慌，连连赔罪，仓皇离开居公馆。

当时，各路人马回到局本部，戴笠连夜主持审讯。然而，他失望地发现.除了发现部分逮捕对象相互间来往较多，交际广阔，有些浪漫行为外，找不出汉奸组织的一丝线索。

怎么回事？戴笠疑惑了。

沈醉轻叹一声："假作真时真作假，无中生有有却无，这罪名离目标太远了！"

军法执行监徐业道附合道："本案前途，不容乐观，看样子我们准是白辛苦喽？"

戴笠沉思了半天，又问蒋介石侍从室情报组组长兼军统局帮办唐纵："乃健兄，你看……"

唐纵高深莫测地笑了笑："这是一次汉奸反间案子！"

"反间？妈的，太岁头上动土，对我使用反间计！"戴笠不愿意听到这个结论，焦躁地在屋里转圈。

唐纵一针见血地说；"雨农兄，这正是你中反间计的原因，你对自己太自负，太自信了。多年来你几乎没做过失败的事，你不相信有谁还敢欺骗你！"

戴笠狠狠地跺了跺脚，转身走了出去。

这起反间案到底是怎么回事？

原来，有个名叫段文澜的军统武装部队别动军交际科科长，绘声绘色地写了一份情报，送给戴笠，说发现了一个汉奸组织，段文澜把与他有过交往的重庆某话剧团女教练员黄彤光，重庆某商业广播电台女播音员莫姊莎，国民党兵工署长的妻妹陆朵云，以及汪之媛都说成是汉奸组织的成员。又因为黄彤光常到居正长媳家中去玩，就编造说居的长媳房内有无线电台。这份假情报还涉及了国民党政府机关和军统内部的不少人。

戴笠看完段文澜写的情报，深信不疑，以为“大功”在握，急于邀功，立即将这一“可靠”消息报告蒋介石，蒋介石指示，这种情况下，不管什么人家都可以搜查、逮捕。于是戴笠就大动干戈，不想中了反间之计，大行动扑了一个空。

次日，蒋介石把戴笠召去，劈头臭骂一通。居正为其长媳遭军统搜查大发脾气，认为蒋介石疑心他做汉奸，对蒋介石颇有腹诽，而且长子尸骨未寒就遭抄家，也觉寒心。

为安抚居正，蒋介石责令戴笠亲自登门道歉。

戴笠满腔怒火都发泄在段文澜身上。

5月14日晚，戴笠亲自审讯段文澜。戴笠愤怒地盯着段文澜，“啪”地一拍桌子：“妈的，你折腾得老子好苦！老实坦白，你与汉奸组织有什么关联?”

段文澜吓得浑身哆嗦：“我和汉奸组织没什么关系呀，实在没有什么关系！只是因为黄彤光抛弃了我，另寻新欢，为了报复我才诬告她们!”

戴笠啼笑皆非，他精心费力组织的一场大规模行动，竟然只是为一个小小的科长报复情人!

他挥挥手：“打!”

众人早已按捺不住心头的火气，操起手中的竹板向段文澜赤裸的背上抽去，段文澜一声惨叫，昏厥过去。

“妈的，害得老子几天没睡好觉，我把气全泄在这一板子上了!”众人笑着说，又抽打起来。

段文澜被活活打死，戴笠仍感大丢脸面。当年的军统局团拜会上，他沉痛地说：“今年的工作，顶要紧的，就是迅速、精细。我们判断情报的时候，更需要精细。因为现代的战争，是斗力斗智的战争！斗智几乎达到登峰造极的地步，稍不留心，就可能上人家的当。我们今年的段文澜案就是切肤之痛！”

自诩“英明一世”的戴笠马失前蹄，他没想到，仅半月之后，就再次上当，被人捉弄！

1943年5月27日晚，戴笠夜宿江山同乡何芝园家中。何芝园的妻子毛同文身材丰满结实，面容姣好，是戴笠最喜欢的一个姘头，时不时就来春风一度，当晚戴笠刚上床不久，正待入港，忽然电话铃响了起来，戴笠骂了一声，不耐烦的拿起话筒。

“主任，我们抓到一个共产党的联络员，已查明身份，是共产党四川省委的人。”电话是张严佛打来的。

戴笠一听大喜，上次段文澜案他被整得狼狈不堪，在蒋介石面前无法交待，这次总算天赐良机，有了立功赎罪的机会。他一把推开毛同文，直奔军统局总部。

总部里张严佛正对联络员进行审讯。这个联络员不仅主动地交待了自己的身份，还表示愿意带军统到四川省委的办公地点去。戴笠大喜过望，立刻驱车带联络员去搜捕。

联络员带领戴笠等人来到一个小胡同里，自信地说：“就是这个小胡同，但我只来过一次，记不清地方了！”

戴笠欣喜地说：“只要知道是这个胡同就好！”他命令特工封住胡同口，挨家进行搜查。整整查了两天，才发现这里居住的都是不相干的居民，有些还是国民党要员的亲戚，连省委的踪影都没见到。

戴笠又气又急，逼问联络员，联络员一脸惊恐：“戴先生，我到重庆是第一次来，人生地疏，可能记错了地方。”

戴笠强忍怒气，让联络员快点想出来，以免共产党闻讯脱逃，一连等了四天，戴笠再也忍耐不住，把联络员带进刑讯室。

“今天你要再不说出共产党省委的地址，就让你尝尝老虎凳的滋味！”戴笠凶神恶煞般地吼道。

联络员坦然地笑了：“今天，我可以告诉戴主任了，但你们什么也抓不到！”

原来，联络员被捕以后，考虑到省委有许多机密文件尚未转移，就与戴笠虚与周旋，故意带领戴笠到附近的小胡同里搜查，一方面拖延时间，同时也引起省委的警觉。

四天以后，他估计省委已经脱险了，才告诉戴笠。

戴笠又气又急，当场掏出手枪，凶狠地打死了联络员。

短短一个月里，戴笠两次被愚弄。气得差点没吐血。

## 三　鹰犬狗咬狗

矛盾在任何时空中都存在，何况鹰犬中间。

蒋家官邸，上下一片忙碌，没有人敢闲着，但也显出蒋家官邸的气派，异常幽静安谧。原来是蒋介石卧病在床。床上的蒋介石心急如焚，这突然染上的疾病不知会给他的未来生涯造成多大的损失，可假如我就这样两眼一闭，撒手而去，几十年的江山社稷又是何等模样呢？

“报告委员长，戴笠戴局长来探望您。”

一听到自己的心腹特工来病中看望，蒋介石不禁一阵感动，“快让他进来。”但转念一想，该不是军统又截获共军的什么消息吧？

“委员长，听说您病了，学生甚是不安，不知现在如何？”戴笠卸去了全副对待军统特工的凶残和傲慢之态，小心翼翼地说。

“不要紧的，共产党一日不能铲除，我就一日不安息。”病态之中的蒋介石仍然强打起精神，显示抱负。

这种神态多少给戴笠以鼓舞。“这次来有什么好消息吗?”

“委员长，不瞒您说，军统收集到可靠消息，在您病痛之际，有人不是以国家为重，为党国效忠，却打上了继承权位的算盘。”戴笠兜了半天圈子才点到正题。

“哦，竟有此事？娘希匹。到底是怎么回事，是谁这么大胆?”

密室之中，陈果夫、徐恩曾等一干中统要人神色恍惚，各自心怀鬼胎。

“委员长这次重病不起时有日，恐要长期治疗，这其间我们作为委员长最信任的中央机构，应该为党国的前途考虑。”陈立夫首先打破僵局，煞有介事地说。

“更进一步说，假如委员长有什么不测，我们党国前途，中央前途，中统前途何去何从？大家考虑过没有?”陈果夫进一步撩开迷雾仅剩下的一层薄薄轻纱。

“宋子文家大业大，蒋夫人积极参政，但江山社稷总不能像唐高宗后那样江河日下吧！那样我们既对不起国父，更对不住委员长啊!”慈眉善目而心狠手辣的中统副局长徐恩曾顺水推舟，正合二陈心意。同时宋家王朝也就自然列入“黑名单”。

“孔祥熙，只是财富殷实，政途不足以为患。”

“李宗仁、白崇禧桂系一派倒是居心叵测，应当尽早动手，俗话说：先下手为强嘛。”

“军统戴笠平时靠定委员长，一旦有变，根基塌坍焉有大厦不倾，只要不疏于防范，应该说难成大器。”

仿佛蒋介石已溘然无存，密会愈发谈的具体，但军统特工无孔不入，无人不收，谁又能担保自己身边的妻子儿女、亲信、秘书不是军统安置来卧底的呢？谋划终于不胫而走，飞到蒋介石的床前。

蒋介石怒斥“二陈”，嘉奖戴笠自然不在话下，军统、中统这两条蒋介石的看家老狗也从此开始了全面的撕咬。

红极一时的戴笠哪肯就此罢休，决心鼓足余勇，乘胜而追，将中统组织彻底打垮。但陈立夫、陈果夫毕竟家财万贯，而且在朝中关系盘根错节，罗网势力不亚于军统特务组织，一时还难以拔掉这根眼中钉。

柿子专捡软的吃。目标选中徐恩曾。

徐恩曾，被人称为中统的“马车夫”，却是上不得蒋用，下不得人心的中统“猎枪”。一旦把这个不识时务的“马车夫”拉下马，中统车驾不攻自破。

徐恩曾也是灾运当头，天命该绝。

1943 年中统湖北省调查统计室发现一批注销焚毁而完整无缺的假钞，遂上报徐恩曾。“速调来渝”，徐恩曾心花怒放，一向视财如命的徐恩曾怎能把到口的肥肉让给别人呢？

重庆三斗坪检查哨，僻静荒凉，只有几个检查员晃来晃去，不时吆喝几声。

一辆中统专车急驰而来。

“停下！”查哨人小旗一甩，拦住了专车。“哪里来的，到哪里去，什么东西？通行证。”

检查员翻着白眼，撇着歪嘴喝问司机。

“这是中统专车，还用查吗？”一个中统特务傲慢地递过证件：“看清了吗？”

“什么东西，查清放行，我们老板的东西都得一一验明，知道吗？”一贯横行惯了的军统哨卡自然搬出老板来镇住中统专员。

说完就去翻车上的物品，“这是例行公事，谁都无权回避。”突然眼一亮，“这钞票是哪里来的?”

“这是战略物资，轻举妄动，你们吃罪得起吗?”虽然声色有点紧张，这位专员仍摆出足够的高傲姿态。

“送中国银行验明再放行。”军统哨卡不由分说，哪管中统专员的唬吓。

结果回报：该车钞票1938年10月注销，报请财政部，各分行备查。

蒋介石看罢，怒火中烧：“徐恩曾越来越荒唐了。刚到中统就到经济部乱抓人，令党国威信扫地，如今，又做出这等事情。”

“徐恩曾书面检讨，押运员判处死刑。”蒋介石气愤地传达了指示。

陈公馆，陈立夫、陈果夫愁眉不展。怎么向委员长申诉呢？这中间中国银行、财政部在当时以军务紧急，业已焚毁之名注销此批钞票，就有谎报军情、调查失职的疏漏。一解释这漏子不越捅越大吗?

“唉，你也是，急着发财也不能在军统眼皮底下做梦呀!”最后还是抱怨徐恩曾办事不力。

一波未平，一波又起，假钞案才结，伪钞案又发。

1943年底，军统浙江省缉私处再立一功。

“哪里来的，船上装的什么东西?”军统处长赵世瑞站在岸上遥指两艘商船。

“杭州来的，全是丝绸成衣，以及一些搪瓷杂货，给中统送的。”船上一个长袍礼帽、白净脸皮、小鼻小眼的商人，递上中统的证明文件，满怀信心地等待放行。

岂知戴笠早已嘱咐手下．凡是中统物品都要严加查审，一旦发现有涉嫌走私、贩毒等类似案件，立即扣留物品，上报军统。

“近来有不少不法商人，利用各种手段偷运战略物资，委员长通令严加查审，实在没办法，老弟。”说着便命人在两艘船上大肆搜索。

商人的小白脸由白变红，由红变青，冷汗直冒额头。终于200万赝品新法币露出后，直觉得天旋地转。

“这是什么，老弟，发财了啊!”赵世瑞神采飞扬，仿佛几天没有发现猎物的猎人突然看见一头肥壮的老虎一样。“速报中国银行检查，以免延误老弟发财。”又暗中密报戴笠。

验钞结果，确认伪币。戴笠兴奋地紧紧抱住情妇胡蝶，“我去去就来，宝贝。”然后长长一吻而去。

审讯室内，烟熏火烤。

“伪钞从哪里来的，是谁命你们押送的?”戴笠迫不及待地等着他们吐出幕后的中统人物。

然后一使眼色，特务拿着火钳在押运员高子文、夏伯良面前晃了几下。

在戴笠紧锣密鼓的严刑下，中统特务被迫招供：“伪钞来源我们确实不知，我们只是受命中统安徽利通公司经理沈春霖之命送货到重庆。”

戴笠顺藤摸瓜，通过“海上闻人”杜月笙等上海青帮人物终于抓住了中统的把柄。

原来这批货是日本特务机关窃得10元法币铜版印制的技术，其后在上海仿印大批10元面额法币，并以1:40的比例一次性出售给中统利通公司200万元法币。中统监运至重庆，最后交至徐恩曾手上。

戴笠弹劾中统的时机业已成熟，便把此事原原本本陈述给蒋介石。

正是抗战困难时期，搞得焦头烂额的蒋介石再也不能坐视不管了："徐恩曾竟是屡教不改，全体押运人员监禁终身，带徐恩曾来见我。娘希匹，也太大胆了。"

徐恩曾纵是斗胆包天，现在也是如筛糠一般。连夜找到上司、中统头把交椅陈立夫、陈果夫，请他们到蒋介石那里说情。

最后蒋介石虽买二陈面子，但终因徐恩曾频频点火，而已对其有撤职的想法，而且对其所属中统也提出质疑。

无巧不成书。事发不久，国民党中央内部竟然发现四处张贴"总裁不裁，中正不正"的标语。这无疑是揪蒋介石的胡子，打蒋介石的脸，蒋介石恼羞成怒，下令中统澄清此事："这次若不查出个水落石出，就统统滚蛋。"

徐恩曾使尽了浑身解数，仍然一无所获，"总裁不裁，中正不正"的说法已是中央党部人人皆知了。

就在中统要人徐恩曾闭目待死之际，军统头子戴笠却是扶摇九天，青云直上。

一天，蒋介石把戴笠叫至面前，中统头目陈立夫、陈果夫也在其中，蒋介石安排二陈说："雨农这几年反共有功，我想定他为中央委员，没什么意见吧？希望你二人一定办好这件事。"

陈立夫、陈果夫虽然妒意万分，极不情愿，但老头子说话哪敢不唯命是听。"好，一定照办，一定照办。"

"校长，雨农连党员都不是，何能胜任中央委员重任。"戴笠说了一句举座皆惊的话。

"雨农，怎么回事，你黄埔六期毕业，又是复兴社社员、军统局长，在我身边追随多年，出生入死，为何还不是党员？”蒋介石确实对此大惑不解。

“校长，过去我一直追随于您，今后还将为校长竭尽全力。只是衣食有缺，前途无望，不是党员，这些都不是学生的困难，也不是学生的追求。只要能追随校长完成大业，就是学生平生夙愿。高官厚禄，衣锦还乡，均非学生所求。能得到校长的信任，忠心为校长效劳，学生就感到莫大光荣了。”戴笠一番甘做蒋介石走狗爪牙的慷慨陈词。确令这个蒋介石倍加赏识。

于是蒋介石又亲笔写一张条子：“蒋中正介绍戴笠戴雨农加入中国国民党。”并对陈立夫、陈果夫说：“这两件事就一并办吧，只准办好，不准办坏。”蒋介石已对这条走狗确立了足够的信心和投以莫大的信任。

“校长，‘党员’二字雨农真的不在乎，更何况‘中央委员’。我坚决请求做您的无名学生，中央委员的高位就留给为党国出生入死、忠心效劳的老大哥们吧！”戴笠装出一副极其诚恳的面孔，讨得蒋介石最深沉的信任。

中统、军统在国民党内部的水火之势，暂以军统占尽上风。

中统徐恩曾最终还是被他的小妻小妾葬送在死胡同里。

前额宽阔、面孔白皙、架一副金边近视眼镜、西服革履的徐恩曾，外表温文尔雅，弱不禁风，却也是情场老手，整天寻花问柳，三妻四妾。

二房王素卿，半老徐娘，风韵犹存。身为中央组织部干部，也是成天施粉弄黛，但终被生性好色、喜新厌旧的徐恩曾所抛弃，又搂上了年轻貌美的费侠小姐。

二房王素卿被徐踢开之后，也不是一盏省油之灯。利用徐恩曾喽罗的关系囤积居奇，走私贩毒，放取高利贷，坏事做尽。

可徐恩曾看在眼里，也没有万全之策，只能忍气吞声，由于抛弃二房而尚存的一点歉疚使他睁一只眼闭一只眼。王素卿也不是一个简单的女性，越干越大胆。终究引火烧身，城门失火，殃及池鱼，徐恩曾在劫难逃。

1944 年，王素卿利用徐恩曾交通部政务次长的名义，私自开设了一个汽车运输公司，用该汽车公司的运输车，再加上到处借用徐恩曾名义，打着徐恩曾的旗号，收购贩运中西药材，丝绸物品，甚至粮食布匹等一些战争急需物品，倒买倒卖，投机钻营，大发战争横财。她又不像戴笠那样，有名有实，没收吞并，因为沿途哨卡全是军统特务，所以只能拉拢关系借用名义小打小闹。

但是，一味想置中统于死地的戴笠岂能放过这一弹劾的机会，立即通知星罗棋布的特务人员，收罗有关王素卿汽车运输公司的一切活动。

孙悟空一旦进了如来佛的掌心，爬的再高也还是五指山。王素卿的一切活动都尽入戴笠账簿，只待罪上加罪足以致死地时，戴笠便名正言顺报告蒋介石。

“校长，有人运用职务之便，走私国家战略物资，扰乱市场，胡作非为，置党国声誉和事业于不顾，中饱私囊。”

“是谁竟敢挪用战略物资?”蒋介石如丧家之犬，现在形势已呈四面楚歌之势竟还有人从内部做手脚。

“请委员长过目。”戴笠恭敬地呈上徐恩曾名义下所犯罪行的活动清单，眼露杀机。嘴角掠过一抹不易被人觉察的得意。

“免去徐恩曾中统局副局长职务，以及本兼各职，从此永不录用。”并戏剧性地交给徐恩曾的表亲、中统幕后头脑人物陈立夫执行。陈立夫看着手中的圣旨，心酸忍泪，苦心经营的中统局就这样被戴笠一步步搞垮了。

1945 年 2 月，蒋介石免去中统局副局长徐恩曾“本兼各职，永不录用”一纸手令发出，中统局上下一片恐慌，谁都没有想到，在蒋家王朝的功劳簿上有着一席地位的徐恩曾竟会落得如此下场！大家议论纷纷，有的感到愤怒，有的感到沮丧，有的则不知所措，嚎啕大哭。

一个统治了中统 15 年，“功绩赫赫”的特务头子，为什么在中统“最辉煌”的时候被突然免职呢？这还得从头说起。

徐恩曾，字可均，浙江吴兴人。陈立夫的表弟。中等个，方脸，戴近视眼镜，外表斯文，不爱多说话。20 年代初期毕业于上海交通大学电机系，后自费留学美国。1927—1928 年任南京交通技术学校办公室主任。1928 年秋，该校改组成为中央军校第六期通讯兵科，徐即离去，由陈立夫介绍转任国民党中央组织部总务科主任。

任职期间，他有几件事是颇得陈立夫赏识：一是对主管的文书工作颇有办法，建立了各种制度，布置得井井有条；二是为中央党部新装了一套电话总机；三是为中央党部编了一套较为复杂的密电码；四是在主管经费时开支合理，使用节约。与此同时，他利用同乡、同学关系，竭力与调查科前任科主任吴大钧接近，并时常提些建议，表现出对调查科工作的关心。

1929 年 12 月，当时的科主任叶秀峰去杭州休假，陈立夫便派徐恩曾以总务科主任身份兼代调查科主任职。在这期间，徐恩曾曾派人去杭州探望叶秀峰，并向叶表示，他只不过代为暂时管管家，希望叶不久就能够回来。后得知叶秀峰另有他就，不再回调查科，徐便放手大干起来。1930 年春，徐正式任调查科主任职，以后一直直接领导中统，至 1945 年 2 月被免职止。

徐恩曾之被免职，并非偶然。

1941年春，徐恩曾当上交通部次长。蒋介石曾召见他，明确告诉他，中央的安排是要求他利用职务的方便，在全国范围内布置一个完整的调查网，以进行更大范围的反共活动。

徐恩曾并没有完全理解蒋介石的意图，而是将精力集中到如何结交钻营，如何当部长上面去了。他调回了亲信顾建中为他控制中统，自己则多方活动，尤其和吴铁城的关系日趋密切，曾协助吴铁城针对当时物价飞涨、通货恶性膨胀的经济形势，写成"稳定物价紧急措施"和"加强管制物价方案"，冀图取得蒋介石的重视，不意却遭到政学系吴鼎昌反对，更被蒋介石认为是"不务正业"，同时也为二陈所弃，认为徐恩曾的举动是离心的表现，有步朱家骅、张厉生后尘之虞（朱、张原属CC系，其后朱投靠了戴季陶，张得到了陈诚的信任，先后当上部长，自立门户，与二陈貌合神离），因此在蒋介石面前不再为他说话。

与此同时，兼任中统局局长的朱家骅与副局长部紫峻联合向蒋介石告了徐恩曾的状，说徐恩曾领导无方，中统内部纪律松弛等。

1943年中统重庆区特务闯进经济部捕人，为翁文灏部长告发，蒋介石非常恼火，认为中统行动粗鲁，不讲究策略，影响了国民党的威信，下令中统今后"不得捕人"，并要求徐恩曾对肇事者撤职查办。这是徐恩曾第一次被蒋介石面斥。

1944年的一次"甲种汇报"中，蒋介石询问河北、山东敌后解放区的情况，徐恩曾由于事前没有准备，说不出所以然来，反之，戴笠却说出了一大套。蒋介石认为徐恩曾不务正业。

《新华日报》在重庆的发行，是蒋介石迫于政治形势而不得不接受的，所以，对《新华日报》的监视、封锁、破坏一直是中统的主要任务。尽管中统采取种种卑劣的手段大加破坏，但始终未能达到目的，《新华日报》不仅在重庆发行市面广，而且送到成都、贵阳等地的时间也较《中央日报》为早。以上诸件事使中统的地位在蒋介石的心目中一落千丈，徐恩曾也失去了蒋的宠爱。蒋将特检处划归军统领导即是一例证。

徐恩曾在受到蒋介石多次面斥后，竭力想恢复中统在蒋介石心中的地位，在中统内部提出“争取时间，追求效果”的口号，要求所有人员做到“一人一事，事事有人管，处处无闲人”，同时还增加了办公时间，原来的8小时改为上午6时至12时、下午1时至5时共10个小时的工作时间。

最初几天，徐本人也准时上下班，并经常在上班后到各办公室巡视一番，然后才回局长办公室处理文件。但积重难返，这种做法为时不长就又自然地回到了过去的状态。

蒋介石免去徐恩曾“本兼各职，永不录用”的手令，是交给当时的中央党部秘书长吴铁城和中央组织部部长陈立夫去执行的。陈立夫当即提议由叶秀峰继任，吴铁城鉴于当时的情况，也只好同意。

1945年2月1日上午9时左右，在重庆川东中统局本部信谊堂，召开了局本部全体工作人员大会。徐恩曾首先介绍叶秀峰与大家见面，然后说了一番话，当说到“与大家共事多年，肝胆相照，甘苦共尝……不忍离别”之时，徐动了感情，会场上不少人泣不成声。

徐恩曾感到再如此下去恐难收场，于是话头一转，提高声音说道：“今天是我们大家大喜的日子，有了秀峰先生的英明领导，今后本局前途无量。”接着叶秀峰简单地说了一些勉励的话，仪式便告结束，徐恩曾乘车离去。

同年 3—4 月间，徐恩曾接受吴铁城的派遣，以中执委的身份去贵阳视察，并出席贵州省党部“纪念周”，在会上讲了话。蒋介石得知后，不仅批评了吴铁城，还下令吴铁城召回徐恩曾，并说：“今后不许徐恩曾再做任何政治活动。”

5 月，国民党第六次全国代表大会在重庆中央训练团大礼堂召开，徐恩曾满怀信心地参加了会议。最后蒋介石以党的总裁身份正式提出六届中委中央执监委员候选人名单时，百分之九十九的五届中执委都列入六届候选人名单，唯徐恩曾不在其列，这时他才感到问题的严重性。

此后，徐恩曾足不出户一月有余。有一次，部下孟真去他家闲坐，他说中国历史上最有名的大特务莫过于武则天时代的周兴和来俊臣，周、来二人都曾出过死力支持武则天执政，当时声势赫赫，名宰相狄仁杰都惧怕他们，他们也都得到武氏的多次赏赐。但是最后的结果，来俊臣奉武氏之命杀了周兴，来本人也为武氏杀了。武氏最后之所以要杀周、来，是因为他俩知道她的隐私太多了。徐恩曾说完后，长长地叹了一口气，又说：“自古大特务都是不得好死的。”同时又很庆幸自己只是被免职，而未送命。

1946 年初，徐恩曾举家回上海，住霞飞路逸园新村 7 号，这是一座相当漂亮的西式洋房，原是敌伪产业，是中统“劫收”而来送给徐恩曾居住的。徐恩曾回上海后，首先便在黄浦滩边麦加利银行租下一间写字间，挂牌“中国机械农垦公司”，接着又利用一批日本籍潜水员，组织了“中国打捞公司”，从此，他弃政经商，大发横财，跻身于上海经济闻人之列。

徐恩曾是不甘寂寞的，他虽被免去“本兼各职”，但依然是“中国电机工程师学会会长”。1947 年他利用这一职务当上了伪“国大”代表，希望重新返回政界。三个月后，其妻费侠也通过作弊当上了立法委员。

不久，徐恩曾夫妇双双来到南京，在山西路新住宅区一幢漂亮的临时公馆内接待旧日部属，颇有些得意。

但好景不长，国内形势急转直下，蒋家王朝已面临分崩离析的局面。1949 年 1 月，孟真去上海有事，顺便去看了徐恩曾。他对孟真说：“我不搞调查工作已经多年，但是共产党是一定不会放过我的，一定要向我算账的。”又说：“我只好去外国当‘白华’了。”徐恩曾此时已有去美国当寓公的打算，后来，他偕同费侠一起去了台湾。徐恩曾于 1985 年在台湾去世。

军统却进入鼎盛之时，特务机构、忠义救国军、别动队等武装日益坐大。一代影后胡蝶也成了戴笠榻中玩物，江山浪子戴笠戴雨农可谓人财两旺，兴旺发达。

## 四　攻击陈诚显威风

戴笠向陈诚下手，显然有证据。

在国民党内部，除了党政系、政法学系、黄埔系这三大派系之外，还有以孔祥熙、宋子文、何应钦、陈诚、朱家骅等人各自为核心形成的小圈子。除宋子文、何应钦与戴关系较深外，其他的都与戴有疙瘩，并先后受戴打击。

只有陈诚集团，戴笠始终未敢贸然下手。这一方面固然是由于陈诚倍受蒋介石的宠爱、本人实力雄厚、权重一时外，另一方面也是由于陈诚集团与国民党的其他派系集团比较起来，是较为廉洁踏实肯干的，也较少腐败习气，办事雷厉风行，戴笠长期没有找到可以攻击的口实。

陈诚是国民党集团中首屈一指的人物。数十年来，在蒋介石手下大红大紫，无人能及。蒋介石始终对他没有猜忌戒备之心。

陈诚，字辞修，别号石叟。浙江青田县人。1920 年毕业于保定军校，1922 年随邓演达到广东参加革命，1924 年进入黄埔军校，开始了他一生追随蒋介石的政治生涯。

抗战开始，陈诚由庐山军官训练团副团长出任第三战区前敌总指挥、第十五集团军总司令、第四预备军副司令长官等职，率部参加上海会战。1938 年 1 月出任武汉卫戍总司令，2 月兼任军委会政治部部长，6 月兼湖北省主席，同时兼三青团书记长、中训团教育长，第九战区司令长官，1939 年 10 月，改兼第六战区司令长官，1943 年 2 月出任中国远征军司令长官等。

由此可见，蒋介石不但让陈诚一身兼有党政军数要职，而且始终把他摆在各个时期重大事件的中心，加以培植运用，其恩宠有加，在国民党内找不出第二人。当时国内国际、党内党外，都盛传陈诚将成为蒋介石身后最有竞争力的接班人。

陈诚、戴笠不和，就其根本原因来说，完全是野心的冲突。陈诚比戴笠小 1 岁，但是发迹却比戴笠早得多。当戴笠还在黄埔军校充当胡靖安的清共打手时，陈诚已晋升为国民革命军二十一师师长。1931 年初，戴笠还在蒋介石身边“跑单干”，陈诚又跃升为第十八军军长，成为蒋介石手下的主力将领。

陈诚早年得志，长期处于权力的中心，更因他性格刚直，高傲冷峻，自认为才干过人，又有其妻谭祥的干娘宋美龄作为后援，因而在国民党统治集团内部形成了独树一帜的作风。他除了对蒋介石绝对忠诚以外，对其他实力派人物均采取排斥打击的策略。他大骂何应钦是“烂好人”，始终不给予合作；他痛恨白崇禧，讥讽他处处玩小聪明；他一向看不起胡宗南，认为胡没有真才实学，只不过靠机缘时会，把军队摆在反共第一线而见重于老头子，更认为“汤恩伯专门和奸商勾结，以抢运物资为名，设卡走私，上行下效，军纪废弛，民怨沸腾。以致日寇来攻时，官兵无斗志，稍一接触，即溃不成军。此人真该杀一儆百，以维士气”。

至于戴笠，他以为靠用盯梢窃听、攻讦诬陷等手段邀功取宠于老头子的做法，更是不值一哂。加之戴笠和何应钦、白崇禧、胡宗南、汤恩伯都有很好的个人关系，这就使陈诚和戴笠的关系自然而然地冷淡起来。

就陈诚来说，以他的资历、地位、才干及与蒋的关系，他当然不会把戴笠放在眼里，更不会因为戴笠是个特务头子，而对戴笠进行逢迎巴结。

撇开政治立场不论，陈诚是国民党统治集团中较有正义感的军人，因而他素来看不起戴笠的那种恶性的特工活动，也历来不肯对军统工作给予善意合作。他甚至建立起自己的特务系统，目的就是防范军统的渗透和打入。

在国民党军队中，建立独立于军统之外的特务系统，除张学良、胡宗南外，陈诚是第三人。张、胡是得到戴的默许的，并与戴笠及军统都有很好的合作关系。唯陈诚的特务系统完全独树一帜，戴笠丝毫不能过问，这使戴笠恨得咬牙切齿，然又奈何不得。

同时，戴笠看出，陈诚是最有希望在蒋介石之后取而代之的，这显然对自己的政治前途是不利的，况自己要想做蒋身后的第一人，陈诚是最大的阻力和障碍，野心的冲突，使他们进一步在政治上对立起来，几乎到了你死我活的地步。

戴笠是有耐心的。长期以来，他自知不是陈诚的对手，因而用以静制动的办法，不与陈诚做正面交锋，只是像一条有经验的老狼那样，始终躲在暗中窥测时机，待抓住时机，然后闪电般跃出，一击而中，置对手于死地。戴笠的这个策略可以说是十分成功的。

机会终于来了。1943 年冬，戴笠等到了一个几乎可以置陈诚于死地的机会，事情缘起于抗战初期。

1939 年 10 月，陈诚由第九战区司令长官改兼第六战区司令长官。第六战区长官部设在湖北鄂西重镇恩施，任务是防止日军在占领武汉三镇以后，进一步进攻湘西，向川东逼近，因而陈诚负有拱卫重庆政府的重任。

1939 年，中国抗战的形势非常严峻。国民党上层人物中的悲观、失败主义情绪十分严重，汪精卫、陈公博、周佛海等亲日派头子公然叛逃投敌。出于对抗战前途的忧虑，第六战区司令长官部的一批青年军官认为中国所以在抗日战事中一败如斯，主要是国民党上层统治集团中有一批贪官污吏、昏庸腐朽的官僚以及亲日降日的军政大员把蒋介石包围，使蒋介石的主张不能贯彻始终。

在这些少壮派看来，倘若要使中国得救，必须进行一次军事行动，把蒋介石身边的那些昏庸腐朽的人物清除出去，使真正抗日爱国和廉洁踏实肯干的精英人材进入高层领导，辅佐蒋介石领导抗战和治理国家。

某种程度上，这些青年军官把陈诚作为理想的辅佐领袖的人材。这次密谋就是“清君侧”计划。这些青年军官深知自己的力量有限，不足以成大事。于是，他们一方面利用部分青年军官进入陆军大学深造的机会，进一步在陆大中寻找知音，以扩张力量；一方面积极与在华帮助中国军队训练的美国军官进行联系，寻求外力的支持。

美国朝野上下也有许多人谴责国民党政府的贪污腐败和无能现象。到后来，美国总统罗斯福的信心也产生了动摇。1943年的开罗会议期间，他直截了当地问驻华美军司令官、同盟国中国战区参谋长史迪威：“你认为蒋介石能支持多久？”

史迪威回答：“如果日军再发动一次1942年那样的夏季攻势，蒋介石就会垮台。”

罗斯福又问：“那么，我们是否应该寻找另外某个人或几个人来支撑局面？”

史迪威表示：“这样的人选很可能都要投靠我们。”

出于美国对蒋政权的失望和“换马”动机，一部分驻华美军人员以及美国战略情报局的特务对中国一些青年军官的“清君侧”的密谋活动逐渐引起重视，并在暗中给予必要的支持。但是，以史迪威为首的美国人不只是要清除何应钦等亲日派将领和政客，而且要彻底倒蒋，建立一个由陈诚、薛岳、胡宗南等青年将领领导的政权。

“清君侧”计划很快被军统人员截获，送到戴笠手上。无疑，这是一份重大的情报，就是撇开戴笠和陈诚的私仇不说，这也是一个极重大的案件。

但是，戴笠经过一番缜密的考虑，决定暂不打草惊蛇，只是由军统组织和特检处加强对六战区长官部及陆大内这批青年军官的监视，以搜集新的证据。

戴笠的考虑是：

其一，军统对这批人的“政变”计划没有完全了解，难以窥视全貌；

其二，这批“政变”分子的中坚只是一些参谋幕僚人员，并不是带兵官，并且主要矛头不是指向蒋介石，可以用一段时间静候他们的发展变化；

其三，也是最重要的一点，目前尚不清楚陈诚有没有牵连在内，在没有抓住陈诚的把柄时，过早出击，会给陈诚以脱身之机，反而功亏一篑。

“清君侧”的密谋活动仍在秘密进行，但是他们的组织工作似乎相当严密，在相当长的一段时间内，特务们并没有搞到更多的情报和证据。然而，戴笠也不急躁，他知道有些事情是需要耐心和时间的。

果然，进入 1943 年，情况有了转机。

1943 年 2 月，蒋介石命令成立“中国远征军司令长官部”，调心腹陈诚任远征军司令长官。

陈诚就任远征军司令长官后，第六战区仍由他负责，只是由他向蒋推荐调孙连仲暂代。同时，陈诚又从六战区司令长官部带了一大批人员到楚雄组建远征军司令长官部。这样，一批策划“政变”的青年军官开始渗透进远征军司令长官部，并在这里继续进行计划并组织实施。在不长的时间里，青年军官们已经拟定了“政变”的组织章程、行动计划，并决定将行动时间定在“西安事变”7 周年纪念日——1943 年 12 月 12 日举行，这的确是意味深长的。

但是，这批青年军官忽视了一个重要问题。原先，六战区司令长官部偏处鄂西一隅，交通闭塞，军统势力难以渗入。而远征军司令长官部距昆明仅 100 多公里，云南是军统力量经营多年的地方，人员集中，势力雄厚，况军统对策划“政变”的青年军官早有监视，因此，军统云南站很快将青年军官们的“政变”组织章程、行动计划以及行动日期搞到手。特别是戴笠查清了在这批青年军官中有一名与陈诚关系密切的亲戚。

这时戴笠认为，打击陈诚的时间到了。一方面他当时已与胡宗南、汤恩伯联盟，自己的实力大大增强，而陈诚是“三王”集团的主要政敌，必须首先给予打击。另一方面距离这批青年军人发动“政变”的时间越来越近，必须先下手为强，否则一旦贻误时机，将遗患无穷。

于是，戴笠带着这一案件的全部案卷，亲自向蒋面报，并在暗中透风给何应钦，要他注意提高警惕，以防有人对他有不利举动等等。

蒋介石闻报后，立即批准了戴笠的行动计划，并给陈诚下令，立即将远东军司令部内所有参加“政变”密谋活动的青年军官交给军统审讯。戴笠同时下令将六战区司令长官部和陆大内参预活动的学生进行逮捕，被秘密分开囚禁在中美所内的警卫大队部。其先后逮捕的人数累计600人左右。

戴笠对被逮捕的首要分子亲自进行审讯，要他们供出“政变”密谋活动是得到陈诚的支持。但审来审去，始终没有结果。但多少弄清了以史迪威为首的美国人在暗中支持了这批青年军官的活动。蒋介石闻报极为震怒。当时，蒋介石和史迪威之间的矛盾本已十分激烈，现加上这一个背景，蒋介石再也不能容忍了。

蒋介石不惜冒得罪美国政府的危险，正式通知罗斯福总统，要求解除史迪威的职务，调史迪威回国。后来，经过东南亚盟军司令蒙巴顿将军和美国空军补给司令萨摩维尔中将出面斡旋，并由与美国关系很深的宋美龄、宋霭龄等人施加压力，同时考虑到罗斯福正在不顾邱吉尔的反对，邀蒋参加开罗首脑会议，蒋终于同意由史迪威于1943年10月17日到蒋官邸当面向蒋道歉，这场风波才算过去。

蒋介石虽然宠爱陈诚，并且相信陈诚不会介入这次“政变”活动，但是他作为第六战区及中国远征军的司令长官，不能推卸责任。加之戴笠、何应钦等反对陈诚的军政大员不断向蒋施加压力，蒋介石不得已于11月份临去开罗参加中、美、英三国首脑会议之前，决定解除陈诚的中国远征军司令长官职务，对外则由陈诚以养病为由，主动请辞职务作为借口，蒋另调卫立煌接任，以示对陈诚的惩戒。

蒋介石从开罗回国后，下令对16名为首的年轻军官进行秘密处决。

蒋介石认定在美国参予的这次密谋活动中，与美国政府关系历来密切的孔祥熙、宋子文、宋美龄等人不能辞其咎，甚至认为孔、宋等人多少知道一些内幕情况，而没有预先报告，因而蒋开始实施抑制打击孔、宋家族的计划。从此，孔氏家族开始在中国政坛上失势。宋子文被蒋冷落闲置了1年多时间，才重新启用。

戴笠的这一击，虽然没有能把陈诚彻底打倒，但确使陈诚锐气大减。从1943年11月至1944年6月止，陈诚经历了他一生中政治上的一个空白时期。1944年6月，国民党豫中会战失败，西北告急，蒋介石对汤恩伯、蒋鼎文等人失望之极，决定重新启用陈诚，前往汉中任第一战区司令长官。10月，陈诚又挤掉何应钦，升任军委会军政部长，再次活跃在中国政坛的中心。戴笠对蒋如此宠信陈诚，甚为不满，但也无可奈何。

## 五 牛气冲天的特工皇帝

成了特工皇帝，说一不二，牛气冲天。

1944年，军统进入全盛时期，戴笠便成了特工皇帝，说一不二，牛气冲天。

当年，军统共有内外勤 709 个单位、电台 569 座、工作人员 5 万余人，由军统直接领导的忠救军、别动队等庞大的特务武装还不计算在内，至于由军统控制运用的外围组织更是难以计算。

戴对这样一个局面是亦喜亦忧的，喜的是，感到军统一天天发展壮大，人财兴旺。他甚至对部下讲：“看一个人家兴旺不兴旺，只受看看吃饭的筷子就知道。如果一家人天天是那几双筷子，便可以说明不是兴旺气象。真的兴旺人家，筷子的数目是弄不清楚的。”忧的是，戴笠深感由于人员发展过快，团体过于庞大，带来了复杂的人事关系，内部人员贪污、浪费，工作不负责任，敷衍了事，骄横跋扈，胡作非为等违法乱纪的事情层出不穷。

更令戴笠难堪的是，军令部的消息居然会跑到曾家岩 50 号周恩来公馆里去。至于人事处始终不能拿出一份准确的局本部内勤人员花名册，供戴笠纪念周上点名用。总务处、经理处弄不清军统有多少家产。会计室在计算米贷金时，竟少算了米贷金 100 多万元。秘书室竟把呈送蒋介石的公文也弄错等等，为此，戴笠在军统后期的整顿和发展方面，大讲“迅速精细”。在这种原则的要求下，特务们成天提心吊胆，战战兢兢，以致戴的心腹都感叹：“长此真有成神经病的可能。长官待部下之严以及部属之畏长官，在全国恐再找不出第二个人来。”

抗战后期，戴笠几乎是以神经质的手段，对军统这座特工王国进行统治。他甚至可以以除奸演习为名，把军统大特务、重庆警察局督察处长东方白作为汉奸抓起来送进望龙门监狱，以致使军统局上下莫不感到莫名其妙，一起感到“这罪名离目标太远了”。

重庆卫戍总司令部稽查处处长廖公劭因为吃了走私贩毒商人的一次宴请，并受了贿，经人告发后，由戴笠下令将其送进望龙门监狱，关到过年的时候才被放出来。

重庆市警察局侦缉大队大队长谈荣章被人告发，由戴下令在过年前送进去。一个出来，一个进去，特务们已到了习以为常的地步，自感在戴笠手下工作“什么时候都保不住的，出来的用不着害怕，进去的用不着难过，在外面的用不着骄傲”。能如此，方可在戴笠手下工作，这就是当时许多军统大特务的心境。

总之，自毛人凤以下的大小特务，无论资格多老，职务多高，能力多强，只要是一言不合，一事不慎，被戴笠撞见或掌握，轻则是一顿训斥谩骂，重则是遭拳打脚踢，或被送进监狱，一关数月、一年。

1944 年 11 月 11 日，日军在打通大陆交通线的“一号作战”中攻陷桂林。在这之前，由于军统人事处长龚仙舫、电讯处长魏大铭及总务处长未能及时将进入桂林的潜伏组派出，戴笠当即宣布给军统 3 个少将判处 2 年徒刑，勒令他们当时就回去交待工作。

宣布后，戴笠又有些懊悔，3 个少将当时是军统的三大台柱，也是戴笠的得力助手，岂能一关就是 2 年。但是已经当面“判决”了，戴笠一时又不好改口。经过一番犹豫不决，居然给想到一个就坡下驴的办法。

第 2 天，戴笠又把 3 位少将叫去，当面宣判缓刑 2 年执行，另外每个处关 1 个副科长进去，代处长坐牢。如此自立法度、惩戒部属，真是闻所未闻。戴笠凶横霸道，作威作势，由此可见一斑。

以戴笠之威，军统上下莫不噤若寒蝉，但也有一些大特务在脱离了戴笠的掌握后，往往借机大骂戴笠一通，以发泄心中的不满。

抗战后期，戴笠下令在中美所大礼堂后面的山坡上，竖立了一块石碑，以纪念那些所谓为团体事业献身的军统“烈士”。因特务工作本属于黑幕范围，碑上当然不好刻上“立传”的文字，因此只好以“无字碑”名之，美其名曰“无名英雄碑”。

抗战初期，因招收学生军训一事被戴笠气跑的梁干乔自西安到重庆看病，出于一时兴起，慕名到中美所去看无字碑。岂知卫兵因不认识这位当年老资格的军统大特务、现在已是胡宗南手下的大红人，居然教训梁干乔要脱帽、肃静。这一下伤害了梁的自尊心，触到了梁多年来对戴笠的痛恨之处，梁立即摆出“十人团”元老、复兴社高干、特务处书记长的派头，借题发挥，指着“无字碑”大骂起来：

“既然无名，就不应该立碑。立了碑，就是唯恐人不知。又要当婊子，又要起贞节牌坊。可耻！可耻！”

这一番话很快被报告到戴笠那里，戴虽有特工帝王之尊之威，可是对梁干乔这样的人却无可奈何，只好自己解嘲说：“干乔是有名的梁神经，神志不清罗！”

这一次，戴笠破例连饭也没有敢请梁干乔吃。

真是魔王碰到“神经”，有理也说不清。

随着抗战形势的不断好转，以及戴笠的特工权力越来越大，有一个问题总是象幽灵一样始终在戴笠脑子里徘徊，久挥不散。这就是蒋的猜忌及自己的地位前途问题。

戴笠深知“鸟尽弓藏”和“权重震主”这两句话的份量，蒋必有一天要对自己下手。

1944年初，蒋决定加强对特务工作的控制，下令在原先建立的甲种汇报和乙种汇报之外，成立特务工作的年度汇报。

第一次汇报于1944年2月24日在蒋官邸举行，由蒋亲自主持。出席者有侍从室六组组长唐纵、军统局副局长戴笠、中统局副局长徐恩曾（后由叶秀峰接替）、军令部二厅厅长杨宣诚（后由郑介民接替）、国际问题研究所所长王某、中央党政军联席会议秘书长徐佛观、缉私署长宣铁吾、宪兵司令张镇等特工头目。

会议的内容是由各特工系统的头目汇报年度工作，交换各系统的情报，听取蒋对特务工作的指示等等。会议名义上是由蒋主持，但是代表蒋做主要发言的却是唐纵。

戴笠由于从唐纵处事先了解到这些会议的主要议题和蒋在这段时期内对情报工作注视的侧面，充分进行了准备，结果在会上汇报时，由于材料丰富，所谈问题又正是蒋所关心的问题，颇称蒋意，蒋也当场嘉勉几句，而对茫然不知所措的徐恩曾则申斥一番。但是，在这种会议上起真正作用和出足风头的却是唐纵。

在年度汇报之后，蒋又指示成立月度汇报。月度汇报地点设在军统局本部大院对面的漱庐。唐纵参加月度汇报是以蒋介石的代表身份出席的，因此，汇报一般由他主持，并由他先传达蒋介石对各特务系统所呈送情报的看法及应当注意的问题。戴笠只是尽地主之谊，负责召集和接待。

建立年度和月度汇报制度，这是蒋介石对特务工作加强控制的一大改进措施。在抗战以前，蒋基本上是以单线联系的方式控制和领导特务工作，特务活动完全在黑幕中进行。抗战以后，除中、军统两大特务机关外，又加强了军令部二厅、国际问题研究所、中央党政军联席会议、宪兵司令部、财政部缉私署等特工情报系统的活动，特务组织恶性膨胀，各种情报多而庞杂，蒋介石深感难以全面掌握控制，因而特设侍从室第六组加以襄助。

蒋除重要情报及重大情报仍由自己亲自掌握外，一般情报和行动，则交由第六组去综合、校核、整理、分析、指导而后上报。这就使第六组组长唐纵居于承转启合的关键地位。

唐纵自从抗战中期出任军统局帮办以后，已看出蒋对戴的猜忌与戒备之心，因而暗中与戴保持一定的距离，在中、军统的关系上注意摆平，对戴笠以及军统内部存在的问题也能及时如实向蒋密报，唐本出自军统，对军统内部的情况相当熟悉，知道如何抓住问题的要害，向蒋进言，也就更加赢得蒋的宠信。

蒋于此开始着意培植唐纵，以抑制或取代戴。所谓建立特工年度汇报和月度汇报，蒋固然有发挥特务系统整体效率的打算，也有通过两个汇报来进一步发挥唐纵的特殊作用，以抑制戴笠的考虑。从此以后，唐纵经过自己的持久努力，不但使第六组成为蒋直接控制运用的机要情报和政治谋略机构，而且实际上也成为蒋借以联系和指导军统、中统、军令部二厅、国际问题研究所、中央党政军联席会议秘书处，以及宪兵司令部、财政部缉私署等 7 大情报机构的总负责。可见唐的地位似乎已在戴笠之上，而戴笠不过是与徐恩曾、郑介民、徐佛观等特务首脑一样身份的某个特工系统的负责人。

蒋的这一手法确实高明，高明得难以猜度，不过，还是有唐纵这位猜度大师的心领神会。当时，在军统内部，自戴笠以下，都是十分自负的，从不把中统等其他特务机构放在眼里。

有一次，唐纵代替戴笠到军统局主持总理纪念周。

休息时，党政处副处长叶翔之问唐纵："军统的情报在全国搞情报的单位中，是不是首屈一指？"

唐纵毫不客气地回答："做敌伪情报，军统办法比较多一些；军事情报还是二厅好；搞民主党派和对中共方面的情报，中统占优势。”

由于此语出自唐纵之口，因而被认为是权威的评价，这给素来妄自尊大的军统特务们多少泼了点冷水。这也是唐纵间接告诉戴笠，在特务工作方面，他并不能取代其他特工系统，一手遮天。

戴笠神经是十分敏感的。蒋的抑制手段，唐的地位迅速上升，都使他确信自己的处境是很微妙的，一步不慎，就有可能凶险加身。但在内心深处，他又希望处处能逢凶化吉，遇难呈祥。

戴笠一生中是不相信鬼神的，但是却十分迷信命相和地理风水。抗战中期以来，戴笠通过秘书周念行给他讲史，了解到在明、清两代，江山县曾出过两位大人物：一位是明嘉靖、隆庆年间的尚书毛恺，因上疏主张“禁滥狱”，缓和阶级矛盾，触犯龙颜，死后仍被穆宗皇帝削去官职；另一位是清乾隆年间的台湾总兵、福建陆路提督柴大纪，因台湾“天地会”林爽文领导反清起义，未能及时扑灭，被清廷斩首。

这两个历史人物的悲剧，给戴笠心理上影响很深。他认为自己是继毛恺、柴大纪之后第三个在江山县影响最大的人物，会不会像毛、柴一样不得善终呢？

为了能从江山县的山水地理方面寻找答案，1944年4月，戴笠在陪同梅乐斯赴东南视察期间绕道江山县，召见刚从上海潜逃回到浙西的毛森与军统局东南办事处主任毛万里，指示他们对毛、柴二人出生的石门、长台两乡的地理风水进行勘察。毛万里、毛森奉命踏勘，果然有惊人之语。

他们勘测到江山县的地势南高北低，雨水一泻千里，难以蓄积，故穷山涸水，养不住大鱼，大人物难以善终。戴笠听完

“两毛”的这一番宏论高见，深以为是。联想到自己命中缺“水”的命相，不禁有毛骨悚然之感。

1944年，随着盟军在太平洋上越来越强大的攻势和欧洲第二战场的开辟，德、日法西斯的末日已屈指可数，抗战胜利的曙光隐约可见。为此，戴笠抓紧时机加强全面部署，以攫取抗战胜利的成果。

军统在抗战时期对沦陷区的工作到1944年为止，基本上形成了以安徽界首、浙江淳安、福建建阳三大基地为前沿据点的扇形工作区域。

安徽界首是戴笠借助汤恩伯的势力建成较早的前沿根据地。界首本是豫皖交界处的一个小镇，但从抗战中期开始，这里几乎成了各种政治力量较量和角逐的场所。

为了确保具有重要战略地位的界首镇的安全，汤恩伯派嫡系王仲廉的第三十一集团军驻进这一弹丸之地，并在界首设立警备司令部，以达到长期经营的目的。特别是抗战后期，界首因临近沦陷区，成了中原地区蒋日汪之间进行经济走私的著名“阴阳界”。

不但汤恩伯在此设立“物资管理处”，大做投机生意，蒋鼎文、李宗仁也都派人在界首设立战区办事处，就是远在西安的胡宗南，也无数次地派人到界首招兵买马，以扩张实力，弄得汤恩伯大发脾气，说：“胡宗南今天也招收青年学生，明天也招收青年学生，实在是欺人太甚，连我控制的四省边区都成了他的招生所，这还成话。”

戴笠更是看中这块战略要地是他开展反共、策反汪伪军、进行经济走私、监视国民党军队等特工活动的好地方，在汤恩伯的全力支持下不惜花大力量进行经营，先后在界首设立的高级特务机构，有以周兆棋为主任的第三十一集团军调查统计室兼界首警备司令部调查统计室；以刘国宪为处长的界首警备司令部稽查处；以周麟祥为副主任的军统临泉特训班；以乔家才为总队长的四省边区党政工作总队；以刘培初为总队长的第一战区副长官部工作总队；以王兆槐为处长的财政部界首货运分处；以袁佐唐为专员的华北策反专员公署，等等。

一时间，界首这一弹丸之地，设立了如此之多的特务机构，戴笠犹觉不多。尤其是在中原、华北一带的伪军中，有些是张学良的东北军旧部，这些人在张学良被囚禁、东北军解体后，一时失去重心，顿感理想破灭，前途渺茫，无所依靠，有不少人很快在日伪的勾引下，纷纷落水当了汉奸。

如何把这批人策反过来，便是日后与共产党争夺中原和华北地区的一股重要力量。正在戴笠冥思苦想的时候，在军统息烽特训班当教官的陈昶新找上门来，向戴笠提出愿为准备大反攻而策反旧东北军政人员的想法。这在戴笠来说正是求之不得的绝佳人选，于是很快任命陈昶新为军统东北特别站站长，为他配备了秘书、特派员、会计、情报特务、电台台长、报务员等，于 1944 年初由戴笠亲自盛宴欢送北上，派到界首镇开展活动。

临行前，戴笠交给陈昶新 4 项任务：一是策反已当了汉奸的东北军旧部，如有已参加八路军、新四军的东北军旧部，亦属策反之列；二是抚慰已投靠蒋介石的旧东北军政人员。例如当时部队驻防在皖北、苏北一带的何柱国第十五集团军中的第二军团（由原东北军骑兵第二军扩编而成），是仅存的东北军旧部。戴笠指示陈昶新对何柱国加以抚慰，以防这些人产生离心倾向；三是组建军统东北地区的情报组织，以填补军统覆盖区域的空白；四是搜集情报，可以通过分布在中原、华北、东北地区的东北军旧部，建立一个覆盖以上地区的情报网。

戴笠还指出，作为“特别站”的含义，不但表示它的级别要高于一般的省站，而且它的活动范围与性质也与省站有别，除了东北是基本活动区域外，其他如华北、中原、华东、西南地区凡是旧东北军出身的汪伪汉奸，都是东北特别站的策反与情报工作对象。虽然戴笠极力对陈昶新给以高位予以重用，内心依然对其怀有戒心，在军统东北特别站的班底中，暗中安排亲信，对其进行严密监视。

其实，陈昶新确是别有企图的。他这次北上的重要目的，就是要以策反和联络旧东北军人员为幌子，再建东北实力集团，并为此制订了一个“渗透纵队行动大纲”，秘密进行活动。

陈昶新到界首后，仅几个月时间，就从河南商丘、山东济南、河北天津、北平到东北锦州、沈阳、吉林等地，相继建立了组织活动，有的情报人员已深入日本特务机关，窃取到一些重要情报，及时报送界首。

为进一步检查督促和周密部署前沿根据地的策反及情报活动，戴笠于1944年3月亲到界首视察，听取各个特务机构的汇报，指示他们要加强与汪伪军的联系，扩充实力，做好对中共军队的情报工作，随时准备在抗战胜利后与共产党争夺天下。

在界首期间，戴笠与汤恩伯还秘密会见了化装前来的汪伪第四方面军总司令张岚峰，双方具体商定合作的计划，戴除了向张做出可靠的政治保证外，还当场向张岚峰赠送了手枪、金表等礼物。事后，汤恩伯还亲笔写了一通“手谕”，派张岚峰为“先遣军总指挥”，这是全国第一张委任汉奸的手令。

军统建立的第二个前沿基地是中美所东南办事处。由于该处位于东南沿海最前沿地带的福建建阳，故特别受到戴笠和梅乐斯的重视。除中美所参谋长李崇诗长驻指挥外，戴笠、梅乐斯每年都要前往该地区视察。为了能通过建阳据点就近指挥军统在东南沿海地区的所有组织机构，戴笠将东南办事处的机构不断充实扩大，先后设置了军事、情报、训练、人事、总务等科和秘书、会计、督察等室。这是军统所有外勤组织最庞大完备的机构设置。

当时，不但中美所设立的闽侯站、定海站、漳州站、上海站及前进指挥所归其领导，就是军统建立的建瓯、漳州、玉壶、雄村等大型特训班和战时货运局东南运输站等单位也归其节制监督。李崇诗同时还兼任军统广东缉私处处长和货运处处长等要职，就近领导东南地区的缉私和货运工作。

建阳前沿据点的另一项任务，就是就近指导华南地区对伪军将领的策反活动。早在 1943 年春间，戴笠就批准在澳门成立粤海站（后改为光粤站，并迁往广州），任务是策反广州要塞司令招桂章。这是军统建立的第一个专事策反汉奸的外勤站级机构。

1944 年，汪精卫赴日治疗枪伤，陈璧君因此常到广州居住，并不时秘密到澳门南环香炉灰 4 号其母卫月朗的旧宅小住数日，戴笠得到消息后，立派军统临澧特训班毕业的女特务徐燕霜潜赴澳门，会合粤海站，设法收买卫宅的女管家，伺机进入卫宅谋杀陈璧君。

当时拟定的行动方案是，将一种无色无味的毒药粉末，注入小如半粒瓜子仁的极薄胶片内，然后贴藏在徐燕霜的长指甲内。当徐扮作公仆捧茶奉陈时，只须将指甲在茶内浸一下，药即可溶解，将人毒毙，而且了无痕迹。粤海站站长何崇校受命后，即安排徐燕霜等待机会，因陈璧君此后未来澳门，也就终无机会下手。

由于美军在太平洋的越岛进攻的速度加快，接应美军在中国东南沿海登陆计划的实施日期越来越接近，戴笠与梅乐斯、史密斯于1944年4月再次前往东南沿海地区视察，检查落实接应美军登陆计划的各项准备活动。

戴笠利用这次南行的机会先到家乡江山县参加肇和中学的校庆。然后兼程赶到福建建瓯东南特训班，主持该班第一期学生的毕业典礼。该期学生受训长达3年之久，是戴笠所办的特训班中绝无仅有的。戴笠把这批学生保存到现在分配，目的就是要让他们在反法西斯战争取得决定性胜利时出去与共产党争夺天下。

毕业典礼前，戴笠、梅乐斯决定亲自检查训练效果。早在这之前6个月，戴笠就派局本部训练处少校人事考核股股长邹凤吟陪同9名美国教官来东南班督训，督训目标是加强技术方面的海水测定等训练，为盟军在福建沿海登陆做准备。

检查督训效果的方式主要是为戴、梅安排了两次战地实习：

一次是爆破福州市的敌伪据点，派遣学生100人携带炸药，化装潜入福州市区，在日伪司令部及其他机关、仓库、据点，安置爆破点，定时一齐爆破，然后四面伏击，完成任务后撤回；

一次是突袭海岛上的日军大仓库，派遣学生30人持手提式机枪，乘敌军晚餐时突然登岛袭击，消灭敌守备军1个连，然后放火烧毁军火仓库撤回。

两次战地实习均取得较好效果，戴笠、梅乐斯较为满意。

在分配学生过程中，戴笠用了很多时间，找学生分别谈话，了解掌握每个学生的特点，然后先从中挑选了300余名男女学生，秘密派遣到南京、上海、杭州一带日占区搜集情报，建立电台，策反伪军，同时与敌伪合作打击新四军和袭击中共游击队，等待日军投降时做接收工作。

其余的300余名学生分配方向也大都是去东南沿海省区的军统系统工作。一部分在职特务大都回原单位提升一级任用，其余的非在职出身的分配到军委会、外交部、财政部各经济部门和第三战区的政治部、参谋处、情报处以及各杂牌部队的情报部门。

学生分配完毕的毕业典礼上，（那时仅限于东南班）戴笠没有理由不参加这个光荣的典礼。梅乐斯也陪着去了，他跟戴笠都发表了讲话。

戴笠着重讲了日军一旦溃退，中央军尚未赶到之时，如何确保大城市不落在异党异军之手？提醒学生最重要的任务就是要抓住时机，对分布在广大沦陷区的伪军进行策反，一方面在反攻未来临之前为我方提供情报，一方面在反攻来临时对日军起一定的牵制作用，配合我军的反攻，防止东南沿海的各大中心城市落入异党异军之手。

在福建建阳东峰期间，戴笠与梅乐斯接见了海上游击队头目张逸舟、张为邦的私人代表。抗战前，福建沿海的岛屿，北起福鼎的大嵛山（福瑶岛），南迄粤闽沿海交界处的南澳岛，长达400多海里，均为海盗渊薮。汪伪政权建立后，把各岛屿的海匪一律收编为“福建和平救国军第二集团军”，委派海匪大头目张逸舟为总司令，黄玉树、郑德明为副司令，所有北起大嵛、南迄南澳各海岛上的海匪统归其管辖，共4000余人。司令部设在马祖岛。

中美所成立后，出于这些海岛所据有的重要战略地位，戴笠指示军统闽北站、闽南站相机策反他们。于是，闽北站、闽南站相继派出“海外组”和“南竿塘组”（马祖组）上岛进行策动。这些海匪本没有什么政治倾向，他们见日伪大势已去，也就愿和军统靠拢。张为邦部约2000余人，设总部于崇明岛，属忠义救国军京沪区指挥部系统。戴笠、梅乐斯在接见“二张”私人代表的过程中，做了许多口头许诺，并要他们积极做好准备，接应美军从东南沿海登陆等等。

就在戴笠、梅乐斯一行视察东南沿海地区的途中，国际反法西斯战争形势发生了重大变化。

6月6日，美英联军从法国西北部的诺曼底登陆，欧洲反法西斯的第二战场开辟。

6月中旬，美国太平洋第五舰队开始向被视为保护日本本土屏障、太平洋上“防波堤”的马里亚纳群岛发动猛攻。

7月6日，美海军陆战队占领马里亚纳群岛的首府塞班岛，对日本列岛造成直接威胁。

戴笠、梅乐斯在东南得到这些消息后，十分振奋，认为美军在中国沿海登陆的战役将提前展开。立即调整部署，加快实施步伐。为此，戴笠召集中美所前进指挥所指挥官毛森等人到浙江沿海地区，组织“忠义救国军温台区指挥部”，派曾任“忠义救国军”参谋处长和淞沪指挥官的郭履洲任温台区指挥官，策划实施在浙江沿海接应美军登陆的行动。并成立“东南挺进军”，以毛森为指挥官，积极展开在陆上接应配合美军作战的活动。

毛森受命后，于浙北于潜县乐平设立指挥部。此地接近抗日前线，便于指挥敌占区工作。梅乐斯并派皮尔上尉到乐平协助毛森开办爆破人员训练班，广泛深入敌占区搜集情报，狙杀日寇汉奸，炸毁敌伪控制的桥梁等。

在此次东南行程中，戴笠再次绕道江西铅山五都拜会顾祝同，商量成立第三战区长官部调查室事宜，得到顾的支持。戴将调查室设于铅山城内万寿宫，并任命毛万里为第一任主任。

其任务除监视第三战区的各级将领、搜集三战区的中共情报外，主要是配合中美所东南办事处、忠义救国军、东南挺进军等军统组织的工作。

地处浙西山区的淳安是军统建成较晚的第三个前沿根据地。由于淳安位于新安江畔，深藏浙西山地，背靠皖南山区和赣东北山地的国民党第三战区，故这里成为杜月笙、戴笠合开的“通济公司”前进办事处的所在地，专营从上海采购走私物资到大后方的中转站与阴阳界口。

戴笠在1944年的东南之行中，突然发现淳安的重要战略地理位置，决定进一步将淳安建成对京、沪、杭进行反攻的前沿基地。指示设立军统淳安站，并将中美所前进指挥所设于此处，军统浙江省缉私处、货运处、贡示特别站、忠救军调查室等军统组织也先后迁至淳安或周围地。1年后，这里更成为戴笠组织指挥大接收的前沿大本营。

军统的三大前沿根据地在抗战胜利前夕成为军统的工作中心，戴笠在后期几乎在这三个地区及重庆之间穿梭往来以指挥军统活动，对军统在抗战胜利时的大接收确是起到了前沿和捷足先登的作用。

随着抗战胜利的即将到来，蒋介石不但在政策上，而且在工作部署上，都做出了重大调整。

一方面，对抗战采取避战观战的方针，以达到保存实力，准备内战的企图；另一方面，则在其反共方面进行具体部署，把注意力和工作重心再次转向西北，从抗战前线的大军中分出兵力调往陕甘宁边区，进行封锁围堵，对各战区的中共武装也都予以严密监视，伺机给予打击。对此，就连美国驻华大使馆二等秘书戴维斯都看出了蒋介石的企图，并向美国政府报告说：“蒋介石与日本有勾结的迹象”、“国民政府囤积租借物资，以备内战”，“美国应要求国民政府解除对共产党的封锁”。

1945年初，戴笠执行蒋介石的反共指示，专程到西安视察，与胡宗南商量抗日战争的形势及胜利后的合作问题，并了解部署军统北方区的策反活动与反共措施等工作。

1944年夏，日军发动中原战役，国民党数十万大军望风披靡，军统局在中原和华北地区的特务组织完全垮台。戴笠下令把原晋陕区改组为北方区，其管辖范围包括山西、陕西、河南、河北、察哈尔5省。并派军统大特务、军统华北办事处主任文强任北方区区长，名义上由北方区统一指挥整个华北的活动，实际上对于华北地区的特务组织根本未做恢复的打算，只是要求华北的特务组织除策反活动外，主要是集中力量配合胡宗南的数十万大军对陕甘宁边区进行更严密的监视、封锁及破坏活动，及时根据胡宗南在军事方面的要求，供应关于陕甘宁边区和进步势力方面的情报，并对各地的中共地下组织进行破坏打击等等。

戴笠在西安期间，召见军统北方区区长文强，在询问了对华北五省的策反工作部署后，说：

“西欧战场继北非战场而取得胜利，即将决定第二次世界大战的胜利。不论日本如何顽强，失败的命运是挽救不了的。中国的问题不是对外而是对内。对内是与共产党争天下的问题。好在校长胸有成竹，早有准备，前途是必操胜算的。校长将策反任务交给我。我估计华北、东北的汉奸武装不会少于150万，东南、华中约有百万之多，华南约20多万，共计约300万人，战斗力虽不强，摇旗呐喊，不失为一大力量。本局早已注意策略，执行曲线救国，等于将鱼养在池塘里，当下网的时候就撒网，当吃的时候就吃。我手上掌握的近20万游击部队，受过美式训练和持有美械轻装备的已超过10万人。打算在将来反正的汉奸部队中挑选精锐 20 万人，练成‘戚家军’，一并奉送给胡宗南来统驭打天下。”

由此可见，戴笠此次西安之行，与胡宗南共同分析抗战形势及胜利后合作的问题，都是围绕反共问题而大作文章的。

在西安期间，戴笠抽出时间视察了中美所牛东训练班。该班也是因 1944 年夏季的中原战役而由河南临汝县风穴寺迁过来的。戴笠感到这个班是唯一设在反共前线的特训班，因而十分重视，并与梅乐斯来该班视察过，强调要把该班办成西北地区训练反共特工武装的基地。

鉴于美军的进攻势头越来越猛，日军在太平洋上的战略要地一个一个地丢失，其海上交通线日益置于盟军舰队、潜艇和飞机的打击之下，因而在沿海的移动与补给受到越来越大的影响。

为此，日本大本营要求于 1944 年 4 月下旬从河南境内的黄河北岸发动攻势，1 个半月打通平汉铁路，6 月至 9 月打通粤汉和湘桂铁路。这是日军在中国大陆上发动的最后一次大规模进攻，故又称“最后一跳”。

面对日本最后一跳的苟延残喘，国民党发动了豫湘桂大战役，想一举击败日军，但是却大失所望，遭到惨败。

豫湘桂战役，是抗战以来国民党战场的第二次战略大溃败，其结果是国民党损失兵力六七十万人，丧失大小城市 146 个、国土 20 万平方公里，使 6000 多万人民陷入日军奴役之下，7 个航空基地，36 个飞机场也陷入敌手。

国民党军队的这场大惨败，从根本上来说是蒋介石推行消极抗战、积极反共政策的恶果，但是，就戴笠来说，也有不可辞咎的责任。首先，戴笠对日军的整个行动，未能在预先有情报提供统帅部决策，当时，军统的主要精力除了策反、反共外，就是搞走私牟利，完全不把对日情报工作放在重要位置。其次，戴笠与处在抗战第一线的汤恩伯虽然有很深的关系，但是，他们不是团结抗战，而是合作反共。就在日军发动“一号攻势”的前1个月，戴笠还在汤部视察，共同密谋成立两个规模很大的党政工作总队，由戴笠派军统大特务主持，任务是在第一战区及四省边区开展反共活动。

汤恩伯本人也在胡宗南召开的中原战役检讨会上承认：“我看中原之败，失陷在日寇之手不足惜，问题是为共产党造成了机会。中条山之失是这样。太行山之败也是这样。我在四省边区苦心经营，主要目的是对付共产党，可惜日寇打碎了我的计划。”汤恩伯在失败之后，仍念念不忘反共，可见他和戴笠在反共问题上勾结之深。日军的“最后一跳”，并没有能使蒋介石、戴笠等人警醒，戴笠继续按他的“既定方针”积极实施在战后争夺天下的准备工作。

为了能在战后取得海军总司令之职，戴笠注意从多方面搜罗培养军事人才，他除了从陆大及胡宗南部引进一些军事专门人材外，又脱离军统特工业务，在军令部二厅的参谋班内成立了一个高级参谋队，为未来的海军司令部培养高级幕僚人材，并保送了一批军统特务进入陆大学习，以便为他们取得军事主官的任职资格。

戴笠深知自己出身特工，又未能在任何一个部队担任过军事主官，如果由自己独力组建海军司令部是难以得到蒋的恩准的。于是，他很早就在考察如何能找一个既有任职资历，又能让蒋放心的高级将领担任自己的副职，一定能增强自己到海军“组阁”的竞争力。

因此，他精心准备了一张“王牌”放在口袋里，准备随时向蒋“摊”出来，这就是当时远在国外“避难”的桂永清。

桂永清本是黄埔一期毕业的复兴社高干，1936 年“西安事变”前，已官至第七十八师师长、中央军校教导总队队长、首都警备副司令，被授予中将衔，成为蒋的心腹亲信。但在“西安事变”中，因头脑简单，追随何应钦主张讨伐张、杨，一度不讨蒋喜欢。

抗战初期，桂升任第二十七军军长，但在兰封一战中，因作战不力，受革职处分。不久，调任军委会战时工作干部训练团（简称战干团）四川綦江第一团教育长。1940 年 6 月，桂永清以莫须有的所谓“共产党”的罪名，残忍地活埋青年学生 200 多人，事发后引起社会舆论的公愤，蒋介石为应付舆论，将桂永清免职后派任驻德大使馆武官，1944 年又调任驻英大使馆武官兼军事代表团团长。

戴笠平时与桂永清并无深交，但自桂落难出国后，其父仍住在綦江母家湾，戴笠主动派人经常去桂父处送钱送物，给以照应，此举由桂父写信告诉桂永清，桂果然十分感动，戴、桂关系由此步入佳境，双方成为挚友。

戴笠自有了染指海军的打算后，与桂永清一拍即合，桂开始成为戴口袋里的人，战后，桂永清果然涉足海军，先以副总司令的身份主持海军工作，后升任总司令，这虽是戴笠死后的事情，但大概也是蒋当初念戴提携桂永清的一点情份。

这段时间，戴笠与国民党内政敌的斗争方面，因中统头目徐恩曾失势，戴转向重点打击孔祥熙。1944 年春，孔祥熙的亲信、苏浙区烟草专卖局局长王巽之，公然利用职务之便，用卡车向内地走私卷烟，结果被军统贵阳三桥统一检查站扣留。

初期，孔祥熙对王巽之极力加以包庇，但戴笠抓住这件案子不肯放松，一直告到监察院处理。监察院初对王提出弹劾，移送“公务员惩戒委员会”，又以犯罪情节确凿有据，将其移送法院。这时孔祥熙在舆论的夹攻下，已交出财政部长一职。不久宋子文代理行政院长，又将孔从行政院挤出来。王巽之失去靠山，终于被撤职查办。

为了防止孔祥熙东山再起，戴笠一不做、二不休，再次从孔的另一心腹亲信、财政部直接税署署长高秉坊身上开刀。戴选择高秉坊做打击对象，还有一个原因是戴、高的关系一直很僵。戴任缉私署长时，各地的缉私人员往往借直接税名义敲诈勒索，高往往在原件上批注“请雨农兄阅”，或“送戴署长”。其意在给戴难看，并在财政部部务会上指责财政部的名誉是由缉私署弄坏的，主张各地部署机关牌子上只写机关名称，不冠以财政部3字。戴高由此积怨很深。

戴则利用各种机会搜集高的材料，伺机发难。1945年2月，高的所谓贪污被人告发，高当即被军委会命令撤职，并送交法院。高案发后，戴笠一方面派特务到直接税署侦察情况，搜集材料，一方面不断向法院审判人员出示佐证材料。高秉坊终于被判无期徒刑。

高下台后，其职先由税务署副署长李锐过渡一段时间后，很快由军统大特务、原缉私署主任秘书、战时货物运输管理局副局长王抚洲接任。王主事后，发现直接税署因内部制度管理较严，并不像外面所说的是个发财机关，内心倒有些懊悔。这大概也是戴笠向高秉坊进攻时所藏的一份私心吧。

戴笠在抗战期间与CC系的最后一战是发生在1945年4月。

当时，宋子文主持一次行政院会议，CC系的大头自目果夫突然发难，以财政部战时货运局的种种不法情事为由，力主撤销该局。财政部部长俞鸿钧因为是在CC系支持下入主财政部的，所以也附和陈果夫的提案，宋子文抵挡不住，只得通过撤销货运局的决议。事后，宋向戴解释，我们不能中CC系的离间计。因此，货运局撤销，戴笠再次丢失一块领地。这是CC系因徐恩曾一案而对戴笠的一次回击，算是多少出了一口恶气。

1945年5月，国民党在重庆召开第六次全国代表大会。蒋本来圈定戴笠为国民党六届中央执委。但戴笠寻思，多年来自己树敌太多，特别是要谨防二陈犯难作对，与其让他们做手脚，不如自己干脆谦让给郑介民、唐纵2人去当什么中委，既抽身退步，洁身自好，让二陈找不到靶子，又借此笼络了郑介民、唐纵，更主要的是让蒋介石看到自己谦让中委，显示自己没有政治野心。果然，戴笠在这个问题上一箭三雕，深得蒋的好评。

戴笠策反伪军汉奸的行动，在1945年初也进入最后阶段。这一年春节过后不久，戴笠亲自找到张学良，请他亲笔对原东北集团高级军政人员写信，信的内容大体一样，只是开头的名字和称呼不同。写好，就分别用毛笔誊写在一幅长约30公分、宽约40公分的黄色绫子上。

密信一共33封。信的内容主要是指示收信人服从党国的命令，积极团结抗日，效忠国家民族等等。戴笠拿到这些信后，派专人送交安徽界首的军统东北特别站陈昶新，另外给陈发去一份电报，指示陈尽快设法把信分别送交收信人。陈接戴命把张学良的信送交后，在旧东北集团圈子里引起了巨大反响，纷纷表示愿意投效。

陈昶新的利用价值已被戴笠榨尽，陈昶新至此已开始不被戴笠重视，而加以冷淡搁置了。

与此同时，戴笠对华东、华南的伪军汉奸策反工作也已进入最后阶段，一切只等胜利到来，撒网捕鱼了。

1945年6月初，蒋介石派军令部次长熊斌为华北宣抚使，进行所谓策动华北汉奸的反正事宜。行前，戴笠告诉熊斌，军统在华北敌后的主要城市早有布置，有电台，要他在汉中和西安与文强联系，必定有所帮助。果然，熊斌依靠军统的力量，得以把任务完成。这是蒋介石派出的最早的一位接收大员。

至此，蒋、戴对各类汉奸的策反工作大致完成。

1945年3月8日，戴笠正式被国民政府授予少将军衔；不久，蒋介石任命戴笠为军统局局长，也达到了他人生的“最后一跳”。这一跳虽然跳得很远，也很有力，也许最令他遗憾的是没有跳出人民的力量，没有跳到海峡的彼岸。

# 第十六章 接收大员，土匪一般

穷途末路的戴笠像一个疯狂的幽灵一样到处乱窜，梦想再恢复他昔日的特务帝国，可他的种种努力都显得苍白无力。他真的很累，他自感自己就是一只秋后的蚂蚱。可他从骨子里不甘心败落，他太渴望昔日那“教主”的权势了。

## 一 先下手为强，狼吞虎咽

法西斯灭亡了，却挡不住戴笠的魔爪。

二次世界大战进入到 1945 年，法西斯的全面灭亡之象已有显现。在欧洲战场上苏联红军已是气势如虹，盟军也节节胜利，光复全欧已是指日可待，东方的日本法西斯已是穷家薄业，日子一天天难过起来。这年初，军统经济专家邓葆光通过对日本经济的深入研究，做出了一个惊人的判断，认为日本人对这场战争将支撑不到 1945 年底。

戴笠对邓葆光的这个大胆论断也是赞赏的，他相信如果没有钢铁、没有石油、没有橡胶、没有粮食、没有棉纱、没有大批战略物资等等，是无法维持一场高消耗的现代战争的。

问题是，推断日军将在 1945 年之内被打败，戴笠却不敢以此上报蒋介石，万一没有出现这种情况怎么办？多年来，戴笠对付蒋介石的“秘密武器”和“成功之道”就是“留一手”，任何话都不可说得太满，任何事也不可做得太满，凡事进则易，退则难；放则易，收则难；特别是在蒋这样喜怒无常的校长面前，宁可做到说不到，不可说到做不到。

于是，戴笠的方针是立即进行周密计划，抢先一步做好各种接收的准备，迎接抗战胜利的到来。

然而，形势的发展很快证实了邓葆光的判断：

4月，希特勒自杀，苏军攻克柏林；

5月，德国无条件投降；

6月，美军攻克冲绳，日本本土的最后一个堡垒失守，“太阳之国”的国土，已完全暴露在盟军的火力打击之下。

与此同时，美英苏正在积极筹备波茨坦会议，斯大林元帅应美国政府的要求，按雅尔塔会议协定，正在积极向东线增兵，准备参加对日作战。

形势的发展，既出乎戴笠的意料，又使他感到振奋不已。他觉得形势已到了关键时期，此时一步走错，必给全局带来被动，最要紧的就是要把握时机，捷足先登，抢先一步进入南京、上海等中心大城市接收，掌握胜利接收的主动权，为自己在战后的发展打下基础。

戴笠所以选择东南沿海地区作为自己接收的重点，是经过一番深思熟虑的。

一是京、沪、杭一带是抗战前国民党政治、经济、文化的中心，也是蒋介石、戴笠当初的发迹之地，失去了对京、沪、杭的控制，不但国民党的还都计划顿成泡影，而且没有江浙财团的支持，也将从根本上动摇国民党统治的根基。

二是中共领导的新四军等人民武装力量，在东南沿海地区有强大的势力，如何保证在中央军没有到达前，不致使华东地区的中心大城市落入共产党之手，这也是蒋介石最为关心的问题，戴笠认为必须由自己亲临东南地区指挥，才能保证这一目标的实现。

三是京、沪、杭也是汪伪政权统治的中心，掌握控制了京、沪、杭等大城市，也就是控制了沦陷区的大局，不致在接收过程中酿成大的动荡和祸事。

四是汪伪政府的许多大汉奸，都有与戴笠直接建立的关系，军统的忠义救国军、各级潜伏组织，更是需要自己亲自前往调度，才能发挥最大作用。

五是此行将邀请梅乐斯、杜月笙一同前往，目的是借用美军在东南地区以及杜月笙在上海的力量，控制稳定东南地区的接收局面，不让异党异军插手。

戴笠将自己的计划向蒋报告后，很快得到蒋的批准，于是立即指示军统有关方面抓紧时机进行准备，并决定于6月下旬出发。为了随时委任汉奸伪军帮助接收时的职务，仅军委会的空白委任令就达100多张，盖有军统局关防的公文纸达500多张，随同前往东南接收的人员和警卫达100余人，并有负责人事工作的大特务龚仙舫随行，一行共分乘大小汽车10余辆。

此次赴东南地区接收，因有梅乐斯、杜月笙同行，故戴笠在行前，反复与梅乐斯、杜月笙洽商有关合作事项。为了进一步取得美国政界对戴笠在战后主持海军工作的支持，戴笠根据梅乐斯的建议，邀请美国驻华大使赫尔利到中美所重庆特警班讲话。

重庆特警班是中美双方在第二次合作中正式提出的，成立于1944年秋，学生是从军统东南、兰州、息烽、重庆等特训班在训的特务学生中挑选出来的。第一期学生800多人，美国教官就达50人。该班是中美所所办训练班中花费人力、物力最大、训练设备最先进、完善，时间最久的一个训练班。戴笠和梅乐斯商定，一旦抗战胜利，就将这批学生迅速分配到全国各地大城市的警察局和稽查处去工作，以加强、巩固国民党的特务统治。

赫尔利到重庆特警班后，先举行检阅仪式，然后即发表讲话。大意是："中美两国是并肩对日作战的盟国。戴将军与我国情报合作，在对日作战上，是很有贡献的。现在我们的共同敌人——日本帝国主义快要被盟国军队打垮了，贵国将来战后的主要工作是：恢复战时创伤，从事经济建设和修明内政的问题。我国愿意在打垮日本帝国主义之后，帮助贵国恢复和建设。至于修明内政问题，必须有统一的政令和良好的法制与警察制度，我国也愿意尽可能地帮助贵国办理。你们将来都是执行法制的警务人才，是贵国的栋梁；希望你们努力学习，以便将来负起建国的重大任务。"

赫尔利在检阅和讲话后，由戴笠和梅乐斯等陪同到重庆特警班和中美所各部门视察。晚间，戴笠在新落成不久的特警班大礼堂设盛宴招待赫尔利。席间，戴笠极力感谢赫尔利对军统的支持，赫尔利则赞扬戴对中美情报合作的贡献。

戴笠与杜月笙具体谋划如何动员上海的帮会力量，帮助维持战后上海的治安秩序，设法阻止新四军进入上海、南京以及对伪军的联络问题。戴为此还请求蒋召见杜月笙，对杜表示嘉勉。

蒋介石接见杜月笙时，发现杜的气喘病很严重，就劝杜说：

"你先派几个得力人员随雨农去东南布置，自己等秋凉后再去。"

杜月笙回答说："这是老毛病了，不会碍事的。"

实际上，杜不愿错过这个机会，愿意和戴一起冒盛夏酷暑，长途跋涉去东南坐等胜利，以便抢先进入上海。

蒋见如此，只好答应了他的要求。说："那就去吧，路上多加保重。"

杜在临出发前，因想到马上将回到上海，精神振作，气喘病也好多了。当时，跟随杜在重庆的徒子徒孙如顾嘉棠、陆京士、叶焯山、杨志雄、医生庞京周、秘书胡叙五等10余人也一起随杜返回东南。

戴笠在临行前，召集军统局处长以上大特务开会，布置出发后的军统各项工作。他在会上一再强调说：

"我们将来的敌人，比日本人更难对付，你们切不可掉以轻心。"

并向军统局总务处长沈醉交代说："日本人一投降，中美所就会宣告结束。你一定要赶快运一些军火器材去东南。现在，你就立即派人将现有的一些弹药物资运往安徽，那里的忠义救国军等部队需要补充。"

沈醉回答："明白，马上动手。"

在临行前的早餐会上，戴笠神情亢奋地再次对送行的大特务们说："校长对东南沿海大城市的接收极为重视，对那里的局势也极为担忧。这次我们一定要抢在一切人之前，首先进入上海、南京，东南半壁江山将是军统的天下。不辜负校长的一片期望。"

本来，戴笠是约定与梅乐斯、杜月笙一起，在6月25日从重庆动身的。正在此时，传来了周佛海母亲在贵阳医院病逝的消息。

戴笠是很会利用机会的，他暗忖此次到东南接收，正要充分利用周佛海的力量作为跳板，此时周母去世，何不演一场戏给周佛海看看，也算是送给他一份见面礼。

于是，戴笠吩咐部下随杜月笙从陆路按原计划赶到贵阳会合。他一方面先行乘飞机到贵阳为周母主持办理丧礼，一方面指令军统局将周母在贵阳医院病逝的消息及自己专程去贵阳代其当孝子治丧的情况发电报告诉周佛海。

戴赶到贵阳后，当即替周佛海披麻戴孝三叩首，然后为周母守灵、安葬、治丧，造墓立碑，并把一套照片派人寄给周佛海。

周接到戴笠的电报后，一方面对蒋、戴异常感激，更坚定了报效之心，一方面向陈公博辞职守灵，在玉佛寺大做道场，登报开吊，极尽奢华之能事。

6月 27 日，梅乐斯、杜月笙分别到贵阳，与戴笠会合，改乘美国军用飞机到达湖南芷江。经芷江再转福建建阳。在建阳期间，戴笠、梅乐斯先后视察了中美所东南办事处和东南训练班，分别召集东南办事处特务及东训班师生讲话，要求大家随时做好接收准备，抢先一步控制好东南沿海各大城市。

离开建阳，戴、梅、杜一行乘汽车又转到江西上饶，与顾祝同进一步密商。顾祝同原以为上海、南京离第三战区最近，蒋介石一定会把接收上海、南京的任务交给他。加之杜月笙和戴笠一起先行到东南沿海准备接收，顾又以为蒋一定会把上海的接收工作交给杜主持，于是对戴、梅、杜的到来极表欢迎，并先后与戴、杜等密谋了两天如何将第三战区的部队与忠义救国军以及上海的帮会力量结合起来，阻止新四军进入南京、上海等大城市，做好东南地区的接收工作。谁知胜利后，顾祝同、杜月笙的目的都没有实现，这是出乎他们意料的，只有戴笠早有预谋，心中已有底牌。

从上饶出发，戴、梅、杜一行浩浩荡荡地到达安徽皖南雄村训练基地。在雄村，戴笠先后召集训练班师生和附近的忠义救国军干部到雄村开会，发表讲话。因忠义救国军中很多人是上海帮会分子，故戴笠讲完后，非要请杜月笙讲话。杜每次讲话很简单，不外是勉励官兵早日打回上海老家等等。从雄村出来，戴笠一行开始去此行最后一站淳安视察。

## 二　暗渡陈仓，潜行布线

接收工作就是大捞一把，但这也要暗渡陈仓。

1945年7月上旬，戴笠、梅乐斯、杜月笙一行仨人潜行到浙江西陲大山之中的小镇淳安，扎下大营。

淳安，是一个依山傍水的小镇，位于新安江畔的浙西大山中。一条弯弯曲曲的青石板铺成的小街从新安江边一直伸向镇内。在小街两旁，一家接一家的酒家、茶馆、杂货店、货栈、旅馆、妓院等，形成了一个畸形的战时繁荣。这个由“通济公司”用走私物资喂饱的小镇现在成了军统局和中美所准备接收东南沿海地区的前线指挥部，开始布置接收工作准备大干一把——大捞一把。

戴笠第一项工作就是沟通与南京的周佛海、程克祥、周镐，上海的唐生明、沪二区的陈祖康，苏州的任援道等军统潜伏人员和汪伪汉奸大头目的联系，掌握南京、上海方面的情况。

当时日本战败已成定局。汪伪集团内部已是阴沉沉的一片末日景象，汉奸们在大厦将倾之际，一个个竞相过着腐朽糜烂、醉生梦死的生活。一些手上有点实力的伪军将领通过各种渠道与重庆挂钩，没有实力的汉奸则拼命敛财，准备出逃，形势真有一夕数惊之感。

戴笠指示军统潜伏人员，要他们相机转告一些汉奸头目，指示他们帮助军统做好接收工作，在关键时刻立功赎罪，对其过去的汉奸行为可以既往不咎等等。

这在戴笠，虽然是出于权宜之计的一时利用，但是对许多汉奸大头目来说，却不啻是吃了一颗定心丸，一方面可以使他们不致顽抗或溃散，并帮助维持社会秩序，阻止中共武装的接收，另一方面则防止他们倒向共产党和新四军。以大汉奸周佛海、陈公博来说，当时都曾有过狡兔三窟的念头，暗中派人与新四军方面进行联系，试探条件，但周佛海后来一心投靠重庆，这与戴笠的欺骗利用不无关系。

戴笠在淳安期间的第二件工作，就是不断召见忠义救国军温台区指挥官郭履洲、京沪区指挥官阮清源、忠救军调查室主任刘方雄、中美所前进指挥所指挥官毛森等大特务汇报情况，研究工作，调整部署。

戴笠的接收计划是：一旦日军宣布投降，以就地反正的伪军和汉奸为第一批“接收”人员，指令他们就地维持社会治安；随后，忠义救国军是第二批接收人员，必须在3日内赶到南京、上海，接替伪军的重要防卫地区，其速度一定要抢在新四军之前；然后，中央军的大部分是第三批接收人员。

基于这一考虑，戴笠指令忠义救国军的各总队都必须梯次向前移动，尽可能地靠近京、沪、杭地区，随时准备进入南京、上海进行接收，并指令忠义救国军总指挥马志超，将忠救军总部由安徽广德向前移动到浙江余杭县，这里处于京、沪、杭、甬铁道线上，西距杭州仅咫尺之地，东去上海、南京也是指日可达。做这样的部署，可见戴笠志在必得的迫切心情和决心。

在做以上部署的同时，戴笠还通过杜月笙在上海的徒弟万墨林、徐采丞建立的秘密通道，把军统在上海的重要骨干分批召来淳安汇报情况，为日军投降接管京、沪、杭的工作预作部署。按照戴笠的初步计划，日军一旦宣布投降，首先在上海成立军委会上海行动总队，由周佛海任总队长，在总队之下，分别成立上海、南京和杭州3个地区指挥部。分别负责该地区的接收和社会治安秩序。戴笠把这个计划向有关军统特务传达布置后，即令他们迅速返回贯彻落实。

戴笠、梅乐斯、杜月笙在淳安的活动，既有分工，又有合作，对有关忠救军方面的活动，戴笠大都与梅乐斯、杜月笙一起商量安排。对部署与指示军统在京、沪、杭潜伏人员的活动，联络汪伪大汉奸周佛海、丁默村及指挥布置伪军将领如何阻止新四军等中共武装进入上海、南京的活动，由戴笠单独进行，杜月笙则从旁予以协助，通过自己的渠道提供京、沪、杭地区敌伪方面的重要情报。

杜月笙在淳安的活动主要是按戴笠的分工，部署如何在经济、金融方面接收上海的问题。

梅乐斯在淳安期间，主要视察和部署中美所各特务武装的活动，继续接应美军从东海沿海登陆的问题。

在浙西视察期间，戴笠最关心的主要还是日军什么时间投降的问题。到淳安1个月来，戴笠每时每刻都在关注国际形势的发展，预测日军可能投降的最后期限，但是日军似乎出奇地顽强，一部分狂热的军国主义分子叫嚣即使盟军打进日本也在所不惜。戴笠的急性子似乎耐不住了，他甚至想先回到重庆再说。也就在这时，形势急转直下，早已穷途末路的日本法西斯终于顶不住了，发表了无条件投降的声明。

## 三　诱使周佛海

周佛海虽做汉奸，但他却听戴笠的。

历时八年的抗战终于结束了。

8月10日戴笠从广播里收听到了日本政府关于在维护天皇作为最高统治者的条件下接受美、英、中、苏联合签署的《波茨坦公告》，向反法西斯同盟国投降的公告。

8月11日，同盟国照会日本政府，重申日本必须无条件投降的立场。

8月14日，日本政府召开御前会议，决定无条件投降。

8月15日中午12时正，日本天皇裕仁在电台里亲自广播投降诏书。

此时此刻的戴笠，思绪万千，想到八年抗战以来，军统所发生的巨大变化，他本人地位和声誉的巨大提高，他想到抗战胜利后将入主海军总司令部，以及把军统改造成政党的宏图大略，他想到胜利后将与电影皇后胡蝶正式成婚，这将是国内外最令人瞩目的一对婚姻等等。

戴笠是很现实的，在经过一番激动的狂想之后，戴笠很快回到此行面临的艰巨任务上来。他明白，形势已到了刻不容缓的紧急关头，必须立即赶回淳安布置对上海、南京的接收工作。

在淳安，戴笠发出了最初的几项接收指令：

（1）电令忠义救国军调查室主任刘方雄，以他的私人代表身份，立即从忠救军余杭总部前线，经杭州去上海，找日军总部参谋长今井武夫进行接触，向日军侵华派遣军总司令冈村宁次大将传达受降事宜；

(2) 急电重庆局本部代理主任秘书毛人凤，通知局本部华东实验区区长王一心，经济研究室副主任、经济科科长邓葆光、军统别动军参谋长尚望3位军统少将即刻乘飞机到福建建阳，再转搭军统运输大队的车辆到淳安听候使用。

这3员大将是早就准备好接收大上海的一着要棋。他要这3人组成军统先遣组，跟随杜月笙进入上海主持接收事宜。由王一心整顿和统一上海所有的军统潜伏组织；由尚望点验和整编上海的伪军力量；由邓葆光了解和掌握上海的汉奸产业情况，拟定接收方案，并同时与上海金融、经济界人士进行讨论，制订战后稳定上海经济的方案。

(3) 电令中美所东南办事处处长李崇诗立即自建阳赶赴淳安，部署中美所的特务武装立即向沦陷区各大城市集中。并电令忠救军阮清源、郭履洲纵队，毛森、陈默总队均须日夜兼程向上海进发。

驻守在浙东曹娥江地区的阮清源纵队，戴笠严令他们必须于3日内徒步赶到上海，驻守浙东台州地区的郭履洲纵队，戴笠严令他们于5日内徒步赶到上海。

按照戴笠的说法，军统几年来策反伪军汉奸的活动，好比是将鱼养在池塘里，到了要吃的时候，再下网捕捞。

8月10日以后，戴笠认为下网的机会到了。他的第一口网依然是撒在上海，所捕的鱼当然是几年来精心放养的大汉奸周佛海。

8月13日，在淳安，戴笠以军事委员会名义签发了任命汉奸的第一批委任状，分别是：派周佛海为上海市行动总队总队长，派任援道为太湖剿匪总司令（14日又以军委会名义任命任援道为南京先遣军司令）。戴笠将委任状签发后，星夜派人送往上海、苏州等地，另一方面却指令毛人凤，由毛人凤在重庆用军委会名义发电周佛海、任援道等汉奸将领，一方面在时间上可以提前到达，一方面是要让周佛海、任援道知道，对他们的任命重庆已予承认，好使这几个大汉奸心里悬着的石头落地，死心踏地的为国民党、为军统的接收工作卖命。

戴笠在派令中交给周佛海的任务是维护上海秩序，听候中央接收。这在当时来说，戴笠主要是想利用周佛海手中掌握的税警总团和伪警察这一部分武装力量，既防止汉奸发生变故，又防止新四军进入上海市区。但，戴对周佛海又是不放心的，为防止周佛海变故，戴笠又暗中给程克祥发去一个电报，指令他必须暗中控制周佛海。其实，戴笠知道周佛海军事实力有限，也只能起维持上海社会秩序的作用，至于阻止新四军进入上海、南京的任务，他是把“宝”押在任援道这一部分伪军力量上的。汪伪第一方面军总司令兼苏南绥署主任任援道手下有7个师、3个旅、2个独立团和1个支队的伪军武装，是伪军中势力最大的实力派，其主力均分布在南京、上海、杭州附近及京、沪、杭铁路沿线，占有十分重要的战略地位，是戴笠早就策划好对付新四军的一支重要武装。并派军统特务、任援道的弟弟任西萍常住任部进行联络协调。因此，8月10日以后，戴笠一方面发表任援道为太湖剿匪总司令，一方面密令他将伪军向南京、上海附近集中，随时准备阻止新四军进城。

蒋介石对戴笠的反共态度也十分赞许。

8月12日，蒋介石在重庆连下3道命令：第一道命令是要八路军、新四军及中共游击武装等“就地驻防待命”，不得向日伪军队“擅自行动”；第二道命令则是要国民党中央军迅速向前推进，准备受降；第三道命令是要伪军切实负责维持地方治安，乘机赎罪，努力自新，以及不得向人民武装投降等等。这一天，戴笠接到程克祥从上海发来的复电，周佛海表示接受戴笠的派令，但考虑到“上海行动总队”的名义不好指挥部分伪军力量，建议扩大为“上海市行动总指挥部”。戴笠经过考虑，认为当务之急是要利用周佛海稳定上海，不致落入新四军之手，无论是“行动总队”还是“行动总指挥部”，只不过是“权宜之计”。于是，在13日复电周佛海，同意周的要求：“一、上海市行动总指挥部已报请军委会备案。二、上海市水陆军警统属于上海市行动总指挥部指挥。”可以说，戴笠对周佛海的态度和信任，在表面达到很高伪装。

应该说，在抢先接收京沪杭等大城市的部署中，戴笠“抓住周佛海”的策略确是起了很重要的作用。自汪精卫死后，陈公博出任伪府代理主席，周佛海则主持伪行政院、伪全国经济委员会事务，成为伪政府实际上的“主脑”。但是，周佛海对南京的职务并不十分看重，他按照戴笠的暗示，又从陈公博手中抢到伪上海市市长这个要职，并兼上海市警察局长和保安司令，又把自己的亲信罗君强从伪安徽省长任上调到上海市任秘书长兼财政局长，主持上海的日常工作，这个安排就是为了能把上海市完整地交到蒋介石、戴笠手中。

蒋介石对戴笠的这些做法完全首肯，并给予了很大的支持。戴笠可放手大干起来。

周佛海接到戴笠在8月13日的复电后，于8月14日即正式宣布就任上海行动总指挥部总指挥，这个职务虽比他担任的伪职要低得多，但周仍然兴奋异常。他知道这是国民党重庆政府给南京伪政府高级官员委任的第一个正统官职。他既为自己能在几年前就及时转舵感到庆幸。又为自己能重新得到蒋的信任而感激。就任伊始，周佛海当即以新职务委任罗君强、熊剑东、刘明夏为副总指挥，程克祥为秘书长兼军法处长，彭寿为副秘书长兼宣传处长，徐肇明为参谋长，杜伯威副之。接着在上海市张贴布告，在电台发表谈话，俨然是国民党的一个“有功之臣”。

周佛海心想戴笠交给他的任务只是维持上海秩序，等候中央接收。这“等候”中间，如果不出差错，尚有可为；一旦出了乱子，难免不被蒋、戴抓住把柄，借机除去。于是，他也要了一个花枪，把所有重大权力和任务，全部交给军统特务去执行，总指挥一职，由秘书长程克祥代行；担任总指挥部与日军和宪兵之间的联络，请日军全力协助担任上海外围防守的任务，交给参谋长徐肇明去执行；维持市区治安的任务又请戴笠的密友唐生明帮助负责，唐生明又利用他与忠救军的合作关系，通知原先布置在上海市郊的几支忠救军的部队星夜驰赴上海待命。同时请戴笠补发命令。这样，周佛海三拳两脚，把维持上海秩序的责任又送回到戴笠身上。

周佛海这个大汉奸也深知自己的下场会是很惨的。此时是在利用他，可他知道利用顺心了，可能会改变一下命运。

在戴笠的遥控指挥下，忠义救国军阮清源、郭履洲的纵队按期到达上海，毛森率领的中美所前进指挥所的大批特务分别向福建建阳集中，准备乘美军运输机直飞上海。戴笠交给毛森的任务是火速赶往上海负责接收 76 号特工总部。从重庆经建阳兼程赶来的军统三位少将王一心、尚望、邓葆光也到达淳安。戴笠当即找他们谈话，向他们分别交代去上海的任务。戴笠在找邓葆光个别谈话时，交代他到上海后，首先找周佛海和周作民，对上海经济界接收，一定要抢在行政院之前做好，先送到校长手里，使校长看到我们团体的实力，不仅仅在特工方面。

邓葆光不解地问：“那还有什么?”

戴笠哈哈大笑说："这还不明摆着，要做好这件工作，一定要抓住'二周'。"

戴笠所说的"二周"之一的周作民，是与戴笠私交极好的金融界大亨、上海金城银行董事长兼总经理。抗战前曾任蒋介石的高级经济幕僚，常就金融问题向蒋献策，算得上是位金融界"奇才"。

上海沦陷后，周作民逃到香港，利用与日蒋的特殊关系，在国统区和沦陷区继续从事银行业。香港沦陷后，周被日军拘留，押回上海，不肯出山，暗中与戴笠、杜月笙保持密切联系，并与周佛海关系极好。

抓住"二周"将是接收上海工作的完满标志，并可为接收的安稳交差画上圆满的句号。

军统的一部地下电台，便暗藏在福开森路 119 号周公馆的 3 楼。有段时间，军统其地的潜伏电台相继被日伪特务破坏，戴笠只剩下这部电台与军统上海潜伏人员保持联系。戴笠与杜月笙合办的"通济公司"与驻上海代表徐采丞的联系也是通过这部电台进行的。周作民还先后支援忠救军 80 多两黄金及各种形式的贷款，成为军统在经济上的后台大老板之一。这也是戴笠看重周作民，指示邓葆光到上海找他的一个原因。

戴笠把任务交代完毕，即催促王、邓、尚抓紧拟制接管方案，并准备在 8 月 29 日随杜月笙一起到上海主持接收工作。

## 四　遍地黄金任其采

接收大战，真是全面开花的回报。

处心积虑地筹划、算计可以说到了进入沦陷区接收后，达到了全面开花的回报。

戴笠指挥军统特务抢先接收沦陷区各大中城市的活动迅速在全国铺开。设在淳安的前沿指挥所以及重庆局本部的工作人员彻夜不眠，所有的电台全部开通，以便与全国的600多个支台、分台保持24小时联系。通过这些电台发向各个沦陷区的形形色色的委任状、命令、手令如雪片般漫天飞舞，令人目不暇接，一批批的大小汉奸和伪军将领摇身一变，由此而成为国军的先遣军总司令、总指挥部总指挥、行动总队总队长；至于纵队司令、支队司令等等，更是有如过江之鲫，数不胜数。

尤其是那些挂着国民党地工人员招牌的军统特务，他们像一场夏雨后的蚯蚓一样，一夜之间，千千万万地从地下冒了出来。他们自命为“钦差大臣”、“特命全权大使”，迅速在沦陷区各个大中城市成立“最高”指挥部，发布公告，发表通令，包揽大权，颐指气使，威风不可一世。趁乱接收、“抢收”终成“劫搜”、滥收。

有些军统特务急功近利，不能按蒋介石、戴笠的部署很好地把握时机，由操之过急而引起与汉奸、伪军的对抗，竟至酿成动乱，影响了国民党“抢收”的进程。军统对国民党旧都、汪伪首都南京的接管活动，就发生了严重危机。

原因出在军统南京站长周镐身上。按戴笠的预定计划，周佛海在就任上海市行动总指挥部总指挥后，立即委任周镐任上海市行动总指挥部南京指挥部指挥，负责维持南京的临时治安，并交代徐肇明从伪税警总团的军械仓库里取出汉司登手枪200多支，交给杨佐华（周佛海的妻弟），编成上海市行动总指挥部特务大队，派到南京由周镐指挥，以此加强周镐的力量。

以戴笠的本意，这些所谓的“指挥部”纯粹是“维持会”

性质，维持到中央军进城就算“圆满”结束。对这一点，周佛海是吃准了的，所以他不敢多说一句话，也不敢多走一步路。但是周镐却没有理解戴笠的本意。也许他自认为是军统地下人员，与周佛海的汉奸出身不一样，“听候中央接收”，难道自己不是中央派来的吗？

再说，当初自己奉命深入虎穴，在日伪的“心脏”地带出生入死，战斗到抗战胜利，居然要让别人来接收，岂不是为他人做嫁衣裳！也许他认为日军投降，中央军未到，伪政府又在8月16日宣布解散，出现了政治真空，自己何不趁乱“揭竿”而起，承揽日伪组织受降，建立一个天大的功绩，岂不是一个天大的功劳。可见，周镐当时心态是既复杂又幼稚的。

总之，不论周镐是怎样想的，他得了个“南京指挥部指挥”的头衔，就野心膨胀，不顾戴笠的指示，擅自大干起来。8月16日，周镐宣市成立上海市行动总指挥部南京指挥部，接着在未经请示戴笠批准的情况下，擅自连续采取了几项重大行动步骤：

一是决定接管汪伪《中央日报》和由周佛海控制的《中报》这两大报；二是封存了汪伪中央储备银行金库，并控制了汪伪财政部、宪兵队、汪伪中央电台等重要机关，同时通知南京其他新闻机构，听命南京指挥部指挥，不许擅自妄动；三是封锁南京的交通路口和车站，并命令汪伪军、警、宪、政界的负责人到指挥部报到待命，同时由指挥部行动处执行对主要汉奸的逮捕任务，其中的伪官有中央常委、伪工商部长梅思平、伪考试院副院长缪斌、伪司法行政部长吴颂皋、伪陆军部长萧叔宣、伪南京市长周学昌、伪中央军校校长鲍文沛等，共47人，全部关在伪中储行大楼的地下室里；四是周镐在电台发表广播讲话，宣读由他起草的给冈村宁次的受降书等等。

试想，事关肃奸、受降、接收日伪产业等，是何等大事，就是戴笠也无权做出决定，而必须服从蒋介石统治集团的整体利益，至于冈村宁次的投降仪式，则必须由盟军中国战区最高统帅的代表才可以受降，如果由周镐组织受降，以后何应钦的受降典礼还怎么搞？

这岂不是打乱了蒋介石的通盘计划，损害了重庆政府的正统形象。一个军统地下人员，如此胆大妄为，这就触犯了戴笠的禁忌。偏偏周镐在逮捕汉奸过程中，因行动不慎，打死了拒捕的汪伪陆军部长萧叔宣。此举在汪伪高层汉奸中引起了极大恐慌，以至汪伪巨奸陈公博也坐不住了，不得不采取行动保护自己。

但是，周镐的行动是打着军委会上海市行动总指挥部南京指挥部的旗号进行活动的，谁也弄不清周镐的背后有什么来头，日军没有干涉，汪伪军不敢镇压。周佛海、任援道知道周镐是直接受命于戴笠的军统特务，也没有阻止，因此周镐也就更加放手大干。然而陈公博认为周镐是周佛海的人，周佛海是8月16日由上海到南京参加解散伪府的最后一次“伪中央政治委员会临时会议”的，而周镐的发难正是始于这一天，故陈公博认为是周佛海的指使，也就暗中策动伪中央军校学生和伪宪兵司令陈皋率兵与周镐的力量公开对抗，使南京的形势一触即发，十分紧张。陈皋甚至派宪兵包围了周佛海的住宅西流湾8号，扬言要干掉周佛海。

周佛海在这种情况下，情知不妙，当即急电向戴笠请示报告。戴笠闻报大惊，立即授意周佛海采取断然措施，便宜行事，并下令由南京先遣军司令任援道的部队负责维持南京的临时治安。周佛海受命后，考虑到周镐的南京指挥部已有相当力量，唯有假手日军，才可以采取行动。

于是，经过与日本侵华派遣军总司令部参谋小笠原中佐密谋策划，由小笠原中佐于18日下午通知周镐到日军司令部商谈解决办法，当场将周镐扣留，然后由日军将被捕汉奸全部释放，宣布解散南京指挥部，周镐的接管行动宣告流产。

周镐被日军扣押后，任援道受戴命与日军交涉，将周镐转押到自己的先遣军司令部。后由戴笠派人转到上海关押审查。

周镐当时并不知道自己所犯何罪，后来在戴笠死后，经好友活动始被释放，才有人告诉周镐，戴笠所以要囚禁他，一方面认为他在接管南京时如此大张旗鼓是受了共产党、新四军的指使，一方面怀疑周镐的妻子吴雪亚（南京大学法律系大学生）思想左倾，可能是共产党，并且他们在结婚时场面很大，违反了军统纪律等。

戴已认定周镐是个不安分的人。尤其是戴笠当时执行蒋介石的接收部署，首要目的是要利用日伪军和汉奸的力量，阻止新四军进城，等候中央军大部队到达后，才能相机组织对日军的受降，适时将伪军改编。

南京是国民党旧都，蒋、戴对此十分重视，认为绝不能落入新四军之手。因此，蒋一方面命令南京日伪军原地待命，一方面紧急空运曾在缅甸打败过日军精锐之师的新六军到南京接收。当时，对于蒋、戴来说，南京的形势确是十分危险，新四军的主力集结于苏南苏北一带，距南京仅100多公里的宣城已被新四军占领，距南京更近的芜湖被围，南京郊县六合告急，新四军华东纵队的游击队部队迫近市郊，出没于汤山、钟山一带，市中心新街口到处可见新四军的传单，守城的日军黄昏后即不敢出城，并不时遭到袭击，防御极感困难，更有原汪伪首都警卫第三师跨江后，南京更是一夕数惊，岌岌可危。

因此，蒋、戴深知在新四军未到之前，南京必须完全依靠日伪军防御，方能阻止新四军前进。然而周镐的肃奸、受降之举，牵一发而动全身，不但直接影响南京的顺利接收，而且对全国的受降接收也有很大影响，戴笠岂能任其发展。

周镐受此次打击，自认为逮捕汉奸，受降日军，接收伪产等等，本是于国于民有利的正义之举，却身陷囹圄，何罪之有？他由此对军统、对国民党产生了怨恨和反抗心理，经过他在抗战期间结识的朋友、中共地下党徐楚光引导争取，毅然脱离军统组织，加入了中国共产党，从此走上革命道路，并在中国人民的解放事业中光荣献身，这是戴笠当初无论如何也不会想到的。以军统少将以上高级干部在战争年代主动弃暗投明，成为中共党人，继而又成为革命烈士，周镐可能是唯一一例。

戴笠在淳安期间，虽然以主要注意力指挥对京、沪、杭等华东地区各大城市的接收工作，同时也分出精力指挥军统组织加强对华北、中原、华南的接收活动。

在日军宣布投降的当天，戴笠就以蒋介石名义发表任命，伪华北绥靖军总司令门致中为国民党华北先遣军总司令。门致中得到戴笠的电报，在宋梅村的监督下宣誓就职后，又派总部宣导局长邵青携带华北地区伪军实力状况、兵力驻地以及有关八路军在华北地域内概况等文件，乘美军飞机经西安到重庆，找到军统局处长马汉三和代主任秘书毛人凤，直接晋见蒋介石。

蒋指示说：“要守住华北各大城市，安心地等待国军，政府是宽大的。特别是对北平、天津、保定、济南、唐山等大城市必须加强防守，不要为坏人所乘。”

门致中赶紧回答：“是。”

按照蒋、戴的指示，积极进行部署，阻止八路军等中共武装前进，要所属伪军加强固守，静待国军接收。结果门部在鲁西北的两个师和胶东平度县附近的 1 个师分别被八路军歼灭了大部分。

华北、中原是伪军相当集中的地方，并且诸如门致中、庞炳勋、孙殿英、孙良诚、张岚峰、吴化文等汉奸将领均出身于西北军。所以蒋介石派遣曾任西北军参谋长的军令部次长熊斌到华北策反。

但熊系官僚出身，不知道策反工作中秘密通信的重要性，结果熊斌到陕西汉中后，因无秘密通信渠道，始终与各伪军将领无法联系，所谓策反自是一场空话。熊斌没有办法，又跑到西安找胡宗南请求帮助，但熊在任陕西省政府主席时，与胡的关系一向不好，后被胡用黄埔同学祝绍周将其挤走，胡怨恨未解，对熊爱睬不睬。

此时形势急转直下，已至日本宣布无条件投降的前几天，熊斌才想起在重庆临出发前与戴笠见面时，戴说过军统在华北敌后主要城市早有布置，如有困难，可找军统北方区区长文强，必定有所帮助。

于是，在日本天皇广播投降诏书的这一天，熊斌派人找到文强，邀其见面商谈，希望越快越好。此时，戴笠虽在淳安，但想到熊斌的华北之行，将有诸多困难，于是通过毛人凤指示文强，尽力协助熊斌完成任务。

文强接戴笠指示，当晚就与熊斌在西安玄枫桥高桂滋住宅见面会谈。

熊斌说："这次的任务艰巨，在汉中耽误了十多天，不料日本投降这样快。今日是我们与共产党争天下的时候，委员长指示过，只要将华北地区百多万伪军武装力量控制到手，就可打击和牵制八路军的行动，这是争天下的一着要棋。"

文强说："我已接到戴老板的指示，全力协助你完成任务。”

熊斌又说：“日本天皇裕仁已宣布无条件投降，如果我们不抢先一步，华北地区的汉奸部队就有可能星散，或者倒向八路军一边。如今到了千钧一发之际，也无妙策。问题是蒋主席的命令难以立刻传到，汉奸头头看不到真凭实据的电令印信，靠报纸是不会相信的。”

熊接着说：“在重庆与戴局长商量过，要我到西安找你联系，问你有没有最迅速的办法与伪军将领取得联络？”熊斌指着一大堆加盖了公章印信的空白委任状对文强说。

文强回答说：“可以暂时发表伪军将领的临时头衔，大大小小一律称为‘先遣军’。这不但为汉奸摘了帽子，也可以利用他们去打共产党。”

熊斌说：“委员长委派我为‘华北宣抚使’，一切以华北宣抚使署对外活动。委员长真是‘英明’，过去人家不愿听‘曲线救国’这个名称，而今有验，非高瞻远瞩，焉能有此。希望你多多协助我。”

文强说：“我已接到戴局长来电，一切听次长指示办理。以我之见，一是通过军统设在孙殿英处的秘密电台，发表包括孙殿英在内的各路先遣军总司令的任命，并令孙将其他受命者抄收后星夜送达，愈快愈好，另由我电嘱孙部军统情报组长李守静妥善处理。二是由我保荐得力人员携带填好的空白文书命令，星夜兼程送达，以做孙部转送电令的佐证。三是从广播中广为宣传。”

熊斌当即同意文强所拟办法，一夜之间，即将要办的电文发出，第二天就得到孙殿英复电，称即日就职视事，并将其他电令，派专人星夜分送。熊斌见此果然高兴，再向蒋汇报。经文强统计，此次被列入“先遣军”总司令一级的有 8 人之多，其他大大小小的“先遣军”司令、纵队、支队等名称，多如牛毛。熊斌也因招降汉奸有功，被蒋介石任命为战后首任北平特别市长。

军统对华南的接管活动是以广州为中心的。华南地区是戴笠开展策反活动较早的地区之一，加之军统局光粤站长何崇校将老资格的伪军将领、广州要塞司令招桂章紧紧抓在自己手中，因而策反工作颇见成效。并在1945年，何崇校与招桂章就详细拟定了在抗战胜利时如何确保广州，阻止广州附近东江纵队和珠江纵队等中共武装进城的行动方案，并上报局本部。

何崇校还向戴笠建议，为了不使到时忙乱无措，请先委任招桂章一个适当名义。戴笠经报蒋介石批准，即于1945年2月中旬复电光粤站，批准该站报的方案，并以蒋的名义正式委任招桂章为广州先遣军司令。这是蒋、戴委任的第一个伪军将领。

何崇校接到戴笠的委令后，认为一个“先遣军司令”的名义不够号召力，又擅自加上一个“总”字，成为“先遣军总司令”，送给招桂章，招果然很高兴。日军宣布投降后，广州先遣军司令部很快于8月19日正式成立，并于20日即与进攻东莞的东江纵队发生战斗。

这期间，军统局通过光粤站转发了大批以军委会名义委任的伪军将领。中美所别动军蔡春元支队，也奉戴笠命令于8月20日赶到广州，并伙同粤北股匪谢大傻部闯进市区“抢收”，给广州秩序造成极度混乱。

在广东方面，戴笠最关心的就是巨奸陈璧君和褚民谊的动向问题。广州邻近香港，抗战胜利后，陈璧君的侄子和一些亲信纷纷逃往香港，陈璧君、褚民谊因存一丝侥幸心理，向蒋介石去了一份表示接受指令、等候接收的电报，意在进行试探。

戴笠认为广东不同于全国其他地方，应即设法对陈、褚二奸进行逮捕，以防漏网。为了不引起社会震荡，戴笠于 8 月 20 日从淳安给军统广东站长郑鹤影发出电令，指示他用诱捕方法对陈、褚二奸拘押听审。

郑鹤影接电后，即以奉蒋介石、戴笠指示，以“诚恐人民激于义愤，横加杀害”为名，就“商”于陈、褚二人，是否转移到一个安全地方暂住，从而取得陈、褚同意，郑接着又伪造蒋的电令，称重庆已有专机到穗，接陈、褚到渝面叙，陈、褚不知是计，于 8 月 26 日随军统广东站长郑鹤影、中美所第 1 纵队第 1 支队司令蔡寿元到达广州市郊市桥，被软禁在已被军统接收的伪军李辅群的一所两层楼房里。9 月 12 日，郑鹤影又将陈、褚押回广州市区，囚禁在广州市法政路附近一幢原日本军官的寓所，10 月 14 日，被戴笠派专机解往南京关押，陈、褚也成为战后军统最早逮捕的两个汪伪高级汉奸。

广州先遣军总部于 10 月 5 日结束。在这前后，因何崇校组织策反和接收有功，确保广州未落入中共武装之手，经戴笠申报，蒋介石发给何崇校云麾勋章 1 枚，这是一般军统特务很少得到的“殊荣”。

## 五 五人小组难对付

戴笠树大招风，“老蒋”成立了五人小组。

1945 年 8 月初，国共和谈在重庆将要举行的消息已传出，并被确认。

8 月 29 日，正当军统在上海进行抢收的时候，戴笠突然接到蒋介石的命令，要他火速赶回重庆，布置国共和谈期间的警卫工作。

同时，戴笠接到毛人凤的机密电报，CC系陈果夫等人正在策划酝酿与军统争夺战后的警察系统和肃奸方面的权力。

戴笠闻报，来不及给杜月笙辞行，就急急忙忙乘美国空军的运输机，从浙西前线于8月29日赶回重庆。

戴笠赶回重庆时，毛泽东、周恩来、王若飞等中共代表团已于8月28日到达重庆。

回到重庆，首先来到蒋公馆。

"报告校长，戴笠奉命前来报到。"

蒋介石阴沉着脸，阴阳怪气地说："毛泽东来了，大大出乎我的意料之外。"

戴笠献计说："还不趁这机会，把他……?"

蒋介石连忙说："胡说！这回有美国人担保，你们可别胡来。"

戴笠说："那我们该怎么办?"

蒋介石指示说："动员所有力量，一定保证毛泽东的安全，做到万无一失。"

戴笠马上立正："是，保证完成任务!"

受命之后，戴立即回到局本部，严密布置和检查对国共和谈的安全保卫工作。

当时有一些极端顽固而又没有政治头脑的反共分子，扬言要制造事端，作为反共的本钱，这使戴笠处处小心谨慎，丝毫不敢大意。

戴公馆里有个担任警卫工作的特务，就曾经直言不讳地说："为什么不趁这个机会把毛泽东干掉？坐上几年牢，便可立大功。"

戴笠听说后，当即把这个特务叫去臭骂了一顿；

"你他妈懂个屁!"

并立即叫人下了他的枪，把他赶回特务团，命人约束他的行动。

为了做好对中共代表团的警卫工作，戴笠召集特务团、重庆特区、重庆卫成总司令部稽查处等单位的大特务开会，反复强调确保中共代表团人员安全的重大责任，并规定严格的纪律和各自的工作范围，严厉检查督促实施。

当时，毛泽东在重庆十分活跃，不但要出席国民党方面安排的公开活动，而且要约见会晤重庆的许多民主党派及社会知名人士，戴笠深感保卫工作任务太重，不得已，最后连专给蒋介石做安全警卫工作的侍从室特别警卫组也调来帮忙，暗中负责毛泽东的内围警卫工作。因戴笠素有给领导人物做保卫工作的经验，才使他的压力稍稍减轻。

戴笠知道，在这个问题上要是稍有疏忽，一旦闹出乱子，蒋介石非拿自己开刀不可。对此，戴笠曾亲口对侍从副官居亦侨诉苦说："这几天的日子不好过，内外都要经常查看，万一有了意外，不但对委座无法交代，自己脑袋也会搬家呀！弄得我寝食不安啊！"

直到毛泽东于 10 月 11 日安全返回延安，戴笠才松了一口气。

但是，就在戴笠认为稳操胜券的时候，事情却起了意料不到的变化。

蒋介石对这个不可一世的特工王已开始有了戒心。

8 月下旬，戴笠在淳安得到消息，蒋介石已于 8 月 13 日手令钱大钧任上海市长，又于 8 月 20 日手令宣铁吾为上海市警察局长。戴笠在淳安听到这个消息，深知事情不妙。

钱大钧是蒋介石的嫡系将领中的八大金刚之一，在戴笠面前是属于摆得起老资格的前辈军人；钱大钧之为人，是对上级恭顺，对同级矜持，对下级常常给以辞色，与戴笠不但无缘，且无好感。宣铁吾则是戴笠的死敌，他们两人联手，将给军统今后在上海的活动带来很大麻烦。

为了不使事态进一步发展扩大，戴笠在赶回重庆之前，已经考虑了一份应变计划，准备亲自向蒋力陈，其主要内容是：

（1）抗战期间全部汉奸名单和国民党在沦陷区的地下工作人员名单，大都掌握在军统手中，因而肃奸应由军统负责进行；

（2）敌伪资产的清查工作也应由军统协助政府进行，以防止在“逆产”认定方面政出多门，造成混乱状况，给居心叵测的人造成可乘之机；

（3）建议由主持上海地区受降工作的第三方面军总司令汤恩伯为淞沪警备司令，除上海外，建议沦陷区其他大城市的警察局长应优先考虑军统推荐的人选，以便于军统开展活动。

但是，计划不如变化。

当戴笠于 8 月 29 日刚刚回到重庆时，蒋介石已经在这一天下手令派国民党宪兵司令部参谋长韩文焕为首都（南京）警察厅厅长。韩文焕是属于康泽班底的人，过去一直帮助康泽搞警察特训班和别动军，由于同行利害冲突，与戴笠的关系也是不睦的。戴笠把他考虑多日的“两抢”方案呈送上去，等待回音。

结果又是竹篮打水一场空。

9 月 4 日，蒋介石又令派 CC 系推荐的陈焯任北平市警察局长。由此，上海、南京、北平三大城市的警察局长，戴笠一个也没有抢到。在蒋介石新任命的一批大城市警察局长中，只将天津市警察局长一职给了戴笠原先推荐名单中的军统大特务李汉元，以后又将武汉市警察局长给了任建鹏，算是给戴笠的一点安慰。

另外，蒋从便利军统工作出发，分别给宣铁吾、韩文焕、陈焯等人打招呼，要他们把一些与军统特工活动有关的部门交军统掌握。为此，宣铁吾用军统大特务张师任刑警处长、陈焯任命李连福任刑警大队长等等，也算是对戴笠敷衍一下。

戴笠这个人是轻易不肯认输的，即使是与蒋介石斗法，也是如此。

他想出的新的计划就是考虑如何向蒋建议成立全国警察总监，并由自己兼任总监一职。为了实现这一计划，让蒋看到军统的力量和本钱，戴笠以中美所即将结束为理由，并用中美双方的名义，力求蒋视察中美所，在蒋视察过程时，则重点安排蒋观看中美特警班的表演。

果然，蒋很快答应了戴笠和美方特务的要求，于9月上旬带着蒋纬国及一批亲信随从，在戴笠及贝乐利等中美特务的陪同下，到中美所视察。并对中美特警班演示的刑事实验室、良种警犬表演项目等看得很仔细，特别是对学生的刑警课目表演更是充满了兴趣。

在结束后的训话中，蒋不仅对美国特务一再表示感谢，而且对这一批学生也给以嘉勉，称赞他们不但是戴局长最好的学生，也是他最喜欢的学生。结果，这一期学生极受各地的欢迎，除留下一批任特警班二期美军特务教官的助教外，其余都被分配到全国各地大城市的警察局和稽查处去工作。

戴笠虽然在抢夺大城市警察局长的计划上受到挫折，并且向蒋推荐汤恩伯兼任淞沪警备司令的建议，当时也未被蒋采纳，但是，戴笠抢夺肃奸大权的计划，经蒋下手令已同意交给军统负责。戴笠对得到这一个特权确是喜不自胜的。

从此以后，戴笠利用这一杀手锏，既可以通过肃奸活动使自己成为政治上各方瞩目的中心人物，又可以把大批汉奸作为军统潜伏人员或策反人员给以保护，还可以对中统或其他派系运用的汉奸给予打击，其权力之大，实属不可想象。蒋介石让戴笠独揽肃奸大权，并不是没有戒心的。一般来说，以蒋的手腕，他也从来不肯把某一方面的大权完全交给一个人去控制，尤其是不会交给一个对自己的统治已构成威胁的人去掌握。

但是，在八年抗战期间，由于蒋介石把与日伪联系的活动完全交给戴笠一人去处理，也只有戴笠完全清楚这其中的种种黑幕，如果让其他方面的人一起掌握肃奸大权，岂不是又要把这些黑幕活动扩散。

再说，以当时国民党的各个部门，均已腐败透顶。肃奸活动，最是个容易内外勾结，大发横财的工作，蒋认为论工作效率和内部风气来看，军统组织均比其他机构要略胜一筹，交给戴笠独力负责，既是对军统的看重，也可以明确责任，便于追究查实问题，堵塞漏洞。

另外，戴笠明确向蒋提出要独揽肃奸大权，并摆出诸多理由，蒋原是个多疑的人物，他似乎嗅出戴的理由中多少有点要挟的成份。一旦在肃奸问题上，军统不给予全力合作，将要酿出政治上的许多麻烦。蒋是善于审时度势、等待时机的，他感到戴笠在目前尚有利用价值，索性要一个手腕，把肃奸大权完全交给军统去控制，一方面是对戴笠的敷衍，另一方面也是让他从过份膨胀的权力中走向反面。这是不是蒋的本意，应该说昭然若揭。

不过，蒋针对戴无限扩张的权力，也进一步加紧布置，进行监视和抑制，这确是实情。一个最主要的措施就是成立了一个秘密五人小组，对戴笠进行监视，并研究钳制戴笠的新策略。

说起蒋介石对戴笠的戒备和控制，可以说是由来已久。

早在特务处成立初期，蒋通过郑介民和中统从内外两个方面进行监视和抑制；到抗战期间，蒋发现这个办法已不起多大作用，郑介民已被戴笠架空，中统也不是戴笠的对手，且有被打垮的危险。

于是，蒋在军统之上设立侍从室第六组，且让颇有心计和野心的唐纵出任组长，利用唐对军统内部情况极为熟悉，并在军统内部也有一定力量的有利条件，对戴进一步进行控制。

到抗战中期，又干脆加委唐纵为军统局帮办，直接对戴进行钳制。这是连一般军统特务都看出是蒋、戴斗法的公开手段。并且，唐纵也确是能体会和贯彻蒋的意图，积极从各方面对戴进行监视和制约。

抗战后期，蒋又通过特务工作的年度汇报和月度汇报两种制度，一方面加强唐纵的地位，一方面增强军统活动在特工系统内部的透明度，目的也还是使戴不能处处随心所欲。

这一阶段蒋、戴斗法的结果，戴笠确确实实感受到唐纵的份量，时有如芒在背、如鲠在喉之感。但是，戴笠毕竟经过了20年特工生涯的磨练，其心机狡诈已到炉火纯青的地步，这是连蒋介石也估计不足的。

因此，在抗战后期，戴笠应变措施是把军统内部事务交给毛人凤去管理，让毛去对付唐纵，而自己把工作重点转移到军统外部，一是全力与美国特务合作，紧紧抓住中美所的活动，仅在2年时间里，戴笠的势力就渗入美国军界，并得到美国海军界的大力支持，其地位还引起了美国总统罗斯福的注意，其国际影响使蒋也不能不有所顾忌。

二是全力加强与胡宗南、汤恩伯等实力派将领的联盟，与何应钦、宋子文、杜月笙等人的关系，也已到了相当深厚的地步。以一个黄埔六期生和军统局副局长的资历、地位，能在国民党统治集团中造成如此影响和势力，的确不是一个平庸之辈所能做到的。

三是戴笠通过息烽集中营主任周养浩组织息营的一批高级政治犯研究如何将军统改造为政党的方案，并从各方面发动攻势，做染指海军的打算，使戴的发展天地又有了新的扩大。

四是大力开展策反活动，通过掌握周佛海和大批伪军将领，几乎把汪伪南京政府变成军统的附属机构而发号施令，这样一个巨大的权力和力量，是连蒋介石当时也无法从戴笠手中夺去的。偏偏以上这几个方面，是唐纵无法顾及和插足的领域。

经过蒋、戴长时间的斗法，戴笠的权力、势力不但没有被削弱，反而有新的发展和膨胀，这不得不使蒋用新的眼光和观念来审视戴笠。

长期以来，蒋介石手下的嫡系派别中，虽然山头林立，派系纷呈，但只有对戴笠，他不敢这样做，以当时戴笠的势力来说，早已是无孔不入，无所不在了，就是在蒋身边的侍卫和警卫人员中，到底有哪些是戴笠的心腹杀手，这是蒋永远无法弄清的，也是蒋始终不敢想象的。

蒋、戴的矛盾发展到这一步，结果不但使蒋真正看到戴的份量，而且蒋之对戴，也确乎有如芒在背、如鲠在喉之感，也迫使蒋不得不采取断然手段对付戴，这就是蒋要成立五人小组秘密监视戴笠的原因。

五人小组由钱大钧、胡宗南、唐纵、宣铁吾组成，由蒋介石亲自进行领导。

这些人中，宣铁吾是戴笠的冤家对头，又是新任上海市警察局长，唐纵是全国各特务系统的总协调人，也是安插在戴身边的钉子，由他们负责对戴笠进行监视，其作用自不必说。

就钱大钧来说，由于先后两次出任侍从室一处主任，在军界、政界屡任要职，不但与蒋关系很深，而且同僚友好、门生故吏等遍布各界，便于了解掌握戴笠言行，吸收钱大钧进来，也实属必要。

至于吸收胡宗南为五人小组成员，这就是蒋的手腕高明之处。胡、戴之间不同寻常的结盟关系，蒋其实比别人看得更清楚。但是，蒋对胡宗南其人也是看透了的。

首先，胡、戴之间的关系，尽管有感情的成份，更主要的还是相互利用的关系，胡宗南要利用戴笠，目的也还是要取得蒋的信任，以实现自己的抱负。这一目的，也只有蒋才能给予。因此，以胡宗南的绝顶聪明，他是不会在蒋、戴的选择中舍本求末的。

其次，胡宗南从黄埔一期生发展到今天的一战区司令长官，势力遍布西北陕、甘、宁、青、新5省区，成为黄埔学生中的第一人和名副其实的“西北王”，溯源盖出于蒋的恩宠和培养。胡对于蒋的感激和报效之情，不但有虽肝脑涂地，亦不能报效万一的信念，而且也使胡认识到一旦离开了蒋，他的所有荣华富贵将成过眼烟云，转瞬即逝。因此，蒋、胡关系已是一荣俱荣、一损俱损的关系，这是比胡、戴之间更为重要的一种关系。

第三，蒋明知胡宗南是戴的密友，却把胡吸收到五人小组中来，这在胡更加有一种受宠若惊的感觉，也更加感激蒋的知遇之恩和绝对信任的宠爱，从而充分利用他与戴无话不可谈，无机密不可言的便利条件，随时向蒋密报戴的情况。

因此，在五人小组中，真正起核心作用的是胡宗南，这是蒋最为看重的，也是戴笠绝对没有料到的。这在蒋来说，虽然是一着险棋，但是却收到了奇效。五人小组成立以后，不但戴笠和军统的活动大都在蒋的掌握之中，而且采取的抑制和削弱戴笠力量的措施，在质量上也有了很大提高，由此，而有戴笠的几个月后所谓“化整为零”、“以退为进”等等惶惶之感及应变之策。蒋、戴斗法随着五人小组的成立，已经进入了最后较量阶段。

## 六　上海争夺，戴笠计差一筹

戴笠针对上海的局势，有些坐不住了。

更使戴笠坐不住的是，新任上海市警察局长宣铁吾已经去上海赴任，并且，据说宣铁吾到上海后对新闻界的每一个谈话就是不搞劫收，整顿风气，大有来者不善的意思；接着新任上海市长兼淞沪警备司令钱大钧也将率领大批随员启程赴上海指挥接收；另外，汤恩伯、何应钦以及各省市成立的党政接收委员会派出的接收大员，犹如飞蝗一般，向沦陷区的各大城市遮天蔽日地扑去，而上海犹如一块肥肉，成了各方面争夺的目标。

同时令戴笠忧虑的是，宣铁吾的上海警察局也与毛森的军统特务在接收过程中多次发生冲突，以至双方剑拔弩张，几至动武。

戴笠经过考虑，决定亲自到上海坐阵，指挥接收。经蒋同意，戴笠于 1945 年 9 月 9 日从重庆乘专机直飞上海。

这天上午，上海地区倾盆大雨，飞机降落上海机场后，恰逢新市长钱大钧赴任的专机先期到达，机场欢迎的人很多，又很乱，戴笠是不喜欢在这种场合出头露面的，便一边命令警卫人员在周围布置警戒线，一边在机内坐等，却不见上海方面的几个军统大特务到机场来接他。

戴笠是一代特工魔王，虽在工作上处处爱出风头，争强好胜，唯在行踪上却喜欢独来独往，轻装简从，飘忽诡秘，神出鬼没。他深知自己一生杀人无数，仇家遍于天下，只要自己稍一不慎，就将死无葬身之地。

因此，戴一向对自己的行动保密十分严格，除毛人凤及自己身边几个亲信特务外，即使是本局的处级大特务也是难以把握的。每到一地，也只是临时通知对方被点到名的几个大特务到机场迎接。

这次到上海，戴笠就只点名京沪区长程克祥和王一心、邓葆光到机场接他。谁知直到雨止，戴笠仍不见程、王、邓到来。戴笠是容不得下属的这种失职，也是受不得这份冷待的。久等不见来人，心头烦闷，就独自一人走出机舱，恰在机场门口碰到战前法租界捕房探长贾德田，就跳上贾的车子，直奔巨鹿路刘吉生的住宅而去。

上海企业银行总经理刘吉生是著名的刘鸿生企业集团创始人、号称“火柴大王”刘鸿生的弟弟。抗战爆发后，刘鸿生抢运出部分机器原料到后方兴办毛纺织厂、火柴厂等企业，并担任重庆政府招商局理事长和火柴烟草专卖局局长，成为宋子文、孔祥熙的红人。

不久，刘吉生带领全家迁往香港，由他的同班同学宋子良(宋子文弟弟）委任他担任军统控制的西南运输公司总经理。刘氏兄弟出于自我保护的需要，当时都与戴笠交好。

戴笠刚到上海，为避开各方面的熟人朋友的应酬，既没有去受各方面注意、每日里“高朋满座”的唐生明公寓，也没有去程克祥为他布置的盛老四的花园洋房，却来到刘吉生家做客，并由刘吉生将其介绍到刘鸿生的二儿子、伪日用品联营公司负责人刘念义的花园公寓住下。

此处环境幽静，来往人员很少，房屋豪华宽敞，保卫工作好做，戴笠十分满意，这里成为戴笠到上海初期的落脚点。后来，戴笠更利用这里举办大型舞会，由刘念义邀请上海所有的社会名流及夫人、小姐慰劳中美所陆续到达上海的美军特务。

戴笠到达刘吉生家不久，王一心、邓葆光即匆匆赶到，向戴笠禀报未去机场迎接的缘由。

原来，程克祥本想利用一般官场讨好长官的手腕，以找车为由，将王、邓安置在京沪区机要室坐等，自己却开车单独到江湾机场迎接，本意是想独占头功，见面就给戴一个好感。谁知道戴笠的卫士都是一些无比机警骄横的家伙，他们都不认识程克祥，况又没有见到一向熟悉的王一心、邓葆光同来机场迎接，当即如狼似虎地把程赶开，连接近警戒线的机会都没有，更不用说能见到戴老板。

程克祥到此方知自己做下蠢事，等到他回头带上王、邓再到机场来找时，戴笠已经失踪。无奈几人只得分头去找。王、邓长期在戴身边工作，素知戴最恨办事不牢靠的家伙，往往一个特务只要有一件事落在戴的手里．这个特务一生的前途也就差不多到头了。

所以王、邓找到戴笠后，也就毫不客气地把事情原委和盘托出，以洗清干系。

果然，等程克祥得到消息赶到时，一进门即遭戴一顿痛骂："这点小事都办不好，你还能干什么？"从此以后，戴即对程起了厌弃之心，让程坐起了冷板凳。

后来，说是要调程去东北，然程奉召到北平后，又长期搁置，不给工作。原因盖出于一句"这点小事都办不好，你还能干什么”的评语。

当晚，戴笠在刘吉生公寓设宴招待于9月4日先期到达上海的梅乐斯，自然是名流汇集，盛况空前。

戴笠到上海的目的，主要有3个方面：

(1) 接收和改编周佛海税警总团等伪军武装和76号特务机构，扩充特工实力；

(2) 清查和接收逆产，大发一笔横财；

(3) 布置肃奸行动。

为了统筹安排各方面的工作，戴笠到上海后，首先宣布成立中美所及军统局驻上海联合办事处。戴笠原在淳安就与杜月笙谈好，由杜月笙将杜美路70号的1座豪华花园洋房让给戴笠做办事处办公地址。

9月10日下午，戴笠在杜美路70号的2楼会议室召集会议，这是自抗战西撤以后，戴笠在上海召开的第一个军统高级干部会议。当时所有军统在沪的高级干部均出席，共40余人。宣布正式成立中美所和军统局上海联合办事处，由戴自兼主任，梅乐斯任副主任。

戴笠在上海办事处成立后，即分别听取各部门负责人的汇报，周密部署安排上海方面的接收工作。

关于接收和改编周佛海系统伪军的工作，由戴笠交给李崇诗、尚望和原汪伪税警总团副总团长徐肇明负责。在接收改编伪军方面，戴笠最高兴的是蒋介石同意美国海军方面的要求，由军统局配合美军对日本在沪海军和汪伪上海海军基地进行接收。戴笠认为这是蒋介石同意由他出任中国海军总司令的暗号。

难怪戴笠到达上海后第一次见到唐生明时，兴奋得把唐生明抱起来，告诉他美国海军已决定支持他出任海军总司令，并请唐担任参谋长，还用得意的口吻说："你一直不肯当我的部下，这么一来，你可不能不当我的部下了！"

戴笠知道唐生明是个花花公子，不善治军，却认为他交际广、朋友多，并且由唐占住这个位子，使蒋不能安排其他人进来，便于戴随心所欲，一手遮天。关于日本宪兵队特工装备、武器、房屋等设施及汪伪 76 号机构及一应财产，由戴笠指令毛森主持接收。因毛森在抗战期间被日本宪兵队逮捕后，曾为日宪兵工作过一段时间，故对日军和汪伪特工方面的情况很熟悉，接收过程很顺利。军统所谓协助政府进行清查和接收逆产的工作是由邓葆光为主负责的。当时，戴笠帮邓葆光争取到了 3 个重要职务，一是行政院敌产处理审议委员会的七人委员之一；二是行政院敌产管理局逆产组组长；三是上海市敌产清理委员会秘书长。这 3 个职务使邓葆光顿成当时最有权势的关键人物，对汉奸逆产更有予夺大权，一时成了各方巴结奉迎的"财神爷"，以致郑介民、唐纵、毛人凤等军统巨头也都不惜降低身份，今天一个电话要房子，明天 1 个电话要轿车，至于军统局内内外外每日里登门有所企图的人，更是络绎不绝于途。邓葆光到上海后，帮军统接收了大批敌伪财产，仅接收的工厂达 40 多家，房产 10000 多幢。其中日本的"寿公司"是日本最大的木材公司，以后由戴笠交给建筑商陆根泉，作为由陆承包在南京兴建局本部办公大楼的交换条件，大楼可容纳数千人办公，既雄伟又豪华。但据内情人说，1 个寿公司可造数十座军统局本部大楼，足见其油水之丰。

## 七　疯狂掠夺，战后肃奸

战后肃奸不错，可也不能忘了疯狂掠夺，戴笠想。

在中美所与军统局的上海联合办事处——杜美路 70 号的花园洋房里，到处是火树银花、灯光璀璨，一片节日的浓烈气氛。

1945 年 9 月 18 日，上海市政府与淞沪警备司令部正式成立。戴笠认为上海地区的汉奸已经失去利用价值，肃奸的时机已经成熟。

1945 年 9 月 20 日晚，正值中秋。

门前的马路上，车水马龙，各式各样的新式轿车一辆接一辆地鱼贯而来。当时赴约而来的都是上海地区的汪伪高级汉奸官员和伪军高级将领，并有军统局和中美所处、组长以上的大特务作陪。

他们都是在接到戴笠的请柬后，兴高采烈地前来出席中秋赏月晚宴的。其中，比较出名的汉奸有伪行政院副院长兼财政部长、上海市长周佛海，伪立法院副院长缪斌，伪浙江省省长丁默村，伪税警总团长熊剑东，以及汪伪特工的重要负责人陈恭澍、万里浪、苏成德、胡均鹤等人。与会的汉奸及特务共约 500 余人。

席间，戴笠继续玩弄他那一套欺骗汉奸的手法，站起来讲话说："八年抗战，现已胜利，在座有不少人在抗战期间出任伪职，这当然有各种原因。从今天起，只要能立功赎罪，政府是宽大为怀、既往不咎的……"

戴笠再三向汉奸们重申"解决汉奸问题，政治重于法律"，要求汉奸相信蒋委员长，相信政府，不可听信谣言，自相惊扰等等。

戴笠的一番话，本是出于特工手法的一派胡言乱语。但是发表在这种喜庆场合，由权势熏天、信誓旦旦的戴笠来说，汉奸们一个个听得满面春风，喜气洋洋。

戴笠的那种鼻音很重的浙江江山官话，也不时被汉奸们一阵阵热烈的掌声打断，特别是那些几乎在“八·一五”的一夜之间被军统们“策反”过来的汉奸，原先还多少有所疑虑，担心蒋介石出尔反尔，来个“一锅端”。

现在戴笠代表政府在大庭广众之下，公开许诺，不啻如获救命灵符，个个欣喜若狂，认为身家性命、前途地位、荣华富贵等等，总算有了切实保证。他们手中拼命地鼓掌，心中却恨不得要大呼戴笠万岁，席间气氛以至热烈得几乎像开了锅的粥。

但是，戴笠的中秋祝酒辞完全是虚晃一枪，目的也还是要把汉奸们稳住，以便他在暗中调集各方面力量，然后一网打尽，不使漏网。

就在中秋聚餐后，戴笠的上海肃奸行动的策划和部署已进入紧锣密鼓阶段。在肃奸行动碰头会上，戴笠正式把肃奸任务交给第三方面军二处处长毛森、上海警备司令部稽查处处长程一鸣、军统局上海站站长刘方雄负责，并调集军统所能掌握的上海军、警、宪、特的全部力量行动。逮捕时，一律以第三方面军的名义进行。9月23日，也就是中秋聚餐后的第三个晚上，毛森、程一鸣、刘方雄指挥100多个行动小组，拿着印刷精美的请柬，分头到预先指定的汉奸家中，诳骗说军统局在愚园路公馆请客。

戴笠导演的鸿门宴要开场了。

这些汉奸们耳边还回响着 3 天前戴笠在中秋月下的诺言，做梦也不会想到今天就会成为阶下囚，所以一个个都毫无戒备地跟着来到愚园路公馆。等到进入大院，只见四周站满了荷枪实弹的军警特务，先到一步的伪职人员一个个垂头丧气、惊慌不安，后到的情知不妙。也只好束手就擒。这一晚，戴笠亲自通宵达旦地守在杜美路 70 号办事处里主持。结果，第一批预定要捕捉的 100 多名汉奸全部到案，无一漏网。

第二天晚上，毛森、程一鸣、刘方雄等人如法炮制，再次按戴笠的计划分头行动，又捕捉到 100 多人，连同第一批捕捉到的汉奸，全部关进原汪伪 76 号特工总部的监狱里，后来因人越来越多，只好在南京市又新建了一个看守所，把一部分汉奸分流到那里关押。这次行动，除了在行政担任伪职的汉奸外，经济汉奸也是戴笠肃奸行动的主要对象。

在肃奸行动中，特务们真正感兴趣的是查抄汉奸财产的工作，特别是对出名的大汉奸，特务头目都争先恐后地要带队去查抄，更有的因财迷心窍，干出一些使戴笠大发雷霆的事来。

本来，上海有一些大商人，诸如上海金城银行总经理周作民、上海南京路四大百货公司中的永安公司经理郭顺、新新公司的经理李泽等，因他们在抗战期间暗中资助过军统特务及忠义救国军的活动，被戴笠视为有贡献于“团体”事业的人员，予以保护。戴笠从重庆到达上海后，还抽出时间召见他们，当面表示谢意。

其实，在戴笠看来，多捕一个汉奸或少捕一个汉奸本无所谓。可是，如果能选几个将来对自己有用的汉奸保护下来，将对军统事业的发展有很大帮助。据此，戴笠审定逮捕汉奸的名单中，也就没有把周作民、郭顺、李泽等人列进。但这件工作是由邓葆光具体承办的，毛森并不清楚。

毛森认为，周作民是一条大鱼，油水一定很丰，也就不管三七二十一，亲自带人闯进金城大楼把周作民捕捉关押起来。并派人来向邓葆光请示，周作民的财产怎么查封？邓闻报大吃一惊，马上向戴报告。戴大骂毛森自作主张，当即命令邓葆光亲送周作民回家，并代戴向周作民表示歉意。事后查明，毛森逮捕周作民是根据重庆方面直接发给他的一份电报决定的，戴也无可奈何，只好不了了之。

这次肃奸行动之前，戴笠亲又点名将军统出身、中途叛变的26名汉奸也列入名单，一并逮捕。其中汪伪政治保卫局上海分局长万里浪、金华分局长及伪杭州市市长傅胜兰名列榜首。万里浪毕业于军统金华训练班，初期在金华一带活动，后来被派到上海。1939年被76号逮捕并落水当了汉奸，先后任76号特工总部第一处处处长兼第四行动大队大队长，汪伪调查统计部第三厅厅长等要职。由于他是军统中落水较早的汉奸，后来投汪的军统特务，大都投在他的名下，在汪伪特工组织内部，形成了一个以他为首的“小军统”，很有些实力。

本来，戴笠只打算把这些人关押一段时间，等肃奸的风头过后，再分别予以斟酌处理，能释则释，不能释则关，不能关则杀。总之须做到家丑不可外扬。岂知，戴笠很快死去，在1946年8月15日，即抗战胜利1周年的时候，军统上海办事处奉蒋命将26名军统叛变的汉奸，予以枪决。罪名就是“中途叛变，担任伪职，无恶不作”。

也有一些中途叛变的军统特务受到戴笠的保护。原上海区长陈恭澍投敌后曾写了1本《蓝衣社内幕》，气得戴笠在重庆几天吃不下饭，因后来查明是王天木捉刀代笔，戴故而没有深究。加之陈叛变后，当了一段时间的76号挂名顾问，后又去杭州帮李士群办特工学校，尚无大恶；抗战胜利前夕，又重新与戴挂上关系，得到戴的谅解。此事被日军沪南宪兵队发觉后，因而再次被捕入狱。胜利后才放出，在上海干了一段时间后，戴认为此人在上海名声太臭，有碍军统观瞻，难以开展工作，因而派他到华北任傅作义的“华北剿总”“戡乱”大队长。另一个中途投敌的军统大特务王天木，自知罪恶太大，必不能见谅于戴笠，也就不抱任何幻想，抗战胜利后就迅速逃到华北，由他原先在华北的亲信特务协助，逃出关外，后即不知去向。

在上海肃奸行动中，逮捕最多的是那些从CC系内中途投伪的汉奸特务。由于汪伪76号的头目丁默村、李士群都是CC系统的人，诱迫拉拢CC特务下水也就特别容易。在抗战后期，CC系统的这些投伪人员迫于形势的变化，也有不少人暗中与中统组织接上了关系，成为中统特务的所谓地工人员。

抗战胜利后，中统局发现肃奸大权尽入戴笠之手，中统方面针插不进，心中暗暗叫苦，只得派人大量出具证明或补造证件，向戴笠交涉，希望军统在肃奸时放过已被中统“策反”成为“地工人员”的汉奸特务。但戴笠不吃这一套，下令统统逮捕。

这使中统局对戴笠几乎恨之入骨，只好大量派人挤进法官之林，以便在量刑判刑方面尽力而为。汪伪特工总部的南京区区长及政治保卫局局长苏成德，就是在被军统逮捕后，利用法庭审判的机会，由CC系法官援手，并由其妻王静贞出示军法执行总监部副监、江苏省保安司令、第十战区副司令长官王懋功的亲笔函，为其证明“曲线救国”的“功绩”，结果未以汉奸罪论处。但军统并不罢休，仍以苏成德杀害国民党地工人员张小通一案告发，由上海高等法院判苏成德死刑。

在上海肃奸中，人们最为敏感的是如何处理周佛海。

论汉奸，在整个沦陷区人民的心目中，莫过于汪精卫、陈公博、周佛海三巨头了。汪精卫已病死东瀛，死人谁还追究；陈公博出逃日本，据说，也将押解回国。剩下的只有1个周佛海，在胜利后竟然大红大紫了一阵，弄得人人对此侧目而视，天怨人怒。全国人民强烈要求惩治周佛海等大汉奸的舆论十分高涨，国民党统治集团内部也有不少人为此推波助澜，借机向戴笠施加压力。

戴笠是个极敏感的人，从抗战胜利开始，他就已经意识到周佛海的利用价值将越来越小，而带给他的麻烦将会越来越大。当他发现上海的形势越来越不利于周佛海时，权衡半天，一个进退自如的两全之策已经在他头脑里产生，这就是把周佛海等人送到重庆软禁起来。

此计进可以对周佛海等人说，是让他们离开舆论的中心，送到重庆进行保护；退也可以对国人辩解，把周佛海等汉奸送到重庆是进行关押，听候审查处理。

戴笠的这个方案经蒋介石批准后，很快组织实施。他圈定的人选，除周佛海外，还有罗君强、丁默村、杨惺华三人，都是周佛海集团的核心分子。

方案批准后，戴笠与周佛海关起门来进行了一次长谈。戴笠故意用一种商量的口吻，征求周佛海的意见，说："考虑到各方面舆论的压力，你继续住在上海和南京都不方便，所谓'翻手作云覆手雨'，这些流言没法阻挡。现在为了佛海兄的安全，我主张你们住到重庆去，夫人、幼海母子还住上海。"

周佛海谨慎地问："到重庆后，还能不能回来？"

戴笠又欺骗周佛海说："委员长将在重庆召见你们，并指示我亲自送你们去重庆，一切都很安全，请放心。"

周佛海、丁默村都是绝顶聪明的人，戴笠的这番话虽是商量，其实就是不容置疑的命令。

周佛海虽然自知重庆之行绝不可免。但还是要摸摸蒋介石、戴笠的底牌。于是，决定派自己的密友、多年来帮助他办报进行舆论宣传的金雄白，去试探蒋介石在上海的军事代表蒋伯诚的口风。蒋、周过去是嫖友，抗战期间，蒋在上海被日本宪兵队逮捕，处境危险，也是周佛海经过与日本方面反复疏通而获释。有此一层关系，周故派金雄白去问计。

金雄白到达蒋宅，按周佛海事先的交代，说道：

"有人劝周先生避开上海这乱糟糟而又多是非的环境，飞往重庆异地静养。因周先生这时心绪已乱，不知该怎么办，所以派我前来请教蒋先生。"

蒋伯诚听了，当即失笑道：

"佛海既已决定同雨农飞渝，又何必多此一举再来问我？丁默村将与佛海、雨农同去，刚才他已来向我辞行。"

这番话，顿使金雄白狼狈不堪，不知所措。

接着，蒋伯诚故意用左右为难的口气说：

"佛海知道我与戴雨农是不对劲的，如果照我旁观者的立场说真话，可能会坏了戴雨农的好事，招人致恨；但不说真话，过去我和佛海是朋友，这几年他也对我照应不少。那这样吧，照我的想法告诉你，你回去和佛海转述时，千万不要说出是我的意思。"

金雄白说："您放心说，我绝不会告诉任何人的。"

于是，蒋伯诚毫不客气地点出戴笠的用心，剖析周佛海处境的危险性，并直言相告：

"佛海此去，凶多吉少，情形会更加严重，以他的聪明，而且过去又太熟悉当局的事与当政的人，又何必再来问我？"

金雄白回到周宅，把蒋伯诚的口气坦直转告，周佛海听完后，已知事不可为，神态几至失常。但他内心深处，仍然存着一丝侥幸，并对他周围的一些人说："你们放心，我想此去，蒋先生不过让我做个把月的休养罢了。"

戴笠的用心其实也不只是蒋伯诚洞悉，局外人也都看得很清楚。戴笠的玩友唐生明知道周佛海等人将由戴笠送往重庆时，就曾经当面不客气地对戴笠说："过去尽量利用他们，拉拢他们，今天用不着他们时，便不肯代他们负责了。"

戴笠看到唐生明一下子戳穿了他的西洋镜，便连连地"咄！咄！咄！"了几声。并说："一切要听从领袖酌处，我也没有更好的办法"。

戴笠将周佛海这边的行动安排妥当后，又给重庆毛人凤、沈醉打了长途电话。交代毛人凤和沈醉：派人将中美所白公馆内的美军校级军官招待所打扫干净，检修家具，尽可能布置好一点，要调 1 个排的武装和 1 个班的便衣警卫，还要派 1 名厨师与几名勤杂人员，将总务处 1 名最得力的科长侯祯祥调去负责接待工作等等。

9 月 30 日晨，江湾军用飞机场戒备森严，任何行人或车辆，没有戴笠盖章的通行证均不得进入。不久，3 辆军用轿车和 1 辆民用轿车鱼贯而入。第一辆军用轿车上坐的是戴笠，第二辆是周佛海和罗君强，第三辆是丁默村及周佛海的妻弟、伪中央信托公司总经理杨惺华、伪中储行总务科长马骥良，马平时专门负责照料周的生活，本不是戴笠圈定的对象，但他自听说周佛海将去重庆的消息后，也主动要求同去，经戴笠同意，由周佛海也将他带上。一辆地方轿车上坐的是刘鸿生的二公子刘念义、四公子刘念智。

刘念智本不认识戴笠，一次因到刘念义家吃晚饭，正要上楼时，忽听见后面有人高声叫唤：

“赶快说你是谁，否则我就要开枪了。”

刘念智转身一望，只见一个身穿军服、满面短胡子、凶相毕露、杀气腾腾的人，带着一大批手握短枪的警卫，在他后面跟上来。

刘马上回答：“我是刘念义的四弟刘念智，奉父亲刘鸿生之命，从重庆到上海来执行任务的。”

那个满脸短胡子的人告诉刘念智说：“我是你父亲和你叔叔的朋友戴笠。”

刘念智这才认识此人就是父亲和叔父口中经常提起的那位特务头子戴笠。

当即走下楼梯，向戴笠鞠躬说：“戴将军，久仰！久仰！”

进入客厅，一大批警卫即在公寓周围布岗，戴笠第一句话就问刘念智：

“你在重庆呆了多久？为什么你父亲从没对我提起过你的名字？”

刘谦逊恭维地说：“戴将军是最忙的人，我哪有机会见到你？”

戴笠哈哈大笑。

原来，当晚戴笠要在刘念义家举办一个大型舞会，特来询问准备情况，并告诉刘念义，他将特邀刘念义作为他的私人客人一同去重庆参观游览，故刘念义得以9月30日与周佛海等人同机赴重庆，而刘念智是当时仅有到机场送行的人。

到达重庆后，周佛海等人便被送到白公馆，形同囚禁。

白公馆建在重庆杨家山的山腰，因原为川军师长白驹所修建而得名。杨家山一带环境秀丽幽静，景色宜人，白公馆依山而建，山泉、瀑布、石崖、小径，得天然之趣。1943年以前，这儿是军统看守所，后因被梅乐斯看中，故又向戴笠要去改成中美所第四招待所，经过一番豪华的装修，专门用来招待美军校级军官。

经毛人凤等人安排，周佛海一行人等全部住在楼上。周佛海住左边的1个大间，这里曾关押过叶挺将军。丁默村住右边的1个大间，罗君强、杨惺华等也都一一安排住下。周佛海看到房里有沙发、弹簧床等，一应家具俱全，脸上毫无表情地点了点头。

这天中午，毛人凤设宴为戴笠和周佛海等接风洗尘。席间，虽然戴笠、毛人凤不断向周佛海等人敬酒讲笑话，可是周佛海等人自知从此走进牢笼，前途凶险莫测，一个个心事重重，强作欢笑，气氛显得尴尬沉闷。

酒席吃到一半，戴笠预先交代好的1个秘书走进客厅故意大声对戴笠说：

“侍从室来电话，委员长叫你马上去。”

戴笠马上站起来招呼说：

“很抱歉！不能奉陪，要先走一步了。”

周佛海一听是蒋介石找，也马上站起来送戴笠走，并用恳求口吻说：

“见到委座时，请为我们美言几句。”

戴笠满面笑容，连说：

“那是当然的！那是当然的！你们过去对党国的功绩，委座不会不重视，也不会忘记的。暂时委屈各位一下，一切包在我身上，请放心好了。”

从此，周佛海、罗君强、丁默村、杨惺华等人被戴笠软禁在白公馆内。

戴笠死后，蒋介石一声怒吼：“要这条死狗干什么？”周佛海死于狱中。

京沪肃奸活动告一段落后，戴笠便开始考虑策划平津地区的肃奸活动如何进行。

抗战胜利后，蒋介石立即命令汉中行营主任李宗仁调任北平行营主任，主持平、津及华北地区的接收活动。戴笠也很快任命对华北地区情况比较熟悉的马汉三为军统北平办事处主任，先期赴北平调查和部署平津地区的肃奸活动，掌握汉奸名单，拟定肃奸预案。

1945 年 10 月下旬，戴笠分别视察天津、北平地区，听取了马汉三关于华北地区汉奸情况的汇报，确定了在平津地区准备逮捕的伪政权特任级大汉奸名单，准备亲自送蒋介石审阅。

戴笠到北平后，把随行人员安排在原北洋军阀吴佩孚的公馆北平什锦花园。自己却经常住到他的盟弟吴泰勋公馆里，由吴的老婆陪他过夜。当时，宋子文因接收事宜也来到北平。他们几乎每晚都要开舞会，或找人唱戏。有一次，戴笠叫特务去“请”言慧珠唱戏，由戴笠先点了段《凤还巢》，唱完后，宋子文又点了段《金玉奴》。唱完戏，戴仍然不让走，叫特务把言慧珠胁迫到他的临时公馆过夜，第二天才放了人。

12 月 5 日，戴笠沿用上海肃奸时的老办法，借李宗仁北平行营前进指挥所的名义，在北京东城北兵马司 1 号举行盛大宴会，向北平市 50 多名汪伪特任级、简任级和兼任独立伪职的大汉奸发出请柬，邀请他们出席宴会。

这一天，受戴笠邀约按时赴宴的特任级大汉奸有：先后任伪华北政务委员会第一任及第四任委员长的王克敏，第五任委员长王荫泰，伪华北政委会顾问、咨询委员会委员曹汝霖，伪华北政委会常委、华北治安总署督办、伪华北绥靖总司令齐燮元，绥靖总署督办杜锡钧，伪教育总署督办周作人、王谟，农务总署督办陈曾拭，伪工务总署督办唐仰杜，伪华北政委会委员、北平市长刘玉书，伪北平宪兵司令黄南鹏（简任级）等。

伪华北政委会第二任委员长王揖唐，伪华北政委会常委、司法委员会委员长董康等情知不妙，托病住院，不肯赴宴。伪华北政委会委员、总务厅次长祝书元因向戴笠、马汉三交代有功，被戴笠从逮捕名单中剔除，内务总署署长吴瓯有先见之明，在这之前已经逃逸，不知去向。

汉奸们接到请柬，一个个带着疑惑不安的心情来到东城兵马司汪公馆，一进院子，只见军警林立，戒备森严，已知宴无好宴。虽然酒席极为丰富，但汉奸们已是味同嚼蜡，难以下咽。

在大家匆匆吃完以后，戴笠拿出经蒋审定的名单，对宴会上的汉奸宣布说：

"根据国民政府在抗战期间制定的惩治汉奸条例，凡当过特任职、简任职和兼任伪职的汉奸，都须按其职守，受当然的检举。因此，从现在起你们都是被捕的人犯，我们准备把大家送往监狱。这是中央命令，本人不能做任何主张。"

"第一个，王克敏。"

王克敏出身于官僚家庭，一生过着狂嫖、滥赌、吸毒的糜烂生活，早已把身体掏空，精神更是衰弱不堪，在伪华北政委会委员长任上已不能坚持职守，于1944年2月去职。

这时，"鸿门宴"已经结束，王克敏饭后正在漱口，听戴笠一开始就宣布到他的名字，精神突一紧张，身体不能支持，即倒在沙发上不能立起。

戴笠见状，对王克敏说："你现在有病不必前去，可在家听候传唤。"

王期期艾艾地回答说："这场祸事是我惹出来的，还是一起去吧。"

戴看到王克敏表示愿意与其他汉奸一起去坐牢，显得很随和地说：

“你愿意去很好。”

王被押不久，即畏罪服毒自杀于狱中。

“第二个，曹汝霖。”

曹汝霖在日军筹组伪华北临时政府时，曾被看作是总理大臣的理想人选，但他每想到“五四”期间受国人唾弃的历史，不敢再给自己加上一层卖国罪孽。因此下决心不在伪临时政府任职，而思“以晚节挽回前誉之失”。

后来，经王克敏极力拉拢，仅挂了1个“最高顾问”的虚衔，月领公费2000元；王揖唐任伪华北政委会委员长时，曹又被挂上了1个咨询委员的空衔，但均未到职视事。蒋以此而对曹有赏识称许之意。“八·一五”光复后，曹汝霖即打电报给蒋祝贺抗战胜利，蒋当即回电对曹表示慰问。

因此，当戴笠把预拟的逮捕华北特任级汉奸名单送蒋审核时，蒋特意将曹汝霖的名字从名单中划去。戴笠没有按蒋介石核准的名单照办，仍把曹汝霖请到了东城兵马司汪公馆。但戴笠也留了一手，并未把曹汝霖与其他大汉奸一起送往炮局胡同关押，而是留在汪宅软禁起来，以防蒋查询时辩解。

所以，戴对曹汝霖说：“润田先生也不必去监狱，但不能回家，可同黄南鹏一同住这里，听候法院传唤。”曹汝霖即向戴笠表示了谢意。

后来，由于蒋介石的直接干预，曹汝霖被开释回家，虽然庆幸这次逢凶化吉，由蒋出面，才从魔王戴笠手中逃了出来。但他感到蒋是反复无常之人，戴是心狠手辣之徒，加之以他历史上的所作所为，随时有受到法律制裁的可能。

于是，在儿子曹朴的一手策划下，曹汝霖将他在北平住宅的家具、古玩等财产全部售出，把房产则交给女儿管理。然后曹汝霖先到天津定居，随即又转道上海，秘密潜往外国当寓公去了。

伪华北政委会第二任委员长王揖唐也在戴宴客之前托病住进中央医院，并暗中重贿国民党高级地工人员张文波，但遭张拒绝。马汉三根据戴笠的指示，将王揖唐从中央医院拘押到看守所，并将材料移送法院审理，被判处死刑，在北平第一监狱执行枪决。

在东城兵马司一号被逮捕的40余名大汉奸被关进炮局监狱后，戴笠指示马汉三把他们用飞机解送南京审理，只有齐燮元被判死刑，执行枪决。其余的继续关押，后在南京解放前，通过各自的渠道星散。

在1945年秋冬的肃奸行动中，戴笠前后共捕捉汉奸4692名，查封逆产1456户，其中依法惩办者占三分之一。其中，大汉奸缪斌因蒋介石通过戴笠派其于1945年3月赴日本与小矶内阁议和一事被盟军司令官麦克阿瑟查获，并就此事向蒋提出质询，蒋恐此事泄露，即指示戴笠将缪斌提前交出，由苏州高等法院宣判死刑，于1946年5月21日在苏州狮子口第三监狱礼子监房第一号执行枪决，成了被处决的第一个汪伪大汉奸。

其后，陈公博、褚民谊等巨奸亦相继被判死刑执行，陈璧君被判无期徒刑（1959年病死于上海第二监狱）。周佛海、丁默村、罗君强等人在戴死后被军统局抛出：周先被判处死刑而被蒋赦免，改为无期徒刑，而后死于狱中；丁默村因叛变中统，CC系不肯放过，亦被处死；罗君强被判无期徒刑（于1970年病死于上海监狱）。

# 第十七章　折戟沉沙，死于非命

戴笠辉煌半生，深得“老蒋”器重，他睡觉都怕身败名裂，死于非命！所以，他拉紧“老蒋”的衣襟不放，但最终仍然功败垂成，“老蒋”疑心了！不过，上天弄人，阎王爷盯上了特务皇帝，飞机落地，一缕黑烟……

## 一　阳奉阴违报“老蒋”

人就是本性难移，为了私欲，戴笠就敢与人民为敌。

抗战胜利后，国共进行了重庆谈判后签订了《双十协定》(《会谈纪要》)。这个协议的内容之一，就是明确提出了取消特务机关，“严禁司法和警察以外机关有拘捕、审讯和处罚人民之权”。

这在蒋介石来说，虽然并没有要真正遵守执行的打算，但是为了要做一些表面文章，也出于抑制戴笠势力疯狂发展的需要，蒋介石秘密向戴笠发出撤销军统局，然后化整为零进行安排的指示，以减少中共及民主党派攻击特务机关的口实。

戴笠接到蒋介石这个命令，心情极为紧张。他的第一个念头，就是认为必须尽快抢在蒋介石的前面，拿出一套办法，来对付蒋介石关于撤销军统局的逼迫。戴笠在这方面是有办法的。

10月上旬，戴笠回到上海。

10月12日，宋子文也来到上海。

国舅驾到,戴笠自然不会放过这一良机,况且是他最需要的时候。于是借唐生明在金神父路 24 号的花园洋房为宋子文接风。

在点菜时,戴笠特别叮嘱唐生明的厨师阿喜:“顶好的菜,不要一次都拿出来。”

唐生明在一旁听了,立刻开玩笑地骂他:“请客不肯把顶好的东西都拿出来,这算什么一回事。”

戴笠立刻把厨师支开,便认真地对唐生明说:“你这个人太老实了!我对校长一直就是这样,任何事没有准备好第二套办法,第一套绝对不先拿出来,否则你什么都拿完了,他便不会再用你。”

戴笠对唐生明明目张胆地说出对付蒋介石的手段和秘密,正是他当时心境的自然流露。戴笠面对蒋介石要撤销军统局的决策,他不得不在严峻的形势下很快研究出对付蒋的几套办法。

戴笠的第一套办法就是借蒋介石关于化整为零的指示,将军统力量扩散到有关方面,一是将军令部第二厅全部掌握起来,把军统局原先主管的军事情报、军事稽查业务及国民党军队中各级谍报参谋方面的力量拨归进去,形成军事特工方面的独立系统。

二是将内政部警政司全部掌握起来,并将警政司扩编为内政部警察总署,将军统原先主管的特工警察力量划拨过去,形成警察行政业务与警察特工业务一把抓。

三是加快组建交通警察总局,形式上隶属交通部体制,实际上也由戴笠亲自掌握。1946 年 3 月 1 日,交警总局正式宣布成立,由戴推荐胡宗南所部出身的军长吉章简为总局长,马志超、徐志道为副总局长。

把弱的、不好的人员裁减掉,把好的、能干的人员留下。把军统局的内勤人员调 300 人到外勤工作,把外勤人员调 300 人到内勤工作。这在戴笠的特工思想上是一重大转变。

过去,他是反复强调特务一旦入门,终身不得脱离团体的,叫作"生的进来,死的出去",现在提出"裁弱留强"的口号,这在戴笠确是不得已而为之的办法。也可见当时形势对戴笠确是严峻的。

戴笠深知,所谓化整为零,通过三大公开机关合法安置军统人员,最关键的就是由谁出任三大公开机关的主官。从戴笠内心来说,当然希望由自己一身而兼三职,但国防部二厅的主官是非郑介民不可的,戴要争也争不来。不过,总体上戴与郑的合作还可以,由郑掌握二厅,比换一个非军统出身的人当厅长要好得多。至于交通警察总局,估计由戴笠亲自掌握或推荐 1 个心腹大特务出任主官的可能性很大,不致落入他人之手。

问题是全国警察总署,这是个权力大、油水大、安置军统人员最多的机构,所以戴笠最为重视。但是,目前想竞争这个职务的对手很多,最有实力的当数李士珍和唐纵。

在戴、唐、李之中,戴笠揣摸蒋的态度,估计由唐出任的可能性较大。因李士珍虽然在警察理论教育方面能拿出点东西,但在特务工作方面是个门外汉。由李抓警察,不符合蒋关于把全国警察总署办成一个警察、特工合二而一机构的设想。

至于戴笠自己,戴深知蒋对自己有戒备心理,本来所谓化整为零的口号就有对付自己的目的,因而不会让警察总署交给自己。

至于唐纵,多年来在蒋身边工作,已尽得蒋信任和欢心,正是蒋要借重唐抑制自己的时候,因此,唐应是蒋考虑的优先人选。并且,当时蒋用唐的迹象已有透露。1945 年 12 月,蒋下令撤销委员长侍从室,设国民政府参军处军务局,唐纵被调升为参军处的中将参军，除了仍为蒋主管全国情报外，还兼看有关警政、保安等其他机要文件。

到这时戴才明白，蒋实际上内定唐纵将出掌警察总署署长，把戴排除在外。对于这一点，戴是无话可说的，因唐表面上是军统的人，戴既不可和唐争锋，还要处处给唐以协助，不得刁难掣肘。但是，到了这一步，戴笠认为警察总署长给唐总比给李(士珍)要好得多。

因此，从1945年底开始，戴笠的方针就是一方面注意改善和密切与唐纵的关系，使后能够对军统有所帮助，至少不与军统作对。为了密切与唐的关系，戴笠指示沈醉从生活方面尽量给唐以照顾，戴在中美所内为梅乐斯修建的花园洋房"梅园"举行舞会，唐纵的妻子唐次建是常客之一。

1945年底，戴笠从重庆到上海，甚至邀请唐大嫂与康大嫂(康泽的妻子未素怀)同行，到上海游玩了一次。并破例让唐、康两夫人参观了他的"地下宫殿"。当时，邓葆光在上海主持经济接收工作，但凡唐纵有什么要求，戴笠也指示邓葆光极力加以解决，以满足唐的胃口。

## 二　垂死挣扎挽败局

戴笠的日子一天比一天难过了。

在各种指责声中和蒋介石的催逼之下，戴笠的日子一天难过一天。为此他日夜不停地奔走于南京、上海、北平、天津、青岛等各大城市之间，绞尽脑汁，琢磨对策，他希望通过他的谋划来阻止蒋介石化整为零、撤销军统局的指令。

戴笠采取的第一对策是进行内部体制改造。以减少指挥层次,精简人员,公秘分开,转入地下等手段,以转移社会舆论的视线。于是,在 1945 年底,戴笠在提出“裁弱留强”的同时,又下令撤销所有区一级组织(东北区除外),恢复在省范围内以省站为最高机关。同时,所有特务组织和特务人员一律转入地下,绝对秘密,不再以公开机关和任何名义做掩护。这是戴笠根据建立特务处以来的实际活动经验,为了在军统改组过程中,保存实力,以防不测而采取的一个关键措施。

在调整组织的同时,戴笠极力抓住沦陷区不断收复的时机,恢复和建立军统基层组织,不断扩充军统势力。特别是东北收复后的这块新天地,戴笠更是垂涎欲滴。1945 年 12 月,戴笠抽调工作能力很强的军统北方区长文强为军统局东北办事处主任兼军统东北区区长;调军统局东北特别站站长陈昶新任东北办事处副主任兼东北区副区长。这样的安排,戴笠显然是有考虑的,这就是把陈昶新摆在陪衬的地位上,受文强的监视和控制,做一些傀儡的工作。陈昶新所谓“重建东北实力集团”的计划到此进一步受挫。

戴笠到北平不久,即正式发表文强和陈昶新的任命,并抽调大批得力特务出关。不久,戴又将文强、陈昶新叫到北平什锦花园寓所,利用共进晚餐的机会,对东北工作做出全盘规划。戴笠认为东北这块地区的战略地位非常重要,可以说是巴尔干半岛第二,将来既是国共之争的焦点,也必定是美苏之争的焦点。因此,决不能让沦陷 14 年的东北,又落入中共和苏俄之手。

戴笠还无限感慨地对文、陈说:“收复东北这块新天地,本是一件大喜事,恼火的是控制在苏联之手,要从虎口里夺肥肉,预料是一件难事。熊天翼(指熊式辉)先生天真可笑,他想以政治外交手段把东北接过来,事实上等于做梦。杜光亭(指杜聿明)老大哥有胆识,硬打出关,势如破竹,锦州底定,证明政治外交没有武力做后盾,老毛子什么也不会买账的。”

戴笠一再叮嘱文、陈二人:“一定要精研熟读与苏俄签订的10年友好条约,全力协助光亭大哥顺利地接收东北。”

戴笠采取的第二步就是在军统工作部署方面加强反共活动的份量。抗战期间,戴笠的反共活动不能大张旗鼓地搞,只能偷偷摸摸地干。现在抗战已经结束,作为“皮肤之患”的日本人已被打败,而作为“心腹之患”的中共组织更加强大。反共必定是老头子心目中的头等大事。所谓国共和谈,这不过是老头子麻痹共产党,敷衍国内外舆论,争取时间,做好进攻准备的一种姿态罢了。

同时,戴笠深感,只有寄希望于反共,“团体”才有出路,个人才有出路。由此,戴笠不但从人力、物力、精力上迅速调整部署,加强反共活动,而且几乎是迫不及待想在反共方面能做出成绩,以便充实在化整为零合法化方面向蒋讨价还价的本钱和实力。

早在《双十协定》签订后的第3天,蒋介石就向国民党军队发布了反共内战密令,向各战区重新印发了他在江西剿共时期编写的《剿匪手本》,并先后发动了绥远、上党、邯郸3次战役,结果受到中共武装的自卫反击,仅在10月至11月9日的一个多月时间里,就有11万多人被歼灭。

四是将军统局主脑部分隶属在司法行政部之下,成立1个调查室,将军统局本部及各外勤机关拨过去,形成军统化整为零后的基本力量。

这样,戴笠计划撤销后的军统虽然由几部分组成,但力量不是削弱了,而将更强大。

第二套办法就是要尽快把海军总司令部抓到自已手里,像陈诚、胡宗南那样,有雄厚的武力做后盾,以做进退之所。

戴笠通过几年来梅乐斯居间牵线搭桥,与美国海军界已有默契,这就是由美国海军部在战后以一部分海军舰艇援助国民党作为条件,支持戴笠出任海军首脑。戴考虑该计划一旦实施,就将特务武装的一部分改编成海军陆战队,这样,海上、陆上都有了自己的武装力量,实力就会大大增强。

为了实现这一计划,戴笠考虑必须尽快与美国海军第七舰队司令柯克上将见面,一方面继续在这位美国海军界的耆宿身上投下赌注和本钱,以放长线钓大鱼;另一方面,则是通过柯克了解美国海军部援助中国海军的计划及进度。

10月中旬,戴笠以视察接收工作为掩护,从上海飞到青岛会见柯克。战后,青岛成为美国海军第七舰队活动的重要基地,为了加强与美国海军及柯克的联系,戴笠下令成立军统青岛办事处和青岛站,派善于交际的军统大特务梁若节任主任及站长。

戴交代,梁在青岛的唯一任务,就是如何联络好美国海军人员特别是柯克。戴笠揣摸柯克贵为美国海军的一代名将,但也是凡胎肉身,所好者也不外是金钱美女之类。估计柯老头儿金钱虽然不缺,但美女却不常有。于是,戴笠指示梁若节攻其所缺,投其所好,千方百计找一些漂亮女人供柯克玩乐。

开始,因美国海军官兵一般都在星期六晚和星期日回到青岛市区跳舞玩乐,柯克在此时上岸怕遇到部下影响威信,故多有犹豫。戴笠知道后,就交代梁若节改在星期三、星期四邀柯克活动,柯克对戴笠、梁若节的此举至为赏识。由此而常在梁若节面前称赞戴笠善解人意,为人爽快,做事有魄力,对美中情报合作有很大贡献等等。

戴笠到青岛后,每日里又是设宴、又是办舞会、又是找女人招待柯克,使柯克连呼“OK!”并许诺要在美国海军界加紧活动,使戴笠主持中国海军的愿望早日实现。

10月18日,戴笠结束了在青岛的活动,兴高采烈地飞赴天津,受柯克要求,策划美国海军陆战队于渤海湾海口登陆事宜。并拜会了美军驻津司令爱德华中将和海军陆战队第三师师长洛基少将。为了能抓住这些美国将军,密切双方的合作关系,戴笠在离津前,决定将自己的英文秘书黄天迈留下,专门负责与美方进行联系。

黄原是燕京大学学生,英文功底很深,曾任国民党政府驻巴黎总领事,抗战时期加入军统,1 个多月后,戴笠再一次到达天津,决定在天津设立 1 个秘密机构,由黄天迈主持其事,任务就是供给美国海军的情报,了解美海军在华情况,并占据天津大理道汉奸张福居的 1 座大楼,经常通过举办鸡尾酒会和舞会,来招待美国海军军官。特务们都称这一秘密机构为“外事处”,称黄天迈为处长。

当时,蒋介石为了积极准备内战,请求美国海军陆战队打着“受降”、“遣俘”的旗号,不断从天津港口登陆,替国民党军队抢占战略要道与铁路交通线,到 1946 年,仅从天津港口登陆的美国海军陆战队员就达 4.5 万人。蒋介石对美军的这部分在华军事力量十分重视,认为是帮助他进行反共的重要实力,极力加以笼络。

戴笠居间加以掌握,一方面加强了与美国海军界的联系,有利于增强他竞争中国海军总司令的态势,另一方面使蒋介石认为他尚有利用价值,不至于轻易抛弃,这显示了戴笠在后期与蒋介石斗法的一个重要特点,就是挟洋人以自重。

1945 年 12 月 25 日,戴笠在上海杜美路 70 号举办战后第一次,也是他一生中最后一次“圣诞”晚会,兼作他对美军特务的送行。这一次他邀请的都是上海滩上红极一时的女交际花,歌、舞、影、剧明星及名媛闺秀,因而也特别受美国特务的欢迎。并经蒋介石批准,第一次将中美所合作的成绩在报纸上公布,以显示他的“伟大”成就,借以自重。

1945年底,军统局化整为零的工作进入实质性阶段。这年的12月份,戴笠到达北平,住在什锦花园吴佩孚公馆,召集龚仙舫、马汉三、文强等一批内外勤负责大特务座谈,听取有关军统局进行改组的意见。

在这之前,化整为零的计划一直是在戴笠、郑介民、唐纵军统三巨头之间极秘密进行酝酿策划,由军统人事处长龚仙舫、代理主任秘书毛人凤等极个别核心大特务进行承办的。

因此,当戴笠劈头盖脸地问龚仙舫:“化整为零合法化的事办得怎么样?”

龚仙舫竟紧张地环顾左右不敢说话。

戴笠立即严肃地说:“在座的都是本局的老同志,不会泄露。你说你的,没有关系。”

得到戴笠的恩准,于是,龚仙舫汇报了考虑如何在国防部二厅、全国警察总署、交通警察总局三大公开机关中合法化安置军统人员的问题。

当时,文强、马汉三等外勤大特务尚是第一次听说有“化整为零”一说,便问是如何具体化法。

戴笠解释说:“第一是准备改组后的国防部二厅谍参系统和对外使馆的武官系统,要合法化地全部控制起来,这个任务是介民先生去完成。

第二,是将内政部警政司扩大为全国性的警察总署,是合法化安置人员最多的一条出路,然后才能全部控制警察方面的行政、人事、教育。对李士珍派,能容就容,不能容就去。

第三,是与张嘉敖部长早已说定,要求在交通部成立一个交通警察总署来统驭全国铁路、公路的警务机构系统,并将本局的所有武装部队改编为交通警察部队。化整为零合法化就是如此。”

戴兴奋地说:“此外,我准备推荐李崇诗为海军部陆战队司令,兵员由本局武装部队中抽拨,或在其他的方面抽调。”

戴笠唯恐特务们不明内情,在听到化整为零的部署后感到泄气,便给大家打气说:

“世界上哪个朝代、哪个国家没有特务机关,人家越喊要取消便越显得重要。但是军统局这个名称有些臭了,组织也太庞大了,经费确也筹措不易,所以要化整为零,以合法化来堵住人言可畏的口,凡事要为领袖分忧着想,我跟他 30 年,是深知此道。”

在北平期间,戴笠为了强化军统的力量,适应化整为零的形势,进一步提出了“裁弱留强,里外三百”的口号,即邯郸战役中,国民党第十一战区副司令长官兼新八军军长高树勋将军,率所部新八军和一个纵队共 13000 余人在邯郸前线起义,反对内战,主张和平。其余的两个军在溃退中被中共武装围歼,第十一战区副司令长官兼四十军军长马法五被俘。高树勋的起义和马法五的被俘,在国民党军队中震动很大,蒋介石尤其感到痛心,气得几天没能睡觉。

戴笠深知,老头子痛心的不是失去了两位战区副司令长官兼军长,而是因为出师不利,挫伤了他本人和国民党军队的反共信心。戴笠是十分自负的,他经常自诩为孙悟空,神通广大,没有办不成的事。由此,他决心在反共方面也露一手,做一件国民党在战场上做不到的事,重新派特务把高树勋从共产党那边招回来,一方面给蒋介石挣足面子,一方面也是在蒋面前显示自己的反共实力。

11 月间,戴笠到达天津,专门召集在津特务开会研究策反高树勋回归国民党的策略。戴笠给特务们打气说:“共产党能把高树勋弄过去,我们就有能力把高拉回来。”

天津站长陈仙洲曾在高树勋部任调查室主任,与高的关系尚好。于是,戴当即将任务交给陈仙洲,指示陈说:“这事交给你去办,不惜花费多大代价,把高拉回来。”

陈仙洲派曾任新八军师长的张无疆前去策反高树勋,结果一去音讯全无。

1946年1月,国共双方签署《建立军事调处执行部的协议》,成立了三人小组领导下的北平军事调处执行部。蒋指定国防部第二厅厅长郑介民中将为国民党方面的首席代表。郑介民虽然对这一个重要职务感到很满意,但是对如何完成这一任务却感到信心不足,因而找戴笠商量。戴笠则认为在军事调处过程中,正是对中共进行特工活动的大好机会,于是专程赶回重庆,具体交代当时八路军、新四军等中共武装方面的情况。戴还向军统局各部门的负责大特务指示,凡郑介民提出要人、要钱、要电台、要武器、要交通工具等,一定要优先供给。

结果,郑介民在戴的全力支持下,一下子从二厅和军统局选调了100多名军统特务赴各地任调处执行小组的工作,并借机开展对共情报工作。郑甚至向戴笠要去军统所谓中共问题专家郭子明当顾问。

为了协助郑介民布置在军事调处执行过程中的对中共情报工作,戴笠于1月22日带着人事处长龚仙舫等大特务再次来到北平。戴笠于北平期间帮助郑介民把人员调遣完毕,并指示军统北平办事处主任马汉三对执行部中共首席代表叶剑英、参谋长罗瑞卿、副参谋长耿飚、秘书黄华等人进行秘密监视。

戴笠对东北的形势也特别关注。当时,东北保安司令杜聿明因突发肾结核病而住进北平白塔寺中和医院动手术治疗,东北军政大事由熊式辉一人统管,文强的工作也更加紧张繁忙。

但戴笠仍对东北的情况放心不下,用急电将文强从锦州前线召回北平,进行谈话,对东北的活动进行检查部署。

戴笠听完文强对东北形势及东北站工作的汇报后,当即以先生的身份给文强上课说:“停战谈判作为攻心之计是需要的,不要认为可以谈出什么结果;不论马歇尔来华也好,其他的什么人来华也好,都只是缓兵之计。打是校长的既定方针。延安方面对此当然是看得明白的,他们也是早有准备的。问题是谁的实力压倒谁。共产党的软功夫比硬功夫强。软功夫能迷惑人,能迷惑世界舆论。恐怕我们将来吃亏吃在软功夫上。”

听到这里,文强以学生的身份向老师提问:“软功夫是不是指政治手腕?硬功夫是不是指军事力量呢?”

戴笠回答说:“你点穿得好。我不懂什么政治不政治。自去年在重庆订立双十协定以来,延安要的软手段要得高明,老头子预料毛泽东不敢到重庆,这一着没有料到。‘统一军令’、‘统一政令’,这两条已全否定了,明明只有非打不可的一条路可走了。目前的形势是打有利还是和有利?”

文强回答说:“打是真,谈是假。谈是为了打,打是为了在更有利的条件下来占上风。不过像马法五、高树勋在邯郸那样送礼的打法,阎锡山在上党地区那样送礼的打法,那就太笑话了。”

戴笠听文强如此一说,不禁气冲牛斗,拍案大骂道:“真没有料到孙连仲这位与陈诚气味相投的人,在江西省有‘剿共’经验,在台儿庄有抗日经验的老牌将领,刚刚独当一面,就如此丢脸,几乎把老头子气得几天没落枕。”

说完,戴笠随即从提包中取出一份文件给文强看,严肃地叮嘱说:“这份绝密文件,是校长于邯郸事件发生后亲自召开的一次极为机密的会议,估计了形势,检查了决策,传授了《剿匪手本》的要义,总结起来就是一句话:打才有出路!这份文件是指定胡宗南做的记录，只许你知道，看完，限明晚将原件送还给我。”

文强拿到这份密件，视若宝贝，当晚即叫人偷偷打印了一本，以便带回东北，贯彻落实。但是，戴笠直到机毁人亡，也没能看到特务们在反共方面做出什么成绩，这是他深为伤心的。

戴笠采取的第三步就是迅速整顿清理军统内部的贪污受贿问题，整饬风气，以免被蒋介石或政敌抓住口实，自招其祸。

在抗战胜利后的接收过程中，由于军统特务一方面利用在沦陷区潜伏力量，能够很快地从地下钻出来的捷足先登的机会，一方面则利用勾结策反伪军汉奸，以后又负责整个肃奸行动的特权，使军统特务们占尽天时、地利、“人和”之便，一个个在接收过程中上下勾结，左右串连，大肆贪污受贿，大发接收财，有的军统特务一人“接收”的房产达20多幢。北平马汉三及其亲信贪污的金佛数只，每只重数十公斤，至于特务们借机向汉奸敲诈勒索，抢车子、奸污汉奸的小老婆、强奸汉奸女儿，更是不计其数。当时，仅据国民党公布的上海敌侨和汉奸房产就有8500多幢(实际上远远大于此数)，被特务、军队宪警、流氓等人侵占的就达5000多幢。其中军统特务是最大的收益者。

起初，戴笠对军统特务们的劫收贪污尚采取睁只眼闭只眼的态度，企图让其自生自灭。但是随着肃奸活动的全面推开，特务们贪污受贿的风气愈演愈烈。到肃奸后期，戴笠已知此事不妙。再这样下去，不但要毁“团体”，而且会殃及自己。

于是，戴笠于1946年初从南京匆匆赶回重庆，将毛人凤等人找去大骂了一通，并连连责问：“现在各地接收财产的情形，你们知道不知道？”

回答：“目前尚难以统计出来。”

戴笠马上激动地指着他们的脸大喊大叫：“你这个管家人，

真越来越糊涂！我告诉你！电报上报来的数字，大有问题，你们得赶快出去清理了，迟了便更要出毛病。”

当天，戴笠便指示毛人凤成立一个财产清理委员会，由军统局督察室主任廖华平兼主任委员，沈醉兼副主任委员，要他们迅速到各地去清理财产。这个组织比国民党的清查团早5个月成立，但后因戴笠出事，军统的清理活动拖到夏天才开始。

清查委员会刚成立，戴笠等不得廖华平等人开展工作，就下令将军统电讯处长魏大铭囚禁，罪名是所谓走私罪。

1946年2月间，戴笠在天津召集特务们进行训话，指出接收大员们贪污腐化、歪风严重，必须予以重视，警告下属保持固有的“清白家风”，如有违反，定予严惩。并威胁要枪毙北平肃奸委员会的军统特务王子英，其罪状是与汉奸小老婆通奸，有辱“团体”门风等等。

当时，军统局内部上上下下听到戴笠发誓要整顿风气、清查财产的讲话后，一个个确实紧张了一阵子。但戴笠一死，大家表面上依依不舍，背地里各自庆幸，魏大铭更是仰天大笑。大特务们失去管束，劫收来的财产和个人荣华富贵可保无虞，心中不禁松了一口气，军统清查活动也不了了之。

## 三　墙倒众人推

戴笠成了彻头彻尾的过街老鼠。

在国民党内外人士的强烈要求撤销特务机关的形势下，戴笠成了彻头彻尾的过街老鼠。于1946年在重庆召开的旧政协会议，戴笠的政敌更是大搞倒戴风潮，他们为“打倒特务”的呼声推波助澜，整个会议期间弥漫着浓烈的“反特”气氛。

戴笠第一次感受到那种舆论的力量,那种万人同声、千夫所指的局面,就是以蒋的手腕和至高至尊的权威,似乎也抵挡不住,不得不连连向戴笠查询化整为零方案的筹备情况。戴笠对此虽早有预见,但是他的考虑是,在未能掌握控制海军司令部之前,军统组织是不能轻易撤销的。

戴笠的既定方针是,以不变应万变,用一个"拖"对付方方面面的逼迫。从1月间开始,戴笠借巡视各地肃奸案件为由,索性避开重庆喧闹的局面,在华北、华东各城市之间飞来飞去,以便躲过困难时期。

1946年2月间,蒋提升唐纵为内政部政务次长,这不但使唐的地位第一次高于戴笠,而且为以后出任警察署长做了准备。这时戴笠已进一步看出蒋将军统化整为零的目的就是为了分而治之,互相牵制,以便控制。

在这同时,蒋指示唐纵主持召开特工月度汇报,以便研讨对付三大会议(国共和谈会议、第一次政治协商会议、国民参政会四届二次会议)要求取消特务机关的对策,戴笠知道在这种形势下,必定是会无好会,策无好策,索性以肃奸案件太多太忙为借口,在外请假,不肯出席。

加上原先出席特工月汇报的八人(戴笠、唐纵、郑介民、宣铁吾、张镇、王某、徐佛观、叶秀峰)中,郑介民去北平军事调处执行部不能出席,王某因国际问题研究所的情报不实,被戴笠告发,蒋一怒之下撤销,宣铁吾已去上海赴任,难以抽身,徐佛观的中央党政军联席会议也名存实亡,故月度汇报的八人小组已不能正常召集。同时,由于需要讨论决策的问题与特工汇报也有所不同,鉴于此,蒋于2月间下令成立了一个新的小组,指定由宣铁吾、陈焯、李士珍、黄珍吾、叶秀峰、戴笠、郑介民、唐纵等8个人组成。

蒋介石拟定的这个名单是很费了一番苦心的。

第一,八人小组中,除陈焯是出身北洋军阀政府的老警察外,只有中统局长叶秀峰是代表CC系,其余6人全部是黄埔学生。这说明蒋在考虑改组特务机关过程中,主要依靠黄埔系。而CC系因陈果夫、陈立夫、朱家骅之流在蒋心目中的利用价值已大大降低,故不被看重。

第二,八人组中,宣铁吾是上海市警察局长,陈焯是北平市警察局长,黄珍吾是首都警察厅长,李士珍是中央警官学校教育长。叶秀峰、戴笠、郑介民、唐纵则代表中、军统特务机构。从大的方面说,警察与特务在名额上4票对4票。这说明在蒋的头脑中,改组特务机构、化整为零的主要方向是警察特工化,把大批特务充实到警察机构中,形成特务与警察的合流。

第三,与老的八人小组相比,戴笠在新八人小组中的地位和影响大大降低。老的八人小组,基本上是以戴笠、唐纵唱主角。新的八人小组中,情况起了根本变化。

首先就会议内容来说,新八人小组要讨论决策的不是如何加强特工活动,而是讨论如何取消特务机构,将中、军统化整为零合法安置到警察系统中去的问题。在这种场合,戴笠不但失去了过去的主宰地位,而且还须求助于这些警界"大亨"。

其次,就新八人小组的成员来说,戴笠对手的势力更加强大。不但宣、叶依然在里面,而且又增加了一个李士珍,一个黄珍吾。李士珍与戴笠你死我活地争了15年,是早已被戴笠拉下马的人,现在居然又被蒋介石扶上马,来参加讨论撤销军统局的问题,这对戴笠不啻是嘲笑愚弄,这是戴笠无论如何不能忍受的。

至于黄珍吾,本是郑介民的同乡,与戴笠有较好的关系,原先在戴笠与康泽的角斗中,戴一度保荐黄担任别动队副总队长与代总队长。黄后来走陈仪和蒋经国的路子,在抗战期间先后任福建省保安副司令兼保安处长、青年军二〇八师师长。蒋经国与宣铁吾本是至交,抗战胜利后,青年军整编复员,黄珍吾由宣铁吾、李士珍联手向蒋保荐,蒋经国暗中施以援手,从韩文焕手中夺得首都警察厅长。这个时候的黄珍吾已完全成了宣铁吾、李士珍一派的人。

至于陈焯,资历之老可以在蒋介石面前摆老资格,戴笠这种"小字辈"的暴发户,当然不在话下。

剩下的一个唐纵,一个郑介民,他们表面上是军统的老人,但唐纵受蒋笼络,早已与戴貌合神离,甚至在暗中与戴相互较劲。况且此时的唐纵,不但升任内政部次长,全国警察总署署长一职也已在掌握之中,他岂肯甘心当一名戴笠的"书记长"。

就郑介民来说,早在抗战初期就开始跳出军统,专在军令部二厅去发展他的新天地。到了 1946 年 1 月中旬,又出任北平军调处执行部国方首席代表,成了国内外瞩目的政治新星,更不屑于跟在戴笠后面当一名"二老板"。

因此,新八人小组之中,大致可以分为三派,宣铁吾、李士珍、黄珍吾是坚定的反戴派,叶秀峰在反戴方面与这一派有共同语言,因而可以为宣等利用,陈焯、唐纵、郑介民是中间派,唯有戴笠是单枪匹马,因而形成一人与七人的分离和对立局面。

蒋介石为了能尽快解决军统组织的改组问题,于 1946 年 3 月初亲自给戴笠发电报,指令他立即返回重庆参加新八人小组会议,电报是由毛人凤通过军统电台代转的。

也正在这段时间里,先期从上海、南京等地回到重庆的宣铁吾、黄珍吾与李士珍抱成一团,开始秘密策划如何将军统彻底搞垮的办法。

军统看家人毛人凤探得这一消息后,当即在蒋介石给戴笠的电谕纸反面，注上“重庆宣(铁吾)、李(士珍)、黄(珍吾)在捣鬼，谨防端锅，请亲自呈复”数语。提醒戴笠注意。

戴笠在外巡视，一直不肯返回重庆，本有借故躲避八人小组会议的目的。现在上有蒋介石紧迫不放，下有宣、李、黄联手算计，戴笠似乎像一头被人逼急了的老狼，于无计可施之中，不禁摆出一副拼死一搏的决斗姿态。

他接到电报后，当即令龚仙舫通知心腹大将文强到他下榻的住所，并将文强引进内室，拿出蒋的电谕及毛人凤的附注给文强看，然后怒气冲冲地拍着胸脯发泄说：“我辛辛苦苦在外面奔波劳累，一心为国为校长，想不到会有人乘机捣鬼，落井下石，想端我的锅。同室操戈，实在欺人太甚！请为我拟一复电，说我处理平津宁沪的肃奸案件，事关重要，无人可以代理，请宽限半月才能返渝面陈一切。同时要表达对宣铁吾、李士珍、黄珍吾捣鬼必须揭发的意见，措词要委婉一些，不要露出与人争长短的痕迹。复电搞拟好后，先交我看，然后再拍发。”

接着，戴笠关照说：“此事只许你一人知道，对其他的人要保密。”说完这些，戴笠红着眼睛，气冲冲地走了。

文强虽以足智多谋而得戴的称许，但要拟这样一份复电却颇感踌躇，经再三字斟句酌，方拟成一稿，大致内容是：

“校座钧鉴：电谕敬悉。本当遵谕返渝，因平津宁沪巨案，尚待亲理，本月中旬始能面聆教诲，敬乞示遵。生云天在望，唯命是从。讵料煮豆燃萁，相煎何急。生效忠钧座，敢云无一念之私。不得已而晋忠言，冒死陈词，伏乞明察。生戴笠。”

文强的复电稿拟好后，交戴笠润色，拍发毛人凤亲译后转报蒋介石。

戴笠的复电稿本是气急后的一时激愤之词，特别是“煮豆燃萁，相煎何急”之句，让蒋何以理解，如果蒋查无实据，震怒之下，戴岂不是祸患加身，自取其辱。因此，毛人凤接电后，经过与原中美所主任秘书潘其武仔细研究，认为电报中"煮豆燃萁，相煎何急"两句应建议老板删去，否则是祸是福，难以逆料。但是，还未等到毛人凤、潘其武的建议电发出，戴笠已在黄泉路上行走了。

蒋介石的一份电报，好像一张催命符，使戴笠终日处于紧张不安状态。

戴认为，宣、李、黄三人不可怕，即或比宣、李、黄三人来头更大的二陈兄弟和孔祥熙，戴照样打得他们落花流水，真正可怕的还是蒋介石。蒋爱之则生，蒋恶之则死，这是没有疑义的。宣、李、黄三人暗中捣鬼，要端锅，如果仅仅是他们自己的阴谋，尚不足为虑。问题是这里有多少是蒋的意图？本来，以蒋一人之力，他已不堪对付，倘若蒋再假手宣、李、黄相逼，戴纵有回天之力，也难以施展。真是如此，戴自感也确是死蟹一只，只有任其摆布了。

想到这里，戴笠食不甘味，夜不成寐，惶恐不安，忧心忡忡。戴笠曾忍不住对心腹文强说："你从形势上来看，我们团体的前途怎样？"

文强直截了当地回答说："目前三大会议一致高喊要消取特务机构，以校长的英明也难以应付，问题当然不止于对团体不利，更重要的将是对整个国事前途的不利。"

文强几句话语，使戴笠顿感有了知音，他点点头说："你的看法很有见地，有没有好的对策，考虑成熟后，明晚深谈。"

第二天，戴笠约文强再做详谈。文强经过一夜的深思熟虑，当即给戴笠分析了团体的致命难关有三：一是外有三大会议要取消，二是内有三陈（陈果夫、陈立夫、陈诚）在作对，三是更有黄埔系的三人要端锅。但对策却有四：一是千变万变，特工的重要性不会变，外要取消，内要端锅，更显得特工重要；二是“剿共”是校长的既定政策，只要打起来，就有戏可唱；三是校长在战后的国策是依靠美国，“团体”与美国的关系搞得很不错，应该抓住这一点，大做文章；四是化整为零是一着好棋，可以为校长分忧，堵住叫喊者的口等等。

文强滔滔不绝地条分缕析，做长篇大伦，但是却没有接触到如何对付蒋介石假黄埔系三人要端锅的问题。因而戴笠听了甚不满意，当即打断文强的话，反驳说：

“端锅的对手是比三会议的外敌和三陈的内敌还要棘手，看来你没有将这个问题考虑进去。”

文强是聪明的。他知道自己在这个问题上对戴笠内心的痛处估计不够深透。经过短暂思考，马上向戴笠提出了“以退为进”的对策，并强调不如此“难以渡过难关”。文强具体解释说：

“以校长之英明，自北伐以来就有过三次下野。下野就是以退为进，不如此，渡不过难关。山重水复疑无路，柳暗花明又一村，陆游的这两句诗，何尝不是至理明言。我说的以退为进的办法，是暂时避避风，以出国考察为由，自请出国一游，将摊子交介民先生看守，又有人凤为助，是万无一失的。预料共产党绝不会就范，内战不久就会大打起来。校长在双十谈判和停战协定所用的缓兵之计，谁又能骗得了谁呢？等到大打内战时，自然就少不了借重之处。假若出现了拜将不退的局面时，特别是与美国的关系还不牢靠时，决不要轻易归国，必须等到一再电召而后归，必须等到身价百倍而后归，这才是新局面的到来。”

文强所谓“以退为进”对策的核心，无非是要老板用反共内战及国民党同美国的关系两根筹码，向蒋介石做最后摊牌式的要挟。这在文强来说，能想出这一“对策”，只是出于熟悉戴笠有自命不凡的特点，特别是到抗战后期，戴更是骄横自大，目空一切，把自己看成是党国栋梁之臣和蒋氏最有资格的衣钵传人，因而野心大发，到处结党营私，呼朋引类，甚至公开向蒋的权力挑战(抗命扣押曹汝霖)。

不料文强动员戴笠与蒋"对着干"的对策，由于触及到蒋戴矛盾的症结所在，马上引起了戴笠的兴趣。多日来，戴笠处于出山以来最感困难的境地，真正的原因就是感受到蒋对他的威胁。戴笠实在是个聪明绝顶的人，他对蒋精心研究揣摩了 20 多年，对蒋的一言一行、一举一动的目的莫不了然于胸，可以说，在国民党内，没有人比戴笠对蒋介石的思想、性格、作风更了解，更熟悉。

正因为这一点，戴笠从一开始就怀疑蒋秘密指令撤销军统局的真正目的是为了对付共产党要取消特务机构的呼声，只不过当时戴笠对政局发展的形势不明。但是，戴笠很快发现蒋在这个问题上是在要手腕。《双十协定》签字后，蒋马上决定给国民党军队的各级军官重新印发《剿匪手本》。并下达密令称："此次剿匪为人民幸福之所系，务本以往抗战之精神，遵照中正所订《剿匪手本》，督励所属，努力进剿，迅速达成任务。其功于国家者必得膺赏，其迟滞贻误者当必执法以罪。希转饬所属剿匪部队官兵一体遵悉为要。"戴笠由此看出蒋所签订的《双十协定》都只是敷衍共产党，应付国内外舆论的表面文章，何以国共和谈中共产党要求取消特务机构的呼声，蒋竟然动真格的。戴笠百思不得其解。

蒋一生是靠特务工作起家的。特工的重要性，没有人能比他更了解。既然要剿共，要打仗，内战形势一触即发，特务工作是断不可以少的，特务机构不但不应该取消，还应该加强，何以蒋要违背常理，做出撤销军统局的决定？以蒋的性格来看，他素来是个敢作敢为，胆大妄为之人。发动中山舰事件、"四·一二"

清党、宁汉分裂、汤山扣押胡汉民、抗战期间赶走史迪威等等，哪一次行动不是冒天下之大不韪，不都是在政治上、舆论上引起轩然大波？可见，蒋为了要达到某一目的，历来是不择手段的。何以三大会议提出取消特务机关，蒋居然抵挡不住，一次又一次地严逼戴笠尽快撤销军统组织，搞所谓化整为零呢？

戴笠思来想去，早已看出蒋所谓特务机关化整为零的策划不过是一个借口而已，所谓三陈的作怪、黄埔系三人的端锅，都不过是蒋的假手而而已，蒋的真正目的就是要通过撤销军统局，削弱以至取消戴笠手中握有的特工权力，消除军统的威胁。因此，戴笠意识到，一旦军统化整为零，他将再也不能像过去那样掌握这些合法化的公开机构，戴笠的地位、权势、荣华、富贵也随着军统的消失而一并消失，这是戴笠真正的忧虑所在。这也是戴笠通过软顶硬抗的办法，迟迟不肯将军统改组的原因。

虽如此，戴笠很清楚，蒋介石一旦看准了，认定要办的，是非办不可的，戴笠躲得了初一，躲不过十五。军统终究要取消，自己的出路何在？

如何跟蒋做最后的较量，这是戴笠自蒋下达撤销军统的密令以来，一直绞尽脑汁在考虑而始终没有良策的问题，现在文强一个“以退为进”的对策，使戴笠茅塞顿开，心情豁然开朗。他马上放下一贯骄矜自持的架子，笑容满面地送文强出来，边走边说：“老兄说的值得考虑。但不必对别人说。”

文强见他高兴，便打趣地说：“假如出国畅游的话，请不要忘记带我一同去呀！”戴笠听了，开怀哈哈大笑，他感受到一种多少天来没有过的一次放松与惬意。第二天，戴笠与第十一战区司令长官孙连仲见面时，便按捺不住自己激动的心情告诉孙连仲，返渝后将赴美一行。

戴笠的分析大致是不错的。密谋策划要端锅的宣铁吾既是新八人小组名列第一的成员，又是严密监视戴笠的五人小组的核心成员，宣在黄埔时期就当过蒋介石办公室的侍卫和侍卫长，并与蒋经国称兄道弟，成莫逆之交。应当说，宣与蒋氏父子的关系之深是超过戴笠的。蒋在后期起用宣铁吾打进戴笠控制的缉私、警察等势力范围，不断地抢戴笠的饭碗，与戴笠作对，也就是看中宣与蒋氏一门的深厚关系。这一点，戴笠也是看得清楚的。

所以说，宣铁吾策动李士珍、黄珍吾两人共同谋划要彻底端走戴笠手中的"饭碗"，应该说是抓住了蒋介石处理军统问题腹案后采取的行动。否则，以宣铁吾对蒋的忠诚和驯服来说，即使与戴笠夙有宿怨，也还不至于胆大妄为地想到要对蒋介石历来视为命根子的军统组织来个端锅。或者说，他即使想端也不敢端，要端也是不能端的。宣铁吾的背后就是蒋介石。

## 四　大小魔头贪婪成仇

穷途末路的戴笠像一个疯狂的幽灵一样到处乱窜……

戴笠梦想再恢复他昔日的特务帝国，可他的种种努力都显得苍白无力。他真的很累，他自感自己就是一只秋后的蚂蚱。可他从骨子里不甘心败落，他太渴望昔日那"教主"的权势了。

戴笠的唯一希望是早日爆发国共内战。戴笠认为：一旦内战爆发，蒋介石把取消特务机关作为应付三大会议的借口就不复存在。反共之际，正是用人之时，到时候蒋关于撤销军统局的初衷一定会有所改变。问题是军统在反共活动方面要早有部署，要随时能拿得出有份量的东西，让老头子感到离不开、少不了。

戴笠基于这一考虑，在北平期间，一方面抓住文强，对东北的反共活动加强布置。一方面则指令人事处长龚仙舫,在华北地区搜罗日伪汉奸特务,组织内蒙方面的反共特务组织,以便派往被中共武装占领的内蒙广大地区开展活动。

因此,戴笠在北平期间亲自提审了已被逮捕的著名日本间谍川岛芳子(金璧辉)。川岛芳子长期在华北地区活动,对内蒙方面的情况不但十分熟悉,而且她手中掌握的一些关系可以进行利用。

当川岛芳子知道坐在对面的这位黝黑马脸的中年汉子就是大名鼎鼎的戴笠时,顿时来了精神。她除了在反共特工活动方面对戴笠有所贡献外,当即说出了一件令戴笠十分震惊的秘密,告发军统大特务马汉三在抗战期间曾经叛变投日,马汉三在战后逮捕她的时候,还从她家中搜走了一柄九龙宝剑。

川岛芳子说出宝剑一事,本意只是想作为证明马汉三投日的佐证,不想戴笠听到“九龙宝剑”几个字,神经很快紧张起来,马上联想到孙殿英当年送给他的那把龙泉宝剑,便详详细细地向川岛芳子打听她所见到的这把宝剑的详细情况,当戴笠从剑体的外观、长度、剑柄上雕龙及到鞘上嵌玉的数量与形状等断定均与孙殿英赠送的那把龙泉宝剑的特征吻合时,多年来萦绕他心头的一个疑问终于有了答案。

原来,当马汉三在河南林县从戴笠手中接过这把龙泉宝剑时,立时被这件稀世之宝震惊得不知所措。他深知其价值是无法用金子计算的,一旦能够带出国外,不但自己终身的荣华富贵有了保障,就是子孙后代也可享用。

马汉三本就贪婪无比,自得到这把宝剑后,终日神魂颠倒,茶饭不思。他既不想轻易把这件到手的异宝送到重庆,又害怕躲不过戴笠的严厉打击。思来想去,他竟利令智昏,决定宝物暂不上交,先静观局势发展。当时正是日军长驱西进,国民党军队全面溃退,大片国土沦失,国家民族处于生死存亡未卜的严峻时刻,马汉三自忖如果国家民族不保,军统当然也不复存在,自己何不携带此剑就此脱离军统,逃亡国外,换得荣华富贵,可保终身受用不尽。万一局势有了转机,戴笠又紧追不放,则随便找一个理由作为迟缓上交此剑的借口,再把此剑送还戴笠不迟。

1939年间,戴笠从中原各地视察回到重庆,虽未见马汉三将此剑送到,但他根本不会想到马汉三有胆量会起异心,一方面认为关山阻隔,路途艰险,故而迁延时日。另一方面他自己也许并不想马上将此剑献给蒋介石,故也没有及时查询此事。

就在戴笠的瞬息疏忽之间,龙泉宝剑又再次易主。

1940年初,马汉三以商人身份在张家口活动时,误与日本特务机关开设的"大隆洋行"接触,并因挥金如土、生活糜烂,引起"大隆洋行"的后台老板、日军大特务田中隆吉的注意。

田中隆吉是一位老资格的日军特务,属于日军少壮派。自20年代以来,先后在上海、东北、华北、内蒙等地,策划过无数阴谋事件,被称为是一个具有狐狸般狡猾和疯子般性格的阴谋家。

经田中派特务一查,马汉三的身份很快被弄清,田中隆吉马上指示张家口特务机关长田中新一将马汉三逮捕审讯。

大凡贪财之人,无不怕死,马汉三被捕后,听说落在嗜杀成性的大特务田中隆吉手中,自知情况不妙,当即供出全部情况,并献出龙泉宝剑,以求活命。果然田中隆吉得到此剑,欣喜异常,不但免其一死,而且将其释放,令其暗中为日军特务机关服务。

1940年春,田中隆吉被日本东京大本营派充为日军山西派遣军少将参谋长。12月,田中隆吉因指挥山西作战失利,被奉调回国。田中隆吉深知自己因平时飞扬跋扈,在日本军界中口碑很坏,可能结果不妙,因而在回国前路经北平时找到川岛芳子,将龙泉宝剑交给川岛芳子妥为保管,以防回国后受到宪兵的整肃而被追缴。二十年代末期,田中隆吉在上海任特务机关长期间,川岛芳子曾在他手下工作。两人狼狈为奸,形同夫妇,关系很不一般。

马汉三自被田中隆吉释放后,因这段经历并未暴露,所以仍然当他的军统陕坝工作组长。不久,戴笠因久不见马汉三送剑到渝,故发电查询,马汉三则胆颤心惊地复电戴笠,因此剑珍贵异常,风云突变,为安全计,古剑仍留在孙殿英处,容日后再做计议等等。

戴笠又去电孙殿英处询问,孙殿英一方面弄不清戴笠再次提出讨剑,其葫芦里到底是卖的什么药,一方面忙于与日军洽谈投降事宜,无暇顾及,故久久未给回电,戴笠怀疑孙殿英一时反悔,也不便追逼此事,等到孙殿英公开投敌,讨剑一事也就更不好提起,马汉三因而侥幸过关,把这一巨案搪塞遮掩过去。

以后,马汉三居然步步高升,先后由陕坝工作组长调任军统兰州站站长兼第八战区调查室主任、宁夏缉私处处长、五原办事处主任、军统局本部布置处处长等职;但马汉三的一块"心病"仍时时系在宝剑身上,时时在暗中密切注视田中隆吉的行踪。

1941 年田中隆吉回国后,马汉三估计田中隆吉以一败军之将的身份不至于冒险将宝剑带回日本,于是多方打听田中隆吉回国前与什么人有过接触,终于了解到田中隆吉与川岛芳子交情非浅。由此秘密派军统特务以"和谈"为名,长期潜伏在川岛芳子身边,以对其进行掌握控制。

抗战胜利后,马汉三通过毛人凤向戴笠进行活动,被任命为北平办事处主任、平津地区肃奸委员会主任委员、北平行营军警督察处处长。马汉三到北平后,第一件大事,就是抢在肃奸行动开始之前,亲自带人于 1945 年 10 月 11 日将川岛芳子逮捕。然后命人在川岛芳子的住处北平东四牌楼九条胡同34号进行大搜捕。这是一处有三进院落的四合院，原是大汉奸伪满洲国实业部长张燕卿送给她的逆产。马汉三指挥手下特务整整用了2个小时进行挖地三尺的搜寻，终于在房后的地窖中找到此剑。

马汉三复得此剑，又看到孙殿英在战后重新投靠国民党，成了“曲线救国”的“英雄”，知道这场戏已经唱到尽头，自己在军统的日子指日可数，只要戴笠与孙殿英再次见面，自己私藏宝剑的罪行就会暴露，以戴笠的手腕，自己有几个脑袋都是保不住的。

于是，马汉三开始秘密筹划对策。一是在军统高级特务中寻找靠山和援手，特别是同郑介民、唐纵、毛人凤等人拉好关系。马汉三因心中有鬼，早在任宁夏缉私处长时，就狠捞了一把，一方面准备后路，一方面给郑、唐、毛等大特务送礼，以防在不测时能有所照拂。马汉三到北平后，一如既往，对郑、唐、毛经常孝敬，且不图报答。当郑介民到军调处执行部工作后，马汉三更是通过送礼行贿与郑介民紧紧勾结在一起，成为郑的亲信心腹。

在此基础上，马汉三利用他长期在华北地区工作的条件，大肆搜罗党羽，组织小团体，这个秘密组织人数最多时达到50多人，其中包括军统北平站长乔家才等大特务也在其中。马汉三秘密策划，如果形势危急时，就用破釜沉舟的方法，铤而走险，拼死一搏。

马汉三营造的第二个洞窟，就是投靠北平行营主任李宗仁。马汉三知道桂系是国民党内独树一帜的实力派，如果得到李宗仁的保护，不要说戴笠无可奈何，就是蒋介石也一时难以下手。

于是，马汉三处处对李宗仁巴结逢迎，忠心耿耿，并把军统内部有利不利于桂系的情报及时向李密报，深得李宗仁的信任，因而由李力荐他担任北平市民政厅长，成为李的心腹。

马汉三的最后一着就是预备逃亡国外，远走高飞。

马汉三营造“三洞”，但进哪一个“洞”都是少不了金银财物的。于是，马汉三到北平后，利用接收日伪财产和肃奸的权力，几乎是发了疯似地贪污索贿，其所聚敛的财物简直难以计数。在军统清查工作开始前，由马汉三等人大捞剩下后上报的日伪财产尚有一仓库，但是等到军统清查大员廖华平、沈醉等人到达北平清查时，一仓库的财物又只剩下半仓库。可见马汉三等贪污财物之巨。

戴笠弄清自己朝思暮想的龙泉宝剑尚在马汉三处，且马汉三又是个暗中出卖“团体”，背叛国家的“异类”时，心中极其愤恨，恨不能立刻生啖其肉，以泄其愤。

然而待到戴笠把此事冷静地思考了一遍，感到尚不宜鲁莽行事。

一是马汉三“叛变”的证据尚没有到手，仅凭川岛芳子的一面之词是不足为训的。川岛芳子本是一个特工老手，万一中了她的圈套，岂不贻笑天下。况且川岛芳子揭发马汉三，是由于马汉三竭力宣传川岛芳子是“特大号汉奸”，要杀川岛芳子以灭口，安知川岛芳子不是反其意而用之?

二是戴笠当时既要急于赴青岛与柯克践约会晤，进一步洽谈美国海军援助中国的舰艇问题，又要赶往上海与胡蝶见面，并替胡蝶办理与其夫潘有声的离婚手续问题，准备正式与胡蝶结婚；然后，还要返渝向蒋汇报华北、华东等地肃奸案件的处理情况，参加新八人小组会议等等，并主持战后第一次“四一”庆祝大会，这段时期实在难以分身在北平亲自调查处理马汉三投敌案；

三是戴笠认为当时的中心任务是如何与黄埔系的三人进行斗争，使“团体”不被端锅的问题，如果在此时将马汉三这一巨案抖落出去，徒然给对手增加攻击的口实，反使“团体”处于更加不利的境地；

四是孙殿英所献的这一柄象征皇权的龙泉宝剑，实际上意在由自己秘藏，故始终没有向外透露，更没有向蒋报告。现在如果把马汉三扣押起来，并签报蒋予以处决，蒋如果查询龙泉宝剑的来龙去脉，自己何以为对；

五是戴笠感到北平是桂系的天下，且马汉三不但党羽遍布华北，而且与李宗仁关系密切，自己尚身在虎穴，一旦打草惊蛇，激起狗急跳墙，其后果不可不防。

如此一想，戴笠决定施以缓兵之计，徐图对策，伺机收拾这个“异类”。

戴笠与龚仙舫密谋密划的结果，决定第一步由龚仙舫给马汉三递过话去，只是索要“从金璧辉家中搜出的古剑”，其他的话题一律不谈。一来是要取得确实证据，弄清此剑是否就是彼剑，一剑在手，即可测知马汉三其人真面目。二来戴笠实在是太想念这把宝剑，他怕夜长梦多，此剑如再次易主，那就永难谋面了。

第二戴笠故意留给文强一信，托马汉三代转，以示信任。他估计马汉三将会偷看信的内容，因而露出将重用马的口风，以稳住马汉三。

当龚仙舫向马汉三提到宝剑一事，马汉三即知事情已经败露。马汉三是有胆量的，生存的本能促使他决定要向“无人能知”的老板做一次最后的较量，而决不做束手待毙的阶下囚。

能上能下的马汉三当即按久已蓄谋的步骤实施。为了能稳住戴笠、龚仙舫，争取时间，马汉三装得很“识相”，极痛快地交出宝剑，只是说他如何“出生入死”，保护了宝剑。这些破绽百出的谎言自骗不过聪明绝顶的戴笠，相反，却显示了撒谎人的自欺欺人和笨拙可笑。但唯其如此，却应了古人的两句俗语：聪明过头就愚蠢，大智若愚。马汉三这一“笨拙”的险棋却造成了戴笠抱恨终身的失策。

马汉三一步得手,连施妙着。他发现戴笠并没有立下杀手,赶尽杀绝的意思,马上将预备好的10大箱价值连城的书画古董、金银财物,亲自押送到弓弦胡同什锦花园,孝敬戴笠。戴笠笑眯眯地照收不误。在戴笠看来,马汉三此举无非是想以巨宝"赎罪"和"堵嘴",但是他这样做的结果不是既暴露了自己犯下了弥天大罪,又是一个利用肃奸行动大肆搜刮汉奸财产的大贪污犯吗?

戴笠这样分析马汉三动机,又导致他犯下了一个致命错误。结果对马汉三这一"愚蠢"的举动毫不怀疑,并且将预先准备的一份给文强的信交给马汉三转送。

马汉三二番得手,又将自己的心腹秘书刘玉珠找来,研究如何实施第三步行动方案。刘玉珠是马汉三集团内最核心的成员,马汉三所有贪污索贿行为,都是刘一手经办,二人已到了生死与共的地步。

马、刘二人首先偷看了戴笠给文强的信,内中虽有拟将马汉三他调,委以重任的意思,但马汉三早已看穿这是戴笠调虎离山所放的烟幕弹,因而更坚定了他破釜沉舟的信念。接着,马汉三发现戴笠在信中透露此去天津后,将去青岛、上海等地的重要机密情报。于是,马汉三对刘玉珠附耳授以密计,如此如此。刘玉珠领计,当天夜间即秘密动身,先期赶往青岛,进行周密部署,一个以干掉戴笠为目标的行动计划实施已到最后阶段,死亡的阴影已在一步步向纵横天下的戴笠逼近,而戴笠却全然不察。

## 五　飞机毁了,人也死了

这是报应,整天算计别人,终被阎王看中了。

1946年3月10日,戴笠在即将离开北平前夕,在北平怀仁堂主持军统北平办事处总理纪念周,发表公开讲演。戴笠说:“去年领袖叫我当中央委员,我坚辞不就,因为争权夺利,不配做一个革命者。”“最近中央开六届二中全会,十几天来所表现的情况,未出我预料之外,对调查统计局的问题,看来是毁誉参半的。有人叫要打倒我们,(所谓特务)我不知道什么叫打倒,什么叫取消,我只怕我们的同志不进步,官僚腐化。如果这样,人家不打,自己也会倒的。所以我时刻所想的,是如何对得起先烈,如何保持光荣历史,决没有想到别人如何打倒我。我个人无政治主张,一切唯秉承委员长的旨意,埋头去做,国家才有了路,个人才有前途。”戴笠的这番话无非是想说明,他早已将政治上的进退置之度外,随时准备可能出现的严峻形势。

3月12日,戴笠约见在北平执行军事调处任务的郑介民,在商讨解决东北军事危机的同时,出其不意地把军统的交底和善后工作一件一件地向郑介民做了交代。戴笠既不讲明自己预备出国的腹案,也没有说明军统的前途,却与郑介民做了“最后晚餐”式的交代,顿使郑介民如坠雾里云中,有“交代后事”之感,隐约有一种凶险不测之兆。

3月13日,戴笠在北平工作干部会议上再次发表讲话,然后赴天津。军统华北总督察王蒲臣亲率军统在北平的干部送行,马汉三则陪同戴笠赴天津。戴笠与军统大小特务握手告别,并谦虚地说:“下不为例,这是最后一次。”这在戴笠也许只是故作姿态的游戏之言,然而站在一旁的马汉三听了,心中不觉怦然一动,认为“这是最后一次”也许正是预示戴笠死到临头的善语。

领衔送行的王蒲臣,是戴笠为对付马汉三而刚刚调来北平工作的一名军统大特务。他的公开身份是军统华北总督察,秘密使命则是:调查监视马汉三及其同党在平津的所作所为,向军统局提出证据确实的报告。王蒲臣多年从事华北地区的军统活动和秘密督察工作,对平津的情况很熟悉,人也精明能干,是戴笠的心腹亲信。自戴笠察觉马汉三不轨行迹后,当即下令将王蒲臣调任华北总督察的要职,一方面钳制马汉三的活动,一方面着手秘密调查马汉三抗战期间及胜利后的劣迹,以便为铲除马汉三搜集证据。戴笠的这一着棋虽然布得太慢,被马汉三一步占先,但毕竟为两年后铲除马汉三集团起了重要作用。

3月16日,天津机场上,戴笠笑容满面地与送行的马汉三、陈仙洲、黄天迈等平津地区的大特务话别。马汉三即于当日返回北平。

戴笠在天津起飞前,分别向军统上海办事处和重庆局本部发了2份电报。发给上海的电报是给上海办事处参谋长李崇诗,戴指定由李崇诗、邓葆光、王一心三人于3月17日下午2时到上海龙华机场接他。发给重庆的电报是给毛人凤的,戴笠要毛人凤向蒋介石报告他的行止,他将于近日内由上海返回重庆,向蒋汇报此行的情况。

戴笠于当日到达青岛,军统青岛办事处主任梁若节一见面就向戴笠报告,美国海军第七舰队司令柯克已于当日飞上海,准备由上海乘机回国,并约定与戴在上海见面,最后商谈"援助"问题。戴笠马上决定在青岛小憩一夜,于第二日上午赶往上海,并指示人下机后,所带行装、物品,包括马汉三的10大箱礼品均不下机;飞机停在青岛沧口机场,由梁若节派特务严密看守,确保安全。

3月17日上午,经青岛沧口机场向上海龙华机场联系,龙华机场天气晴好,下午可能有雨。戴笠听后十分高兴。因他乘坐的这架由航空委员会拨给的DC47型222号专机,是美国提供的导航设备最先进,可以全天候飞行的军用运输机,堪称40

年代世界一流飞机,相当安全可靠。

为此,戴笠于17日上午9时决定:专机11时起飞,并告诉飞机师多备油料(达800加仑)。戴笠考虑,万一上海龙华机场天气条件过于恶劣,不便降落,则可以转降南京机场,或直飞重庆。

布置完毕,戴笠还兴致勃勃地说了句“老天爷帮忙”。这在戴笠一方面是出于对专机性能的信赖,另一方面急于赶赴上海的心情不容他在青岛多做停留。此时,胡蝶早已到达上海,正等候戴笠到上海后帮其办理与丈夫潘有声离婚手续;柯克因卸任从上海回国,戴笠必须抓住最后一次机会与其做一次深谈。

上海的这两件大事处理结束后,戴笠还将按原先已向蒋报告的在3月中旬迅速赶赴重庆,一是向蒋介石汇报这次外巡的情况,二是参加新八人小组会议,对付黄埔系“三大哥”宣铁吾、李士珍、黄珍吾的“端锅”行动,三是主持庆祝战后第一次“四一”大会等等。

戴笠的起飞时间确定后,有一人立即忙碌起来,这就是早两天已到青岛秘密守候戴笠到达的刘玉珠。

刘玉珠到达青岛,以军统局华北督导员的特殊身份,暗中与青岛机场的航空检查人员混得很熟,并与机场和军统青岛办事处的有关方面打通关节,以便及时掌握戴笠的行踪。

马汉三、刘玉珠等人十分了解戴笠的特点,知道他历来对自己的行动计划极其保密。一般来说,戴笠座机移动的时间和路线均由他自己做出决定,从不肯受别人左右或影响;戴笠每次做出决定后一般只通知极少数有关人员,以免张扬泄密;并且常常在做出决定后,突然改变行动时间和行动路线,使手下人搞得措手不及。

针对戴笠的这些习性,马汉三与刘玉珠事先做了周密的计划和安排。因此,刘玉珠到青岛后,不是抛头露面,而是深入基层,只在暗中积极活动,秘密建立情报网络,开辟计划实施时的掩蔽渠道。这一手确是厉害,由于刘玉珠有华北督导员的特殊身份,手中又有大把大把的钞票,并且又十分熟悉青岛地区军统内部的情况,所以,仅仅两三天时间一张大网已经织好,只等戴笠到来。

当戴笠决定于上午11时起飞时,情报很快反馈到等候在沧口机场的刘玉珠那里。于是,刘玉珠立即按计划实施暗杀戴笠的方案。

刘玉珠驱车到达机场,向警卫222号专机的特务提出登机检查"安全状况",以确保飞行安全。由于刘有军统华北督导员的特殊身份,有这个权力,况且特务们均和他很熟悉,近来又得了他不少好处,因此,谁也不会对刘督导员的登机产生怀疑。于是,刘玉珠很顺利地一个人登机用马汉三事先预备的钥匙,打开一个木箱,塞进了经过伪装的高爆力定时炸弹,并将引爆时针拨到飞机飞临上海龙华机场上空时爆炸,以造成飞机降落时失事的假象。

但是,上午11时正已过,戴笠并没有马上起飞。由于接见山东省第三区行政督察专员兼保安司令王洪九等人,戴笠将起飞时间一再推迟。这一突发变故使暗中窥测在一旁的刘玉珠惊出一身冷汗,他弄不清戴笠葫芦里卖的什么药,是一般的延迟出发时间呢。还是觉察了他们的阴谋?假如出发时间超出定时引爆时间,不但一切计划均被打破,而且他们的阴谋将很快被发觉,他和马汉三都将死无葬身之处。

就在刘玉珠惊慌失措、六神无主的时候,11时45分,戴笠终于登机,下令起飞。专机像一只大鸟冲天而起,向上海方向逶迤而去,刘玉珠被吓得蜡黄的脸上这才泛出了一点血色。

222号专机从沧口机场起飞后,即遇大雾。飞不多久,经与上海龙华机场联络,说是上海方面雨大如注,气候恶劣,该机不能降落。于是,戴笠决定直飞南京。飞机到达江淮地区上空,正值大雨,云层很低,能见度差,飞机偏离航线。约在下午1时6分,飞机到达南京上空。1时13分,当飞机抵达南京郊县江宁板桥镇上空时,刘玉珠设定的高爆力定时炸弹起爆,飞机顿时失控,一头栽倒在板桥镇以南一座不足200公尺高的小土山——戴山的半山腰上。由于机上所备油料充足,飞机坠毁后,大火在雨中熊熊燃烧了2个多小时才熄灭,机上所有行李、物品,包括10箱书画古董,均被燃烧殆尽。

机上人员全部遇难,无一幸免,他们分别是:

戴笠,国民党军委会军事调查统计局副局长,陆军少将领中将衔;

龚仙舫,军统局秘书兼局本部人事处长,军统少将;

金玉波,军统局专员,帮会工作专家,杜月笙徒弟,江苏人;

徐焱,副官;

马佩衡,英文秘书,香港大学文学士;

黄顺柏,戴笠保释的汉奸;

曹纪华,卫士;

何启义,卫士;

冯振忠,上尉飞行员,正飞机师,有丰富的飞行经验;

张远仁,中尉飞行员,副飞机师;

熊冲,少尉飞行员;

李齐,通讯员;

李开慈,机工长。

自戴笠以下,共13人,全部死亡。奇巧的是,戴笠一生极为忌讳的事和数,竟一连串地凑在了一块儿:13时、13分、13个人于浓雾、雨中葬身戴山。

222号专机坠毁以后，最先感觉到不祥预兆的是军统上海办事处三少将李崇诗、邓葆光、王一心。

3月17日下午2时，李崇诗、邓葆光、王一心按戴笠先一日的指令，冒着倾盆大雨，驱车去上海龙华机场迎接老板。在机场，他们耐心地等候了2个小时，始终不见戴老板座机的影子。

李崇诗似乎有些不安，他先通过机场电台向北平办事处查询。马汉三回电，戴老板已于3月16日由天津飞青岛。再询青岛办事处，梁若节回复，戴老板已于上午11时45分飞上海。

3名少将焦急不安起来，推算起来，戴老板的专机应达上海，为何仍不见踪影？于是，他们急返市区杜美路办事处，命令军统电台连续向北平、天津、青岛、南京等地的军统办事处和军统站查询，并将情况报告重庆局本部毛人凤。但各地的电讯陆续返回，均无消息。戴笠和222号专机一起神秘地失踪了。李、邓、王至此既不敢回家，也不敢将老板失踪的消息透露出去，更不敢想象老板可能遇难。他们只是在杜美路办事处苦守电台，等候各方面出现有关戴老板行踪的新消息。等待奇迹出现。

戴笠座机失踪的消息，在南京、青岛、天津、北平等地军统组织的高级特务中，犹如瘟疫一样，引起大家的恐慌。陆军总司令部调查室主任兼军统南京办事处主任李人士接到上海方面协助查询消息后，立即赶到南京机场查询，得知222号专机午间前后曾与南京机场有过联系，但很快中断。

李人士是很冷静的，他听到这个消息后，经过分析，认为在南京附近，并无其他大型机场，老板的座机确已起飞，从时间上推断，若无例外，本应到达南京、上海，而且确实与南京机场有过联系，说明222号座机肯定到达或经过南京上空。

目前的情况，极有两种可能，一种情况是222号转降其他大型机场,但现在尚无任何消息证实;另一种情况则是222号在南京地区附近迫降或坠毁。这虽然是一种令人不寒而栗的想象,但李人士不得不从这方面做最坏的打算。于是,他当即向南京四郊地区的军统组织和情报人员发出指令,要他们仔细寻找DC47型222号军用运输机的下落,并派出陆总调查室和南京办事处的特务四出寻找,打听消息。

军统青岛办事处主任梁若节、军统天津站长陈仙洲得到老板座机失踪的消息,也在不断地向机场打听消息,通宵不敢睡觉,苦守在电台旁。等候上海、南京及重庆方面的电讯联络。

北平的马汉三自16日在天津送走戴笠回到北平后,几乎是在惊慌、恐惧和焦虑中度过了一个不眠之夜。他对这次由自己一手策划的破釜沉舟的暗杀行动做出了各种最坏的打算,就是不敢想象戴笠会死在自己手中。

在马汉三眼中,戴笠不啻是一个无与伦比的暗杀大师,他一生策划和实施了许多石破天惊的暗杀行动,无疑是一件件完美无缺的黑色艺术杰作。一个杀人大师,竟也会被自己所杀,马汉三实在不敢想象。

当17日下午上海方面发出戴笠座机失踪的查询电报后,马汉三仍然不敢相信这是真的。但是,事件的进一步发展,使马汉三很快惊醒过来,他意识到他很可能成功了,一个无比强大的对手,终于被他闪电般地一击,打翻在地,是他一手制造了一个令人无法相信和想象的千古奇案。在极度兴奋和不安之中,马汉三真想关起门来放声大喊大叫一阵,以痛快淋漓地宣泄自己那种充满胜利感的狂喜。

戴笠座机失踪的消息犹如世界末日降临的阴影一样,阴森凄凉地笼罩着重庆军统局本部。军统局代主任秘书毛人凤紧张不安地守在办公室里,不停地指令重庆总台向上海、南京、青岛、济南、天津、北平等处询问222号专机的消息。3月17日下午至次日，毛人凤紧张得坐立不安，甚至通宵不敢离办公室一步。电讯总台的电波连续不断地向全国各地数十个建有机场的大中城市发送，并命令各地的军统组织调动一切情报力量，寻找222号专机去向。

随着时间在一分一秒地过去，毛人凤心中的不祥感越来越强烈。在过去，戴笠每到一个新的地方，一般都要给毛人凤发电告知自己的行止，以备蒋介石随时向毛人凤查询，也便于毛人凤及时向他报告局里的重大情况。但是自17日中午戴笠离开青岛后，不但完全中断联系。而且完全失去行踪，这是以前从没有出现过的异常情况。

222号军用运输机原由DC——3型民航机改装而成，1942年开始装备美军部队，安全可靠，全天候飞行。其最大时速350公里，最大航程4900公里(平常2500公里)，持续时间为19小时24分(平常8小时)，可载量2270公斤，号称空中列车。

毛人凤认为，按222号专机正常航程计算，戴笠已不可能在空中飞行，即使按最大续航时间测算，戴笠也不太可能在空中飞行，肯定已经降落到某个地方。只要222号专机着陆，戴笠与军统局及各地组织的联系并不困难，不但戴笠随身带有电台和报务人员，况且军统组织遍布国内，军统的一项重要命令可以一两个小时之内，通过近千座电台传达到全国每一个角落。岂有老板数十个小时与局本部联系不上的道理?

据此分析，222号专机极有可能出现以下两种情况：一是由于某种原因，飞机被迫降落在共产党武装控制的地区；二是飞机失事，机上人员遇难。对于这两种情况可能带来的后果，毛人凤都不敢深想，他只觉事情已经到了刻不容缓的地步，必须尽快向蒋介石报告。

3月18日清晨，毛人凤闯进蒋介石官邸，向蒋紧急汇报222号专机及戴笠失踪的消息。蒋听完报告，一言不发，立即拿起话筒用一种恐慌与紧张的口吻向航空委员会主任周至柔询问222号飞机的去向。当他得知222号专机确实失踪后，当即做出两项指令：

一是指令周至柔马上派出几架搜索机沿青岛、南京、上海一线及周围地区寻找，弄清222号专机降落的地点，并通知空军各机场协助查寻，将情况随时报告；

二是指令毛人凤马上选派1名将级特务，带上电台及1名报务员，1名外科医生，于3月17日下午即出发前往上述地区寻找，如发现222号专机，就马上降落，不能降落则跳伞下去，并用电台将情况随时向蒋报告。

蒋介石之所以很快做出这两项决定，主要是基于这样一个考虑，222号专机如果是失事遇难，那将是无可挽救的事，蒋也并不担心这一点。说实在的，蒋对戴的厌倦心理甚至在潜意识中希望出现这种后果。

但是，需要防备的是，如果飞机降落到共产党武装控制的地区，戴笠一旦被共产党活捉，以戴所掌握的国民党内幕及情报，就会对蒋的统治带来不可估量的危害，这是蒋决不能处之泰然的。

这就是当蒋得到戴笠失踪的消息后，很快表现出恐慌而不是关心戴笠安全的原因。并且命令毛人凤要想尽一切办法找到戴笠，生要见人，死要见尸。

毛人凤急匆匆地领旨回到军统局，当即召开所有在渝的“将”字号的高级特务会议，通报戴笠及222号座机一天一夜失踪的消息，传达蒋介石关于派人寻找的指令。参加会议的大都是局本部各部门及驻渝外勤机关负责人中少将级以上的大特务，一共20余人。

当到会的大特务们得知戴笠已经失踪一天一夜时，不啻一声惊雷在头顶上炸响。多少年来，军统特务们无不把戴笠看成是军统的灵魂、化身和象征，甚至早已习惯了终日战战兢兢地在戴笠的淫威下生活，谁也没有想过离开了戴笠的意志、权威和谩骂，将如何生存？

在过去，特务们均以戴笠的意志为意志，想戴笠所想，干戴笠所干，一切以戴笠的脸色为行动准则，早已失去了个人的意志、人格和思想，一个个几乎成了政治上的植物人，谁也不敢想象离开了戴笠，军统将会是一种什么样的结局。参加会议的军统总务处长沈醉回忆当时的情况，只觉得自己"顿时浑身直冒冷汗，心想：他可千万不要出什么事啊"！这种心情正是当时大多数特务的共同心态。

但是，当特务们听说蒋介石命令要选派1个人坐飞机去寻找戴笠时，马上都像被霜打了似的，一个个蔫着头。会场上鸦雀无声，谁也不肯接受这样一个任务。生存是每个特务的本能，何况又是面临着抗战胜利后人人都将升官发财的灿烂前程，谁肯因为寻找老板而被共产党活捉，成为老板的殉葬品，结果断送享用不尽的荣华富贵。

这一尴尬的场面大大出乎毛人凤的意料，他本来以为会上将有一番热烈的竞争，人人都会抢着要去，结果在关系到戴笠生死存亡的危难关头，这些平时被老板视为心腹亲信加以重用的大特务们竟没有一个肯挺身而出，肯去救主。这不啻是对戴笠鼓吹"团体即家庭，同志即手足"的无情讽刺和嘲笑。

毛人凤面对这一场面几乎要哭出声来。他本是一个代主任秘书，地位与这些"将"字号的大特务只在伯仲之间，资历却远远不如这些大特务，过去他也仅仅是戴笠的传声筒，拉大旗作虎皮，替戴笠看家守门罢了。这些大特务们既不把毛人凤放在眼里，毛人凤也不敢对这些大特务指手划脚。现在戴笠生死未卜，他又如何能一下指挥得动这些“头上长角”混世魔王！

最后，毛人凤在百般无奈之中声泪俱下地哀求说：“同志们，委员长再三强调，一定要派个高级同志去。如果没有一个负责人肯去，岂不是显得我们军统的负责人太胆小怕死了吗？如果我能走开，我一定去，可是戴先生临走时，让我在局里处理日常事务，离不开。你们叫我怎么去向委员长复命呢？”

在会场气氛几至凝固的情况下，倒是年仅33岁的沈醉站了出来，表示愿意承担去共区寻找戴笠的任务。

沈醉既非戴笠的江山或浙江同乡，也非戴笠的黄埔同学，只是出于报答戴笠对他的知遇之恩，才决定不惜冒死成行。

沈醉的“壮举”使毛人凤和在场的大特务们抓得救命稻草，毛人凤当即领沈醉去见蒋介石，蒋做了一番指示和鼓励，并要沈醉带领医生和报务员先练习跳伞，准备19日早晨动身。并临时草就一份手令交给沈醉，内容是：“无论何人，不许伤害戴笠，应负责妥为护送出境，此令。”

又反复叮嘱沈醉：“你如果发现失踪的飞机不是停在机场上，你们就跳伞下去。不管遇着什么单位的负责人，先出示我的手令，找到戴局长，立即用无线电告诉我！我相信，一切都不成问题，看谁敢违抗？”蒋的最后一句话虽然明白表示了他是对共产党而言，但在某种程度上也是对戴笠的威胁。

蒋的猜忌心之强和心眼之多是无人能及的，因而当分析某一事件的原因和动机时，也往往先从推测对方不利于己的阴暗心理出发，故而能常常生出许多可笑的念头与荒谬的结论。戴笠的失踪，他当然相信毛人凤的两个分析。但在毛人凤推测的两种可能之外，蒋介石又生出第三种可能：会不会出现戴笠主动向共产党投诚的可能性?

蒋分析了战后自己对戴笠所采取的一系列逼迫措施,越想越觉得后怕,果真如此,他也将不惜采取一切手段,把戴笠抢夺回来。这就是"看谁敢违抗"的另一个潜台词。

3月18日晚,就在沈醉等人积极准备乘飞机前往中共武装控制区寻找戴笠的时候,李人士在南京得到戴笠行踪的第一个消息,3月17日午后,在南京西南郊的江宁县上空,有1架军用飞机坠毁,只是不能确定是不是222号专机。李人士得到江宁县特务情报人员的报告后,一方面派人前往查实,一方面用长途电话分别向军统上海办事处、重庆局本部通报。

3月19日早晨,李人士进一步得到新的线索,在飞机坠毁处找到一颗私章,刻着龚仙舫的名字。至此,222号座机失事,戴笠及其一行遇难已确定无疑。

当毛人凤得到李人士的第一个长途电话,即向蒋介石报告时,蒋立即胸有成竹地肯定坠毁的必是222号专机,并断定戴笠已死。经过航空委员会查实,也很快证实了蒋的分析判断。

3月19日上午,李人士即带领陆总调查室和南京办事处的特务赶往222号专机坠毁地点——江宁县板桥镇以南5公里处的戴山。

李人士等人坐大小车辆到达江宁县板桥镇,前面已无公路可行,只得下车在大雨后的泥泞小道跋涉而行,1个多小时后,方到达戴山。

只见数日暴风雨已将现场冲刷得乱七八糟,飞机残骸成圆形抛洒在半山腰的大片泥泞中,被烧焦的残肢断体令人恐怖地与飞机的残骸夹杂在一起。经过附近农民两日来翻搅践踏的寻宝活动,尸体与泥水搅混在一起,另有一些尸体已被雨水冲刷到山腰上一条叫"困雨沟"的水沟中,其形其状,惨不忍睹。

李人士当即指挥特务和雇请来的民工把尸体一具具的清理出来,用白布包裹好,排成一行,放在戴山的半山坡上。经反复清理清点,一共13具。

由于每一具尸体都烧得像一段黑炭棒,特务们已不能分清谁是戴笠,谁是龚仙舫,这时经闻讯赶来的贾金南进行辨认,才弄清从“困雨沟”中捞出的1具尸体是戴尸。贾金南是通过戴笠生前左边臼齿上下镶嵌的6颗金牙才确定戴笠尸身的,他10多年来始终跟随戴笠当勤务兵和副官,不但对戴笠忠心耿耿,而且对戴笠情况的了解和熟悉无人能及。这次因事滞留上海、南京,未能同行,故躲过了一场灾难。

3月19日,军统上海办事处的将字号的大特务李崇诗、王新衡、毛森、邓葆光、王一心等乘专列赶往南京,在南京换乘汽车赶往江宁板桥镇,然后步行到达戴山,此时已是3月20日上午。李崇诗等大特务们一到戴山,立即向戴笠的尸体围上前去,只见这个生前的恶煞神、威风不可一世的特工王,现在却成了一具残肢断臂、面目全非的焦炭棒,暴尸三日,无人收殓。

贾金南仔细将戴笠的半截尸体(右手和小腿均未找到)用白布一层层裹好,抱在怀中,踏着泥泞的山路,踉踉跄跄地向山下走去。可笑的是,在板桥镇乘车返回时,乘自备轿车前来的军统大特务们竟没有一个肯让贾金南抱着戴笠的尸体上车。贾金南想到戴笠尸骨未寒,这些平时对戴先生无比“尊敬”的大特务们就脸色陡变,一腔怒气无从发泄,只得一边嚎啕大哭,一边搭乘了1辆大卡车返回南京。

当日下午4时左右,沈醉从重庆赶到南京,见到戴笠的尸体,立即指挥人将死尸先送到殡仪馆整容换衣。然后将戴尸装殓放进李崇诗从上海购买的1具楠木棺材内。同时在南京中山路的军统办事处设一灵堂,将戴笠、龚仙舫等的棺木放置在灵堂里。一切草草办完后,李人士便邀请上海、南京、重庆各地赶来的大特务们到一家大饭店里摆下豪华宴席,心安理得地大嚼起来。

在一片杯盘交错声中,除了沈醉、邓葆光等少数几个大特务因铭记戴笠生前的知遇之恩而难过得吃不下饭外,绝大多数人却因心情极好而胃口大开。在他们看来,戴笠死后,虽然会给军统的事业带来很大的损失,然而他们自己在接收日伪财产中贪污受贿的大批财产,再也用不着担心戴笠追查处理了。

3月21日,沈醉为了追查寻找戴笠遗物。专程到戴山踏勘飞机失事现场,并召集当地的县长、保甲长开会,追查是否有人私捡了飞机失事后散落的古玩珍品。经过一番威胁利诱,果然事隔不久,县长派人送来了一只一尺多高的宋代雕琢的羊脂白玉九龙杯和一柄古剑。古剑正是戴笠从马汉三手中讨还的五尺龙泉宝剑。只见此剑虽遭烈火冶炼,鞘柄俱毁,但剑体依然寒光闪闪,锋利无比,令人惊叹不已。可惜,没有一个特务能够识破此剑的庐山真面目和个中玄机。这2件珍品由军统清点后送到当时的故宫博物院。

沈醉此行是有功的,正是找到此物,后来成了弄清戴笠死因的线索。

3月21日,国民党《中央日报》及其他许多报纸,刊登了戴笠乘222号专机从青岛去上海途中,在南京江宁县上空因遇大雨,飞机撞山失事,戴笠及机上人员全部遇难的消息。

戴笠的死因,就此而成定论。国民党上下及军统内外,基本上都接受了这一结论。一场弥天大案就此掩盖过去。

名震一时的一代特工之王,结果在不明不白中死去。戴笠一世“英雄”,却轻易败在小人马汉三手中,说来实在令人难以置信。

1946年4月1日，军统局在重庆举行隆重的戴笠追悼会，所有军统内外勤的大特务全部到会。

蒋介石亲自到会主祭，号召特务们要完成戴笠生前遗愿，继续做好特务工作，并十分难得地流了泪，参加追悼会的特务们也大都痛哭失声。礼毕，蒋介石走上主祭台，亲切地在一批烈士家属面前转了一圈，一一握手赠金，含泪以泣。死亡特务家属们想到戴笠已死，军统前景黯淡，自己今后的生活也将难以保障，思前瞻后，悲上心头，一个个竟忍不住嚎啕大哭起来。

毛人凤觉得在此种情况下，蒋将难以脱身，当即挥手制止，将哭声压下，蒋趁机脱身，追悼会也在一片凄凉的气氛中结束。

从4月中旬开始，国民党各大城市军政最高主官按蒋的旨意，对戴笠之死纷纷举行公祭。

蒋介石亲赠花圈，题"碧血千秋"，挽联文为："雄才冠群英山河澄清仗汝迹，奇祸从天降风云变幻痛予心"。这是多少能表达蒋介石痛失戴笠之后的心情的。

这次葬礼所赠花圈、挽联数以百计，其中，得到各界一致公认，被认为是上上之联的，是章士钊先生所写的一首挽联。原来，自戴笠死后，蒋介石慨叹地对人说：戴笠"生也为国家，死也为国家"。并示意教育部长陈立夫，要发动一些文化、教育、法律界的人士写几副挽联来，悼死抚生，以提高戴笠的身价，装潢门面。

为此，陈立夫利用一些名流宿彦的聚会，向大家提出给戴笠送挽联的事。名流们虽然感到钦命不敢违，但想到以戴笠其人的黑暗一生，如何能歌功颂德，自甘堕落；如果照实写来，岂不有违蒋、陈等人的初衷，引火上身，自找麻烦。想来想去，一个个都是激流勇退，相互推诿。

这时，国民党元老张群素知大律师章士钊先生与杜月笙交谊非浅，与戴笠亦有交往，于是极力推荐章翁主笔，众人一致附和。章翁至此不好再推，稍加思索，一挥而就。文曰：

"生为国家，死为国家，平生具侠义风，功罪盖棺犹未定。

誉满天下，谤满天下，乱世行春秋事，是非留待后人评。"

寥寥数十字，却以"曲笔"手法入木三分地刻画了戴笠一生的特点。亦见章士钊对戴笠其人把握之准。满座名流也无不欣然赞赏这副不吹不捧、不卑不亢的挽联，也无不叹服章翁的点石成金之笔，就连陈立夫、张群也频频点头，一致叫好。这副对联写出后，很快被社会各界的许多人推为是很能切合戴笠身份的名联，一时传为佳作。即使军统特务们也都在私下认为章翁不愧为大手笔，写得确如其人，因而争相传颂。自公祭活动以来，仅各地军统搜集的挽联就达 5000 多幅。

6 月 12 日上午 9 时，蒋介石身穿特级上将的军服，在大批文武大员的陪同下，由南京中山路 357 号军统办事处内的戴笠灵堂，亲自护送戴笠灵柩至钟山灵谷寺志公殿。

送葬队伍一律素衣白马，由陆军第五十一师师长邱维达为指挥官。蒋介石在葬礼上含泪亲读长篇祭文，痛感"唯君之死，不可补偿"！深表哀悼。

一代枭雄、特工之王命丧黄泉，结束了他那风云谲诡、波澜起伏、充满传奇色彩的一生。

戴笠之死，既是他的悲剧，也是他的万幸。

# 参考书目

1.《军统魔王——戴笠》 杨晖编著 团结出版社
2.《政坛杀手》 钟连诚著 广州出版社
3.《戴笠全传》 游国立 席晓勤著 吉林人民出版社
4.《军统魔王戴笠》 蓝波著 河南人民出版社
5.《蒋介石和戴笠》 刘会军著 吉林文史出版社
6.《戴笠和军统》 汪绍贞著 河南人民出版社
7.《戴笠传》 李继星主编 敦煌文艺出版社
8.《特工王戴笠》 杨者圣著 上海人民出版社
9.《孽海枭雄:戴笠新传》 沈美娟著 北京十月文艺出版社
10.《江山戴笠》 中元编著 中国文史出版社
11.《戴笠其人》 沈醉 文强著 文史资料出版社
12.《汪伪特工史》 游国立 王晓明著 远方出版社
13.《蒋介石和他的特务机构》 月西著 海天出版社